JOHN CONNOLLY

John Connolly est né à Dublin en 1968. Il a été journaliste pendant cinq ans à l'*Irish Times*, journal pour lequel il contribue encore aujourd'hui, avant de se consacrer à plein temps à l'écriture. *Tout ce qui meurt* (Presses de la Cité, 2001), son premier roman, a été un best-seller aux États-Unis et en Grande-Bretagne. Depuis, d'autres titres ont paru mettant à nouveau en scène le détective Charlie Parker : ... *Laissez toute espérance* (2002), *Le Baiser de Caïn* (2003), *Le Pouvoir des ténèbres* (2004), *L'Ange Noir* (2006), *La Proie des ombres* (2008) et *Les Anges de la nuit* (2009). Plusieurs de ses romans ou nouvelles sont en cours d'adaptation pour le cinéma. Après *L'Empreinte des amants* (2010), son dernier ouvrage, *Les Murmures*, a paru en 2011. Tous ses ouvrages ont été édités aux Presses de la Cité.
Aujourd'hui, cet Irlandais de naissance est considéré par les Américains comme l'un des maîtres du roman noir à l'américaine.

Retrouvez l'actualité de l'auteur sur
www.johnconnollybooks.com

L'EMPREINTE DES AMANTS

DU MÊME AUTEUR
CHEZ POCKET

DANS LA SÉRIE CHARLIE PARKER

TOUT CE QUI MEURT
... LAISSEZ TOUTE ESPÉRANCE
LE POUVOIR DES TÉNÈBRES
LE BAISER DE CAÏN
L'ANGE NOIR
LA PROIE DES OMBRES
LES ANGES DE LA NUIT
L'EMPREINTE DES AMANTS

JOHN CONNOLLY

L'EMPREINTE DES AMANTS

Traduit de l'anglais (Irlande)
par Jacques Martinache

PRESSES DE LA CITÉ

Titre original :
THE LOVERS

Le papier de cet ouvrage est composé de fibres naturelles, renouvelables, recyclables et fabriquées à partir de bois provenant de forêts plantées et cultivées durablement pour la fabrication du papier.

ISBN 978-2-266-20700-3

À Jennie

Prologue

La vérité est souvent une arme terriblement agressive.
On peut mentir et même assassiner pour la vérité.

Alfred ADLER (1870-1937),
Les Névroses

Je me dis que ce n'est pas une enquête. C'est aux autres de faire l'objet d'une enquête, pas à moi, pas à ma famille. Je fouille dans la vie d'inconnus, je révèle leurs secrets et leurs mensonges, parfois pour de l'argent, parfois parce que c'est le seul moyen de donner le repos à de vieux fantômes, mais je ne veux pas gratter et retourner de la même manière ce à quoi ma mère et mon père ont toujours cru. Ils ne sont plus. Qu'ils dorment en paix.

Il y a cependant trop de questions sans réponse, trop d'incohérences dans le récit construit à partir de leurs vies, fable racontée d'abord par eux puis par d'autres. Je ne peux plus permettre qu'on continue à ne pas les examiner.

Mon père, William Parker, que ses amis appelaient Will, est mort quand j'allais avoir seize ans. Il était flic au 9e District, dans le Lower East Side de New York, aimé par sa femme, à qui il était fidèle, ayant un fils qu'il adorait et qui l'adorait en retour. Il avait choisi de rester en uniforme et de ne pas briguer d'avancement, parce qu'il était satisfait de faire son métier dans la rue comme simple policier de patrouille. Il n'avait pas de secrets, du moins pas de secrets si terribles que leur révélation eût pu gravement porter préjudice à lui-même ou à ses proches. Il menait une vie ordinaire dans une petite ville, aussi ordinaire qu'une vie peut l'être quand son rythme quotidien est déterminé par les tableaux de service, les meurtres, les vols et la toxicomanie, les violences exercées par les forts et les impitoyables sur les faibles sans défense. Ses défauts étaient mineurs, ses péchés, véniels.

Toutes ces affirmations sont mensongères, sauf qu'il aimait son fils, même si ce fils oubliait quelquefois de l'aimer en retour. Après tout, je n'étais qu'un adolescent quand il est mort, et quel garçon de cet âge ne se heurte pas déjà à son père, ne tente pas de prendre le dessus sur lui, dans une famille qui ne comprend plus la nature du monde sans cesse changeant autour d'elle ? Alors, est-ce que je l'aimais ? Oui, bien sûr, mais vers la fin je refusais de l'avouer, à lui ou à moi-même.

Et maintenant, la vérité.

Mon père n'est pas mort de cause naturelle : il a mis fin à ses jours.

Son manque d'avancement n'était pas un choix mais une sanction.

Sa femme ne l'aimait pas ou elle ne l'aimait pas comme avant, car il l'avait trompée et elle ne pouvait se résoudre à lui pardonner cette trahison.

Il ne menait pas une vie ordinaire et des gens sont morts pour lui permettre de garder ses secrets.

Il avait de graves défauts et ses péchés étaient mortels.

Une nuit, mon père a tué deux adolescents désarmés sur un terrain vague, non loin de l'endroit où nous habitions, à Pearl River, à la périphérie de New York. Ils n'étaient pas beaucoup plus âgés que moi. Il a d'abord abattu le garçon, puis la fille. Il a utilisé le pistolet qu'il portait en dehors du service, un Colt 38 à canon court, parce qu'il n'était pas en uniforme à ce moment-là. Le garçon a reçu la balle dans la tête, la fille, dans la poitrine. Une fois sûr qu'ils étaient morts, mon père, hébété, est retourné en ville avec sa voiture, il s'est douché et s'est changé dans les vestiaires du 9e, où on est venu le chercher. Moins de vingt-quatre heures plus tard, il s'est suicidé.

Depuis que je suis devenu adulte, je me suis toujours demandé pourquoi il avait commis ces actes, mais il me semblait qu'il n'y avait pas de réponse à cette question, ou peut-être était-ce le mensonge que je me racontais.

Jusqu'à maintenant.

Il est temps d'appeler la chose par son nom.

Il s'agit d'une enquête sur les circonstances de la mort de mon père.

I

J'aime et je hais en même temps.
Comment cela se fait-il ? direz-vous peut-être.
Je l'ignore ; mais je le sens, et c'est un supplice pour mon âme.

CATULLE, *Carmina*, 85

1

Le fils Faraday avait disparu depuis trois jours.

Le premier jour, on n'avait rien fait. Il avait vingt et un ans, après tout, et les jeunes gens de cet âge n'ont plus à respecter le couvre-feu et les règles parentales. Cela ne lui ressemblait pas, cependant. Bobby Faraday était un garçon digne de confiance. Après avoir obtenu une licence, il avait pris une année sabbatique avant de décider de la direction que prendraient ses études de troisième cycle en ingénierie, et avait parlé de passer deux ou trois mois à l'étranger, ou de travailler pour son oncle à San Diego. Finalement, il était resté dans sa ville natale, avait fait des économies en vivant chez ses parents et en laissant sur son compte en banque autant de son salaire que possible, un peu moins toutefois que l'année précédente, puisqu'il pouvait maintenant boire impunément et qu'il usait peut-être de cette liberté nouvelle avec plus d'enthousiasme que la sagesse ne l'aurait voulu. Pour les fêtes de fin d'année, il s'était offert deux gueules de bois ravageuses et son père lui avait conseillé de lever le pied avant que son foie demande grâce, mais Bobby était jeune, il était immortel, il était amoureux ou, du moins, il l'était jusqu'à ces derniers temps. Il serait peut-être plus juste de dire que Bobby Faraday était encore amoureux, mais que l'objet de sa flamme était passé à autre chose, le laissant embourbé dans ses sentiments. C'était à cause de cette fille qu'il avait choisi de rester dans cette ville au lieu d'aller voir le monde, décision accueillie diversement par ses parents : gratitude chez sa mère, déception chez son père. Au début, il y avait eu des disputes, mais par la suite, telles deux armées hésitant à entamer une bataille non souhaitée, le père et le fils avaient déclaré une trêve, même si chacun continuait à observer l'autre avec méfiance pour voir qui cillerait le premier. Pendant ce temps, Bobby buvait et son père rageait, tout en gardant le silence dans l'espoir que la fin de l'amourette inciterait son fils à élargir son horizon avant que les cours reprennent à l'université en automne.

Malgré ses excès occasionnels, Bobby n'arrivait jamais en retard au garage station-service où il travaillait et partait généralement un peu après l'heure, parce qu'il y avait toujours quelque chose à faire, une réparation qu'il voulait finir, même s'il aurait pu le faire sans problème le lendemain matin. C'était une des raisons pour lesquelles son père, malgré leurs désaccords, ne se faisait pas trop de souci pour l'avenir de son fils : Bobby était trop consciencieux pour rester longtemps hors des sentiers battus. Il aimait l'ordre, il l'avait toujours aimé. Il n'avait jamais été un de ces ados négligents, dans l'aspect ou le comportement. Ce n'était pas dans sa nature.

Il n'était toutefois pas rentré la veille et n'avait pas téléphoné à ses parents pour les prévenir, ce qui était en soi inhabituel. Puis il ne s'était pas rendu à son travail le lendemain matin, ce qui lui ressemblait si peu que Ron Nevill, son patron, avait appelé chez les Faraday pour savoir si le garçon n'était pas malade. La mère de Bobby avait été étonnée d'apprendre que son fils n'était pas déjà au garage. Elle avait supposé qu'il était rentré tard et parti tôt. Elle était allée voir dans sa chambre, installée au sous-sol. Le lit n'était pas défait et rien n'indiquait qu'il eût passé la nuit sur le canapé.

N'ayant toujours pas de nouvelles à trois heures de l'après-midi, elle avait appelé son mari à son travail. Ensemble, ils avaient interrogé les amis de leur fils, ses vagues connaissances et son ex-copine, Emily Kindler. Ce dernier coup de fil avait été délicat, puisque Bobby et elle avaient rompu deux semaines plus tôt seulement. Le père soupçonnait que c'était pour ça que son fils buvait plus qu'il n'aurait dû, mais il n'était pas le premier à tenter de noyer ses peines de cœur dans une mer d'alcool. Le problème, c'est que le chagrin d'amour flotte dans la gnôle : plus on essaie de l'envoyer par le fond, plus il s'obstine à remonter à la surface.

Personne n'avait vu Bobby ou n'avait eu de ses nouvelles depuis la veille. À dix-neuf heures passées, les parents appelèrent la police. Le chef se montra sceptique. Il était nouveau dans cette ville, mais connaissait bien le comportement des jeunes. Il prit cependant note que ce genre de conduite n'était pas dans les habitudes de Bobby et que vingt-quatre heures s'étaient écoulées maintenant depuis qu'il avait quitté le garage. Comme Bobby ne s'était montré dans aucun des bars locaux après son travail, Ron Nevill semblait être la dernière personne à l'avoir vu. Le chef de la police passa chez les Faraday pour obtenir d'eux le signalement de leur fils et une photo, prise l'été précédent. Il informa les autres forces de l'ordre du secteur et la police de l'État d'un cas possible de personne disparue. Ni les uns ni les autres ne réagirent promptement, car ils étaient presque aussi sceptiques que lui, et pour les affaires de disparition on attendait généralement soixante-douze heures avant d'envisager qu'il pouvait ne pas s'agir simplement d'une histoire d'alcool, d'hormones ou de problèmes familiaux.

Le deuxième jour, ses parents et leurs amis entreprirent un ratissage officieux de la ville et de ses environs. Sans résultat. Lorsqu'il commença à faire sombre, sa mère et son père retournèrent chez eux, mais ils ne parvinrent pas à dormir cette nuit-là, comme ils n'avaient pas dormi la veille. Étendue dans le lit, le visage tourné vers la fenêtre, sa mère guettait un bruit approchant, le pas familier de son fils unique qui rentrait enfin. Elle remua légèrement quand elle entendit son mari se lever et enfiler sa robe de chambre.

— Qu'est-ce qu'il y a ? demanda-t-elle.

— Rien. Je vais faire du thé, rester un moment dans la cuisine.

Il marqua une pause, puis :

— Tu en veux ?

Mais elle savait qu'il ne le proposait que par politesse, qu'il préférait qu'elle ne l'accompagne pas. Il ne voulait pas qu'ils se retrouvent assis à la table de la cuisine sans rien à se dire, ensemble mais séparés, les peurs de l'un nourrissant celles de l'autre. Il préférait être seul. Elle le laissa donc sortir et, lorsque la porte se referma derrière lui, elle se mit à pleurer.

Le troisième jour, les recherches officielles commencèrent.

L'ost doré se courbait d'un seul mouvement, formes innombrables ployant de concert sous la caresse légère de la brise de fin d'hiver, tels des fidèles baissant la tête conformément au déroulement de la messe et attendant le moment de la consécration.

Elles murmuraient pour elles-mêmes, long susurrement qu'on aurait pu prendre pour le grondement de vagues distantes si un tel bruit n'avait été inconnu dans ce lieu éloigné de la mer. Leur pâleur était piquetée de petites fleurs rouges, orange et bleues, éparpillement de pétales dans un océan de grains et de tiges.

L'ost avait échappé à la moisson et avait pu monter haut, trop haut, tandis que le grain pourrissait. La récolte avait été perdue parce que le vieillard à qui appartenait la terre sur laquelle l'ost s'était rassemblé était mort l'été précédent, et que ses héritiers se disputaient sur la vente de la ferme et le partage de l'argent qu'on en tirerait. Pendant qu'ils se querellaient, l'ost avait crû vers le ciel, mer d'or mat au cœur de l'hiver, et les formes innombrables parlaient entre elles à voix basse de ce qui gisait à proximité, entouré de joncs.

L'ost semblait en paix, cependant.

Soudain le vent tomba et l'ost se redressa, troublé par le changement, sentant que tout n'était plus comme avant, puis le vent souffla de nouveau, plus tempétueux, en rafales dispersées, à la caresse moins délicate, qui partageaient l'ost en ondulations et en remous. À l'unité succédait la confusion.

Des fragments disséminés brillèrent dans le soleil avant de retomber sur le sol. Le murmure se fit plus fort et couvrit des rumeurs d'une approche l'appel d'un oiseau solitaire.

Une forme noire apparut à l'horizon, semblable à un insecte géant suspendu au-dessus des épis. Elle crût en stature, devint la tête, les épaules, le corps d'un homme marchant entre les rangées de blé tandis que, devant lui, une forme plus petite, invisible, fendait la masse dorée, reniflait et jappait, premiers intrus sur le territoire de l'ost depuis la mort du vieillard.

Une deuxième silhouette surgit, plus lourde que la première. Elle semblait peiner à avancer à cause de la nature du terrain et parce qu'elle n'avait pas l'habitude de l'exercice que sa participation aux recherches lui imposait. Plus loin, à l'est, d'autres cherchaient aussi. Pour une raison ou une autre, les deux hommes s'étaient écartés du groupe principal, qui avait fondu à mesure que la journée s'avançait. Déjà la lumière faiblissait. Il serait bientôt l'heure de faire halte et ils seraient moins nombreux à chercher, dans les jours qui suivraient.

Ils s'y étaient mis dès le matin, tout de suite après la messe du dimanche. Ils s'étaient rassemblés devant l'église catholique de Saint Jude, puisque c'était elle qui avait la cour la plus vaste et, curieusement, le moins de fidèles, contradiction que Peyton Carmichael, l'homme au chien, n'avait jamais tout à fait comprise. Peut-être les catholiques comptaient-ils sur une conversion en masse dans un proche avenir, pensa-t-il, ce qui l'amena à se demander s'ils n'étaient pas tout simplement plus optimistes que les autres.

Le chef de la police et ses hommes avaient divisé le territoire de la ville en carrés et sa population en groupes, chaque groupe recevant une zone à explorer. Les diverses églises avaient fourni des sandwichs, des chips et des sodas, même si la plupart des gens avaient apporté leurs propres provisions, au cas où. Rupture avec la tradition du dimanche, aucun d'eux n'avait revêtu ses beaux habits. Ils portaient tous des chemises amples et des pantalons usés, de vieilles bottes ou des chaussures de sport confortables. Certains avaient emporté une canne, d'autres un râteau pour fouiller dans les sous-bois. Il y avait dans l'air une attente contenue, une sorte d'excitation malgré la tâche qui les attendait. À plusieurs dans une même voiture, ils avaient gagné leur zone d'affectation. Lorsque, à la fin du ratissage, ils n'avaient rien trouvé, les flics qui coordonnaient les recherches sur le terrain ou depuis la base établie derrière l'église leur suggéraient une autre zone.

Quand ils avaient commencé, il faisait une douceur anormale pour la saison, un curieux faux dégel qui finirait bientôt, et la neige fondue, le sol détrempé avaient sapé les forces d'un grand nombre d'entre eux avant même qu'ils s'arrêtent pour déjeuner, à une heure et demie. Quelques-uns des plus âgés étaient alors rentrés chez eux, contents d'avoir fait quelque chose pour les Faraday, mais les autres avaient continué. Le lendemain, on serait lundi, ils reprendraient le travail, ils auraient des obligations à remplir. Cette journée était la seule qu'ils pouvaient consacrer à la recherche du jeune homme et il fallait en faire le meilleur usage possible. Mais, à mesure que le jour déclinait, le temps s'était rafraîchi et Peyton se félicitait de ne pas avoir laissé son blouson Timberland dans la voiture et de l'avoir attaché autour de sa taille.

Il siffla sa chienne, une épagneule de trois ans du nom de Molly, et attendit une fois encore que son compagnon le rejoigne. Artie Hoyt. De tous les bénévoles, il avait fallu qu'il tombe avec lui. Les rapports entre les deux hommes étaient froids depuis que, l'année précédente ou un peu avant, Artie avait surpris Peyton à lorgner les fesses de sa fille à l'église. Peu importait qu'Artie n'ait pas vraiment vu ce qu'il avait cru voir. Peyton regardait bien les fesses de la fille, mais ni par lubricité ni par attirance. Non qu'il fût au-dessus de ces bas instincts : parfois, les sermons du pasteur étaient si ennuyeux que la seule chose qui empêchait Peyton de s'endormir, c'était la contemplation de jeunes formes féminines sveltes sous leurs atours dominicaux. Il avait depuis longtemps passé l'âge où il aurait pu craindre pour son âme immortelle les implications possibles de telles pensées charnelles à l'église. Il supposait que Dieu avait mieux à faire que se demander si Peyton Carmichael, veuf de soixante-quatre ans, prêtait plus d'attention aux spécimens de beauté féminine qu'au vieux pantin prêchant en chaire. Comme son médecin aimait le lui dire : « Menez une vie de vin, de femmes et de chants, avec modération mais toujours du bon millésime. » L'épouse de Peyton était morte trois ans plus tôt, emportée par un cancer du sein, et bien que la ville ne manquât pas de femmes du bon millésime prêtes à offrir à Peyton le réconfort de leurs bras les soirs d'hiver, il n'était pas intéressé. Il avait aimé sa femme. Il lui arrivait parfois de se sentir seul, quoique moins souvent qu'avant, mais ce sentiment de solitude était spécifique, pas général : c'était sa femme qui lui manquait, pas la compagnie féminine, et à ses yeux, le plaisir occasionnel qu'il prenait à regarder une belle jeune femme était simplement le signe qu'il n'était pas tout à fait mort au-dessous de la ceinture. Dieu, qui lui avait pris sa femme, pouvait lui permettre cette petite gâterie. Si Dieu en faisait toute une affaire, eh bien, Peyton aurait lui aussi quelques mots à Lui dire lorsqu'ils se rencontreraient enfin.

Le problème, avec la fille d'Artie, c'était que, bien que jeune, elle n'était pas du tout jolie. Ni svelte. Elle était même tout à fait le contraire, à la réflexion. Elle n'avait jamais été ce qu'on appelle mince, mais elle était partie vivre quelque temps à Baltimore et elle y avait sérieusement pris du poids. À présent, quand elle entrait dans l'église, Peyton avait l'impression qu'elle faisait trembler le sol sous ses pieds. Si elle prenait encore de l'ampleur, elle devrait marcher de côté ou il faudrait élargir les allées.

Ainsi donc, le premier dimanche après son retour au foyer parental, lorsqu'elle avait pénétré dans l'église avec papa et maman, Peyton s'était retrouvé à fixer avec une fascination stupéfaite les fesses qui tressautaient sous une robe à fleurs rouges et blanches façon tremblement de terre dans une roseraie. Il se pouvait même qu'il ait eu la mâchoire pendante quand, tournant la tête, il avait découvert Artie Hoyt qui fixait sur lui un regard furieux. Après quoi leurs relations n'avaient plus jamais été les mêmes. Sans être proches avant l'incident, ils se montraient courtois l'un envers l'autre lorsque leurs chemins se croisaient. Maintenant, ils échangeaient rarement un signe de tête et ne s'étaient pas adressé la parole jusqu'à ce que le sort et la disparition du fils Faraday les aient contraints à faire un bout de chemin ensemble. Ils faisaient partie d'un groupe de huit qui s'était mis en route au matin et s'était rapidement réduit à six – quand le vieux Blackwell et sa femme, sur le point de tourner de l'œil, étaient repartis chez eux à contrecœur –, puis à cinq, à quatre, à trois et enfin à deux, seulement Artie et lui.

Peyton ne comprenait pas pourquoi Artie ne renonçait pas tout simplement et ne rentrait pas lui aussi à la maison. Même l'allure modeste que Peyton et Molly donnaient à leur marche était apparemment trop vive pour lui, et ils avaient dû faire halte plusieurs fois pour lui permettre de reprendre haleine et de boire à la gourde qu'il portait dans son sac à dos. Peyton avait mis un moment à comprendre qu'Artie ne voulait pas lui donner la satisfaction de continuer à chercher seul, dût-il pour cela mourir d'épuisement. Peyton avait alors pris un malin plaisir à presser le pas, puis avait réalisé que cette cruauté inutile rendait nuls et non avenus ses efforts antérieurs pour vénérer convenablement le Seigneur à l'église et faire pénitence, nonobstant ses coups d'œil occasionnels aux jeunes femmes.

Ils approchaient de la barrière les séparant du terrain voisin, une friche avec en son centre un petit étang entouré d'arbres et de joncs. Peyton n'avait presque plus d'eau dans sa gourde et Molly avait soif. Il décida de la faire boire à l'étang et d'arrêter ensuite. Artie n'y ferait pas objection si la suggestion venait de Peyton.

— On fait encore celui-là, proposa Peyton. Il me faut de l'eau pour la chienne, de toute façon. Après, on pourra regagner la route et retourner tranquillement aux voitures. D'accord ?

Artie acquiesça. Il marcha jusqu'à la barrière, posa les mains dessus et tenta de l'enjamber. Il parvint à décoller un pied du sol, mais l'autre ne suivit pas. Il n'avait plus la force de continuer. Il y avait quelque chose d'admirable dans son refus d'abandonner, même s'il avait moins à voir avec son souci du sort de Bobby Faraday qu'avec sa rancune envers Peyton Carmichael. Finalement, il dut s'avouer vaincu et retomba du même côté de la barrière en grommelant :

— Bon Dieu de bon Dieu.

— Attends, dit Peyton, je vais t'aider.

— Je peux y arriver. Laisse-moi juste une minute, que je reprenne mon souffle.

— Allez, on n'est plus ce qu'on a été, argua Peyton. Je vais t'aider, et quand tu seras de l'autre côté, tu me donneras un coup de main. Pas la peine de nous abîmer la santé rien que pour avoir raison.

Artie considéra la proposition et approuva d'un hochement de tête. Peyton attacha la laisse de Molly à la barrière au cas où, flairant une odeur, la chienne détalerait, puis il mit ses mains en coupe pour qu'Artie puisse y poser le pied. Quand le pied fut en place et qu'Artie parut avoir une bonne prise sur la barrière, Peyton poussa. Mais soit qu'il eût plus de force qu'il ne le pensait, soit qu'Artie fût plus léger qu'il n'en donnait l'impression, Peyton l'expédia par-dessus la barrière, et si Artie ne se retrouva pas les fesses par terre, ce fut uniquement parce qu'il s'était judicieusement arrimé par la jambe gauche et le bras droit.

— Qu'est-ce que tu fabriques ? s'exclama Artie quand il eut de nouveau les deux pieds sur terre.

— Pardon, s'excusa Peyton, qui s'efforçait de ne pas rire et n'y parvenait que partiellement.

— Je ne sais pas ce que t'as mangé, mais je ferais bien d'en prendre aussi…

Peyton entreprit d'escalader la barrière. Il était en bonne condition pour un homme de son âge, et ne manquait pas de s'en réjouir. Artie tendit une main pour l'aider à garder l'équilibre et, bien qu'il n'en eût pas besoin, Peyton la prit.

— Je ne mange plus beaucoup, répondit-il en posant le pied par terre. Avant, j'avais bon appétit, mais maintenant un petit déjeuner le matin et un morceau le soir me suffisent. J'ai même dû faire un nouveau trou à ma ceinture pour empêcher mon pantalon de tomber.

Une expression indéchiffrable passa sur le visage d'Artie quand il baissa les yeux vers son propre ventre.

— Je n'ai pas voulu te vexer, dit Peyton. Du temps de Rina, je pesais quinze kilos de plus qu'aujourd'hui.

Elle me gavait comme si elle allait me faire rôtir à Noël. Sans elle…

Il laissa sa phrase en suspens et détourna les yeux.

— Ne m'en parle pas, soupira Artie après une pause.

Il semblait tenir à poursuivre la conversation, maintenant que le silence était brisé entre eux.

— Ma femme fait frire tout ce qu'elle met sur la table. Je crois qu'elle ferait même frire les bonbons si elle pouvait.

— Ça se fait, dans certains coins, assura Peyton.

— Sans blague ? Lui dis pas, surtout. Son idée d'une nourriture saine, c'est à base de chocolat.

Ils prirent la direction de l'étang et Peyton libéra Molly de sa laisse. Il savait qu'elle avait senti l'eau et il ne voulait pas la torturer en la forçant à avancer à leur allure. La chienne fila devant eux, tache brun et blanc, et disparut bientôt dans l'herbe haute.

— Une brave bête, commenta Artie.

— Merci. Elle est comme une gosse pour moi.

— Je comprends, dit Artie, qui savait que Peyton et sa femme n'avaient pas eu d'enfants.

— Écoute, il y a quelque chose que je veux te dire depuis un bout de temps… reprit Peyton.

Il chercha ses mots, prit une inspiration et se jeta à l'eau :

— À l'église, l'autre fois, avec Lydia… Je m'excuse d'avoir regardé ses… ses…

— Ses fesses.

— Ouais. Je m'excuse, c'était pas correct. Surtout à l'église. Mais ce n'était pas ce que tu penses.

Peyton se rendit compte qu'il s'était aventuré en terrain marécageux, côté conversation. Il allait peut-être se retrouver contraint d'expliquer à la fois ce qu'Artie pensait qu'il avait pensé et ce qu'il avait, lui, en fait pensé, à savoir que la fille d'Artie Hoyt ressemblait au *Hindenburg* juste avant l'explosion.

— Elle est grosse, déclara tristement Artie pour mettre fin à l'embarras de Peyton. C'est pas de sa faute. Son mariage a fait naufrage, les docteurs lui ont donné des pilules contre la dépression, et du coup elle s'est mise à prendre du poids. Elle est déprimée, elle mange. Elle grossit, ça la déprime encore plus. C'est un cercle vicieux. Je ne te reproche pas de l'avoir regardée de cette façon. Si c'était pas ma fille, moi aussi je la regarderais comme ça. En fait, j'ai honte de le dire, ça m'arrive, des fois.

— Je suis désolé quand même. Ce n'était pas... gentil.

— J'accepte tes excuses. Tu me paieras un verre la prochaine fois qu'on se verra au Dean's.

Les deux hommes se serrèrent la main. Peyton sentit ses yeux s'embuer et mit ça sur le compte de la fatigue.

— Et si je t'offrais une bière quand on aura fini ? proposa-t-il. La journée a été longue.

— D'accord. On laisse ta chienne boire et...

Artie s'interrompit. L'étang était maintenant en vue. Il avait été un lieu de rendez-vous jusqu'à ce que le terrain change de mains et que le nouveau propriétaire, l'homme craignant Dieu dont les descendants impies se disputaient maintenant l'héritage, eût fait savoir qu'il ne souhaitait pas que les adolescents fassent leur éducation sexuelle à proximité de son étang. Un grand hêtre étendait ses branches au-dessus de l'eau, dont il touchait presque la surface. Molly se tenait à quelque distance de l'arbre. Elle n'avait pas bu, elle s'était en fait arrêtée à un mètre de l'étang et elle attendait, remuant la queue avec hésitation. À travers les joncs, les deux hommes aperçurent en approchant une forme bleue.

Bobby Faraday était agenouillé au bord de l'eau, la partie supérieure du corps légèrement penchée en avant, comme s'il cherchait à apercevoir son reflet dans l'étang. Il avait autour du cou une corde attachée au tronc du hêtre. Son corps était gonflé par les gaz, son visage violacé, ses traits presque méconnaissables.

— Bon Dieu, murmura Peyton.

Il chancela et Artie lui passa un bras autour des épaules tandis que le soleil se couchait derrière eux. Le vent soufflait et l'ost doré se penchait avec affliction.

2

Je pris le train pour Pearl River à Penn Station. Je n'étais pas descendu à New York en voiture, je n'en avais pas loué une à mon arrivée en ville. Pour ce que j'avais à faire, je me débrouillerais mieux sans. Lorsque le train s'arrêta à la gare, à peine changée depuis l'époque où elle faisait partie de la Compagnie de chemin de fer de l'Érié, je constatai que les modifications apportées au centre-ville étaient elles aussi légères et de pure forme. Je descendis de l'unique voiture et traversai lentement Memorial Park, où une pancarte proche de la guérite de police déserte annonçait que Pearl River était « toujours la ville des gens amicaux ».

Le parc avait été créé par Julius E. Braunsdorf, le père de Pearl River, qui avait aussi dessiné les plans de la ville après avoir acheté le terrain, avait construit la gare de chemin de fer, fabriqué la machine à coudre Aetna et la presse à imprimer America & Liberty, mis au point une ampoule électrique à incandescence et inventé la lampe à arc qui éclairait non seulement le parc mais aussi le pourtour du Capitole à Washington. Comparé à Braunsdorf, la plupart des gens avaient l'air de flemmards. Avec Dan Fortmann, le joueur des

Chicago Bears, il était le plus grand motif de fierté de Pearl River.

Au centre du parc, la bannière étoilée flottait encore au-dessus du monument à la mémoire des jeunes gens de la ville morts au combat. Curieusement, on y trouvait aussi les noms de James B. Moore et Siegfried W. Butz, qui n'étaient pas morts à la guerre mais au cours d'un hold-up en 1929, lorsque Henry J. Fernekes, bandit célèbre à l'époque, avait tenté de braquer la First National Bank de Pearl River, déguisé en électricien. Enfin, au moins, on se souvenait d'eux. Les employés de banque assassinés n'ont pas souvent leurs noms sur les monuments publics.

Pearl River n'avait rien perdu de ses origines irlandaises depuis que je l'avais quittée. Le Muddy Brook Café de South Main, de l'autre côté du parc, proposait encore un petit déjeuner celte. Non loin se trouvaient la boucherie irlandaise Gallagher, la boutique de cadeaux du Cottage irlandais et l'agence de voyages Healy-O'Sullivan. De l'autre côté d'East Central Avenue, voisin de la quincaillerie Hadeler, le magasin Ha'penny vendait du thé irlandais, des bonbons, des chips et des maillots de l'équipe de football des Gaelic. À deux pas du vieux Pearl River Hotel, il y avait le bar irlandais T. F. Noonan's. Comme mon père le faisait souvent remarquer, on aurait mieux fait de peindre toute la ville en vert, ç'aurait été plus rapide. Le cinéma de Pearl River avait cependant fermé ses portes, et des boutiques chics proposaient de l'artisanat et des cadeaux coûteux entre les garages et des magasins de meubles plus fonctionnels.

S'il me semble maintenant que j'ai passé toute mon enfance à Pearl River, ce n'est pas le cas. Ma famille s'y est installée quand j'avais près de huit ans et que mon père en a eu assez de faire la navette tous les jours entre New York et la petite ville plus au nord où ma mère et lui habitaient à peu de frais une maison dont il avait hérité à la mort de sa propre mère. C'était particulièrement dur pour lui les semaines où il travaillait de huit heures à seize heures, en réalité de sept heures à quinze heures trente. Il se levait à cinq heures du matin, parfois même plus tôt, faisait le trajet jusqu'au 9e, un district violent qui occupait moins de deux kilomètres carrés du Lower East Side mais où l'on commettait jusqu'à soixante-quinze homicides chaque année. Ces semaines-là, ma mère et moi le voyions à peine. Et ce n'était pas beaucoup mieux le reste du temps. Mon père devait faire une semaine de huit heures à seize heures, une semaine de seize heures à minuit, une autre semaine de huit à seize heures, deux semaines de seize heures à minuit (là, je ne le voyais que le week-end, car il dormait quand je partais pour l'école le matin et il était déjà parti travailler quand je rentrais) et une semaine incontournable de minuit à huit heures, qui perturbait tellement son horloge biologique qu'il délirait quasiment de fatigue à la fin des cinq jours.

Les flics du 9e opéraient selon ce qu'on appelait un « tableau de neuf brigades », neuf brigades de neuf hommes commandées chacune par un sergent, un système qui remontait aux années 1950 et qui fut finalement supprimé dans les années 1980, emportant avec lui une bonne partie de la camaraderie qu'il engendrait. Le sergent de mon père à la 1re Brigade s'appelait Larry Costello, et c'était lui qui avait suggéré le déménagement à Pearl River, là où habitaient tous les flics irlandais. Pearl River revendiquait le groupe le plus nombreux après Manhattan pour le défilé de la Saint-Patrick. C'était aussi une ville relativement riche, avec des revenus presque deux fois plus élevés que la moyenne nationale et un air de prospérité. Pearl River avait de l'argent, une identité définie par les liens d'une origine commune. Quoique n'étant pas lui-même irlandais, mon père était catholique, il connaissait un grand nombre des policiers vivant à Pearl River et s'entendait bien avec eux. Ma mère ne vit aucune objection au déménagement. Si cela avait pu lui donner plus de temps avec son mari et libérer un peu celui-ci du stress qui, à l'époque, marquait profondément son visage, elle se serait contentée d'un trou dans le sol recouvert d'une bâche.

La famille s'installa donc plus au sud, et comme tout ce qui alla mal par la suite dans notre vie fut pour moi lié à Pearl River, la ville en vint à occuper une place prédominante dans mes souvenirs d'enfance. Mes parents achetèrent une maison dans Franklin Avenue, près du coin de John Street où se dresse encore l'église méthodiste unifiée. Il y avait des « travaux à prévoir », selon le jargon des agents immobiliers : la vieille dame qui y avait vécu la majeure partie de sa vie était morte peu de temps avant, et rien n'indiquait que depuis les années 1950 elle ait fait grand-chose dans cette maison à part balayer de temps en temps le plancher. Mais c'était une demeure plus spacieuse que ce qu'ils auraient eu les moyens d'acquérir autrement et il y avait dans l'absence de barrières, dans les jardins non clôturés entre les maisons de la rue, quelque chose qui plaisait à mon père. Cela lui donnait une impression d'espace, de communauté. L'idée que les bonnes barrières font les bons voisins n'était pas très répandue à Pearl River. Certains habitants de la ville trouvaient même le concept de barrière un peu perturbant : un signe de désengagement, d'altérité.

Ma mère s'immergea dans la vie de la ville. S'il se créait un comité, elle y adhérait. Pour une femme qui, dans la plupart de mes premiers souvenirs d'elle, me semblait si réservée, si distante avec les autres épouses, la transformation était stupéfiante. Mon père s'était probablement demandé si elle avait une liaison, mais ce n'était que la réaction d'une femme qui se retrouvait dans un cadre meilleur qu'auparavant, avec un mari plus heureux, même si elle tremblait encore chaque jour lorsqu'il quittait la maison, et cachait à peine son soulagement lorsqu'il rentrait indemne après le service.

Ma mère : tandis que je surfais sur les détails de notre vie dans cette maison, mes rapports avec elle m'apparaissaient de moins en moins normaux, à supposer que le terme puisse vraiment s'appliquer aux relations familiales. Si elle semblait parfois déconnectée des autres femmes, elle était aussi en décalage avec mon père et avec moi. Non qu'elle retînt son affection ou qu'elle ne me chérît pas. Elle se réjouissait vivement de mes triomphes et me consolait de mes défaites. Elle écoutait, elle conseillait, elle aimait. Mais, pendant la majeure partie de mon enfance, c'était toujours en réponse à mes sollicitations. Si je venais vers elle, elle faisait toutes ces choses, mais elle n'en prenait jamais l'initiative. C'était comme si j'étais pour elle un sujet d'expérimentation, une créature en cage dont il fallait s'occuper, à qui il fallait donner de la nourriture et de l'eau, de l'affection et des stimulations pour qu'elle survive, pas davantage.

Peut-être n'était-ce qu'un tour que ma mémoire me jouait tandis que je remuais la vase du bassin et que j'en examinais ensuite le fond pour voir ce que j'avais exhumé.

Après les meurtres et ce qui suivit, elle se réfugia dans le Maine en m'emmenant avec elle : retour là où elle avait grandi. Jusqu'à sa mort – survenue alors que j'étais encore étudiant –, elle refusa de discuter en détail des événements qui avaient conduit au décès de mon père. Elle se retira en elle-même et n'y trouva que le cancer, qui la tuerait en colonisant lentement les cellules de son corps, tout comme les mauvais souvenirs effacent les bons. Je me demande maintenant combien de temps le mal avait couvé et si une grave blessure sentimentale n'avait pas déclenché une réaction physique, de sorte qu'elle se retrouvait trahie sur deux fronts : par son mari et par son propre corps. Si c'était le cas, son cancer avait commencé son œuvre dans les mois précédant ma naissance. À ma façon, j'avais été le catalyseur, tout autant que le comportement de mon père, car l'un était la conséquence de l'autre.

La maison n'avait pas beaucoup changé, même si la peinture écaillée, les fenêtres du haut aux carreaux encrassés et les tuiles brisées, semblables à des dents noires ébréchées, révélaient une certaine négligence. Les murs étaient d'un gris plus clair que du temps où j'y vivais, mais le jardin, comme ceux des voisins, n'était toujours pas clos. On avait grillagé la véranda, où un fauteuil à bascule, un canapé en rotin, tous deux sans coussins, faisaient face à la rue. Les encadrements des fenêtres et de la porte n'étaient plus blancs mais noirs, et il n'y avait que de la pelouse là où fleurissaient autrefois des massifs soigneusement entretenus. Une herbe maigre apparaissait entre les plaques de neige, mais on reconnaissait encore l'endroit où j'avais grandi. Un rideau remua dans ce qui était auparavant la salle de séjour, un vieil homme me regarda avec curiosité. D'un mouvement du menton, je pris acte de sa présence et il recula dans la pénombre.

La porte d'entrée était surmontée à l'étage d'une fenêtre double, avec un carreau cassé remplacé par du carton, derrière laquelle un jeune garçon avait coutume de se tenir pour contempler la petite ville qui constituait son monde. Il était resté quelque chose de moi dans cette pièce après la mort de mon père : une certaine innocence, peut-être, ou le dernier vestige de l'enfance. Il m'avait été arraché par le bruit d'un coup de feu me forçant à l'abandonner comme la peau d'un serpent qui mue ou la chrysalide d'un insecte. Je pouvais presque le voir, ce petit fantôme : cheveux châtains et yeux rapprochés, trop introverti pour son âge, trop solitaire. Il avait des amis mais n'avait jamais réussi à surmonter l'impression de s'imposer quand il allait chez eux et qu'ils lui faisaient une faveur en jouant avec lui ou en le faisant entrer pour regarder la télévision. C'était plus facile quand ils sortaient tous en bande pour une partie de softball dans le parc, ou de football si Danny Yates – le seul à s'enthousiasmer pour le cosmos et à lire *Shoot !*, le magazine que lui envoyait un oncle affecté en Angleterre par l'armée de l'air – était rentré de colonie de vacances ou n'était pas encore parti. Danny avait deux ans de plus que tous les autres et ils s'en remettaient la plupart du temps à ses choix.

Je me demandai où étaient maintenant mes anciens copains (aucun Noir parmi eux, car Pearl River était une ville blanche comme lys et nous ne rencontrions de jeunes Noirs que pour les matchs universitaires). Je les avais perdus de vue après notre départ pour le Maine, mais quelques-uns d'entre eux habitaient peut-être encore ici. Pearl River, clanique, farouchement protectrice des siens, était le genre d'endroit où les générations d'une même famille se succèdent. Bobby Gretton avait vécu deux maisons plus bas, de l'autre côté de la rue. Ses parents ne roulaient qu'en Chevrolet et gardaient chaque voiture deux ans au maximum avant d'en changer pour le dernier modèle sorti. Tournant la tête à droite, je découvris une Chevy Uplander marron dans l'allée de ce qui avait toujours été la maison des Gretton. Sur le pare-chocs arrière, à côté d'un ruban jaune[1], un autocollant soutenait la candidature d'Obama à la présidentielle de 2008. La voiture avait une immatriculation d'ancien combattant, c'était sûrement celle de M. Gretton.

La lumière se modifia à la fenêtre de mon ancienne chambre quand un nuage passant dans le ciel donna l'impression d'un mouvement à l'intérieur, et je sentis de nouveau la présence du garçon que j'avais été. Assis derrière le carreau, il guettait le retour de son père, ou peut-être l'apparition de Carrie Gottlieb, qui vivait de l'autre côté de la rue. Elle avait trois ans de plus que lui et passait pour être la plus belle fille de Pearl River, même si certains trouvaient qu'elle le savait un peu trop et que cela la rendait moins attirante que d'autres jeunes filles plus modestement dotées par la nature et plus effacées. Ces critiques n'affectaient pas le garçon, ni la plupart des autres jeunes gens de la ville. C'était le caractère à part de Carrie Gottlieb, l'impression qu'elle traversait la vie sur un piédestal érigé unique-

1. En l'honneur d'un proche qui fait la guerre au loin. (*N.d.T.*)

ment pour elle, qui la rendait si désirable. Carrie eût-elle été plus simple et moins assurée, leur intérêt pour elle s'en serait trouvé considérablement réduit.

Elle partit un jour pour devenir mannequin. Sa mère affirmait à tous ceux qui restaient assez longtemps immobiles pour l'écouter que Carrie était destinée aux doubles pages publicitaires des magazines et aux écrans de télévision, mais, dans les mois et les années qui suivirent, Carrie n'apparut si sur les uns ni sur les autres, et finalement sa mère cessa de parler d'elle de cette façon. Lorsque d'aucuns lui demandaient (avec généralement une lueur dans l'œil, parce qu'ils sentaient une odeur de sang) comment allait Carrie, elle répondait « Bien, très bien » et, avec un sourire légèrement crispé, elle amenait la conversation sur un terrain plus sûr ou, si l'interrogateur persistait, elle s'éloignait, tout simplement. Plus tard, j'appris que Carrie était revenue à Pearl River, qu'elle avait obtenu un emploi dans un restaurant local et qu'elle en était devenue gérante après avoir épousé le propriétaire. Elle était toujours belle, mais la grande ville avait laissé son empreinte, et son sourire n'était plus aussi assuré qu'avant. Elle était cependant revenue à Pearl River et portait la perte de ses rêves avec une grâce qui lui valait l'admiration et peut-être même l'affection des gens. Elle était des leurs, elle était chez elle, et lorsqu'elle rendait visite à ses parents, dans Franklin Avenue, le garçon fantôme la regardait et souriait.

Mon père n'était ni grand ni costaud, comparé à certains de ses collègues, puisqu'il avait tout juste la taille réglementaire requise au NYPD et qu'il était d'une corpulence moins affirmée que la plupart d'entre eux. Pour le garçon que j'étais, c'était cependant une figure imposante, en particulier lorsqu'il portait son uniforme, avec le Smith & Wesson accroché à sa ceinture et les boutons de sa veste luisant sur le tissu bleu foncé.

« Qu'est-ce que tu feras quand tu seras grand ? » me demandait-il.

Je répondais :

« Flic.

— Quel genre de flic ?

— Un flic de New York. N-Y-P-D !

— Et quel genre de flic de New York tu seras ?

— Un bon. Le meilleur. »

Mon père m'ébouriffait les cheveux en un geste qui était le revers exact de la légère taloche qu'il m'administrait chaque fois que je commettais un acte qui lui déplaisait. Jamais de claque, jamais de coup de poing : il suffisait d'une taloche de sa paume calleuse sur ma nuque pour me faire comprendre que j'avais passé les bornes. D'autres punitions suivaient parfois : interdiction de sortir, suppression de l'argent de poche pendant une semaine ou deux, mais la taloche était le signal avertisseur de danger. C'est le seul geste de violence physique, quoique modérée, que j'associai à mon père jusqu'à la mort des deux adolescents.

Plusieurs de mes copains, en révolte contre une ville où ils vivaient entourés de flics, se méfiaient de mon père. Frankie Murrow, en particulier, se recroquevillait sur lui-même comme un escargot effrayé chaque fois que mon père se trouvait dans le coin. Le père de Frankie étant vigile en uniforme dans un centre commercial, il avait peut-être quelque chose contre les uniformes et les types qui les portaient. Son père était un con fini et Frankie présumait peut-être que les autres hommes qui portaient un uniforme étaient aussi des cons finis. Son père lui avait demandé s'il était pédé quand, à l'âge de sept ans, Frankie avait voulu lui prendre la main pour traverser la rue. M. Murrow était « un enfoiré de première », comme l'avait dit un jour mon père. Le gars détestait les Noirs, les Juifs, les Latinos, et avait à sa disposition tout un éventail de termes méprisants pour chacun d'eux. Comme il détestait aussi la plupart des Blancs, on ne pouvait même pas dire qu'il était raciste. Il était seulement doué pour la haine.

À quatorze ans, Frankie fut envoyé en maison de correction pour incendie criminel. Il avait mis le feu chez lui pendant que son père était au travail. Il avait calculé son coup pour que M. Murrow apparaisse au coin de sa rue au moment où les camions de pompiers déboulaient derrière lui. Juché sur le mur de la maison d'en face, Frankie regardait les flammes monter, riant et pleurant en même temps.

Mon père ne buvait pas, il n'avait pas besoin d'alcool pour l'aider à se détendre. C'était l'homme le plus calme que je connaissais, ce qui rendait ses rapports avec Jimmy Gallagher, son coéquipier et son ami le plus proche, si difficiles à comprendre. Jimmy, qui marchait toujours en tête du groupe de Pearl River pour le défilé de la Saint-Patrick, qui avait du sang vert d'Irlandais et bleu de flic, était tout en sourires et en coups de poing presque pour rire. Il mesurait près de dix centimètres de plus que mon père et était plus large d'épaules aussi. Lorsqu'ils se tenaient côte à côte, les jours où Jimmy passait à la maison, mon père paraissait un peu gêné, comme s'il se sentait insuffisant comparé à son ami. Jimmy embrassait ma mère et la serrait dans ses bras, seul homme, à l'exception de son mari, à qui elle permettait ces privautés, puis il se tournait vers moi.

« Il est là, disait-il. Il est là, le mec. »

Jimmy n'était pas marié. Il répétait qu'il n'avait jamais rencontré la femme qu'il fallait, mais qu'il rigolait bien avec celles qu'il fallait pas. C'était une vieille plaisanterie, qui faisait toujours rire mes parents même s'ils savaient que c'était un mensonge. Les femmes n'intéressaient pas Jimmy Gallagher et il s'écoulerait des années avant que je comprenne pourquoi. Plus tard, je penserais souvent combien cela avait dû être difficile pour lui de maintenir une façade, de flirter avec les femmes pour s'intégrer. Jimmy Gallagher, capable de faire des pizzas incroyables avec trois fois rien, de préparer un festin de roi (du moins avais-je un jour entendu mon père le dire à ma mère), mais qui, quand il organisait un poker chez lui ou qu'il invitait ses potes pour regarder un match (parce que Jimmy, célibataire, avait toujours les moyens de se payer le téléviseur dernier cri), les bourrait de nachos, de bière, de chips, de repas-télé achetés au supermarché, ou, si le temps était au beau, grillait des steaks et des hamburgers sur son barbecue. Et je devinais même alors que si mon père faisait à ma mère l'éloge des talents culinaires de Jimmy, il ne les mentionnait pas inconsidérément quand il était avec ses copains flics.

Jimmy me prenait la main et la serrait juste un peu trop fort. J'avais appris à ne pas grimacer quand il m'imposait ce test, parce que, si je le faisais, il secouait la tête d'un air faussement déçu et marmonnait : « Il lui reste du chemin à faire. » Si mon visage demeurait impassible, il souriait et me glissait un dollar dans la main avec cette mise en garde : « Claque pas tout en gnôle, hein ? »

Je ne claquais pas tout en gnôle. En fait, jusqu'à l'âge de quinze ans, je n'ai jamais bu une goutte d'alcool. Je dépensais mon argent de poche en friandises et en BD, ou je le mettais de côté pour nos vacances d'été dans le Maine, chez ma grand-mère, à Scarborough, où l'on m'emmènerait à Old Orchard Beach et où l'on me permettrait une orgie de manèges. Avec l'âge, cependant, la gnôle devint un choix plus attrayant. Le frère de Carrie, Phil Gottlieb, qui travaillait aux chemins de fer et passait pour légèrement taré, était prêt, disait-on, à acheter de la bière pour des mineurs en échange d'une bouteille par pack de six. Un soir, deux de mes copains et moi avions mis au pot pour nous payer trois packs de PBR que Phil était allé chercher pour nous, et nous avions éclusé presque toute la bibine dans les bois. J'en appréciai moins le goût que le frisson de plaisir ressenti à enfreindre à la fois la loi et le règlement de la maison, car mon père m'avait fait clairement comprendre qu'il n'était pas question de picoler avant qu'il donne son feu vert. Comme tous les ados du monde, j'avais supposé que cette règle et beaucoup d'autres ne s'appliquaient qu'aux choses dont mon père avait connaissance puisque, s'il n'était pas au courant, elles ne pouvaient avoir d'importance pour lui.

J'avais rapporté à la maison une des bouteilles restantes, que j'avais cachée au fond de mon placard pour une consommation ultérieure. C'est là que ma mère l'avait trouvée. J'avais pris une taloche pour ça, j'avais été privé de sortie *et* contraint de faire vœu de pauvreté pendant un mois au moins. Dans l'après-midi – c'était un dimanche –, Jimmy Gallagher était passé à la maison. C'était son anniversaire, mon père et lui comptaient aller faire une virée en ville, comme chaque fois que l'un d'eux fêtait une année de plus sans avoir reçu une balle ou un coup de couteau, sans s'être fait défoncer le crâne ou renverser par une voiture. Jimmy m'avait adressé un sourire moqueur en tenant un billet d'un dollar entre l'index et le majeur de la main droite.

« Toutes ces années et tu m'as jamais écouté… »

J'avais répondu, d'un ton maussade :

« Si, j'ai écouté. J'ai pas *tout* claqué en gnôle. »

Même mon père n'avait pu s'empêcher de rire.

Mais Jimmy ne m'avait pas donné le dollar et ne m'avait plus jamais donné d'argent par la suite. Il n'en avait pas eu l'occasion. Six mois plus tard, mon père était mort et Jimmy Gallagher avait cessé de venir à la maison avec des billets d'un dollar entre les doigts.

La police interrogea mon père aussitôt après les meurtres. Ils le traitèrent avec sympathie, en tâchant de comprendre ce qui s'était passé afin de pouvoir limiter les dégâts. Il se retrouva au poste de police d'Orangetown, puisque les flics locaux avaient été les premiers sur le coup. Les bœuf-carottes étaient aussi sur l'affaire, de même qu'un enquêteur des services du procureur du comté de Rockland, un ancien du NYPD qui savait y faire et qui saurait caresser les gars du coin dans le sens du poil avant de leur prendre l'enquête.

Mon père appela ma mère peu après et lui expliqua ce qu'il avait fait. Ensuite, deux policiers du secteur nous rendirent une « visite de politesse », et l'un d'eux, neveu de Jimmy Gallagher, appartenait à l'équipe d'Orangetown. Plus tôt dans la soirée, alors qu'il n'était pas encore en service, il était venu chez nous en tenue décontractée et s'était assis dans la cuisine. Ma mère et lui avaient fait comme si ce n'était qu'une visite sans importance, mais il était resté trop longtemps pour ça et j'avais remarqué la tension sur le visage de ma mère quand elle lui avait servi un café et une part de gâteau, à laquelle il avait à peine touché. Lorsqu'il revint en uniforme avec son collègue, je compris que sa visite précédente était liée aux meurtres, mais je ne savais pas encore en quoi.

Le neveu de Jimmy confirma à ma mère ce qui était arrivé – ou *apparemment* arrivé – sur le terrain vague proche de la maison, sans jamais faire allusion au fait que c'était la deuxième fois de la soirée qu'il venait la voir. Elle aurait voulu parler à son mari, lui apporter son soutien, mais il argua que ça ne servirait à rien. L'interrogatoire se prolongerait un moment, puis mon père serait probablement suspendu avec maintien de son salaire intégral en attendant l'enquête. Il avait terminé ainsi : « Il ne tardera pas à rentrer. Restez ici, occupez-vous du garçon. Ne lui dites rien pour le moment. C'est à vous de voir, bien sûr, mais il vaudrait mieux attendre qu'on en sache plus… »

J'entendis ma mère pleurer après leur départ et je la rejoignis. En pyjama, je me tins devant elle et lui demandai :

« Qu'est-ce qui va pas, m'man ? Qu'est-ce qui se passe ? »

Elle me regarda fixement et, un moment, j'eus la certitude qu'elle ne me reconnaissait pas. Elle était bouleversée, en état de choc. L'acte de mon père avait inhibé ses facultés et elle voyait en moi un inconnu. C'était la seule explication de la froideur de ses yeux, de la distance qu'ils installaient entre nous, comme si l'air avait soudain gelé, nous coupant l'un de l'autre. J'avais déjà vu cette expression sur ses traits, mais uniquement quand j'avais commis une bêtise si terrible qu'elle n'arrivait pas à en parler : un chapardage dans l'argent des courses ou – dans une tentative lamentable pour fabriquer un bobsleigh à mon GI Joe – la destruction d'une assiette que lui avait léguée sa grand-mère.

Je crus déceler un blâme dans son regard.

« M'man ? répétai-je, hésitant et effrayé à présent. C'est papa ? Il lui est arrivé quelque chose ? »

Elle trouva en elle-même la force de hocher la tête, les incisives enfoncées si durement dans sa lèvre inférieure que, lorsqu'elle répondit enfin, je vis du sang sur la peau blanche.

« Il va bien. Il y a eu une fusillade.

— Il est blessé ?

— Non, mais… des gens sont morts. Ton père est en train d'en parler.

— C'est lui qui les a tués ? »

Elle ne voulut pas en dire plus.

« Remonte te coucher. S'il te plaît. »

J'obéis mais je ne réussis pas à dormir. Mon père, cet homme qui pouvait à peine se résoudre à me talocher la nuque, avait dégainé son arme et tué quelqu'un. J'en étais sûr.

Je me demandais s'il aurait des ennuis.

Ils finirent par le relâcher. Deux abrutis de l'inspection de la police le raccompagnèrent chez lui et restèrent plantés devant la maison à lire le journal. De la fenêtre de ma chambre, je les avais vus arriver tous les trois. Mon père paraissait vieux et mal en point tandis qu'il remontait l'allée. Son visage était hérissé de barbe. Il leva les yeux vers la fenêtre, me découvrit, me fit signe de la main et s'efforça de sourire. Je lui rendis son salut avant de sortir de ma chambre, mais je ne souriais pas.

Après avoir descendu à pas de loup la moitié de l'escalier, je vis mon père serrant contre lui ma mère qui sanglotait et je l'entendis murmurer :

« Il nous avait prévenus qu'ils viendraient peut-être.

— Mais comment est-ce possible ? Les mêmes ?

— Comment, je ne sais pas, mais c'étaient bien les mêmes. J'ai entendu ce qu'ils ont dit. »

Ma mère se remit à pleurer, en poussant cette fois les plaintes aiguës de quelqu'un qui lâche prise. Comme si une digue avait soudain cédé en elle et que tout ce qu'elle avait gardé caché s'engouffrait dans la brèche en un torrent de douleur et de violence emportant ce qui avait été sa vie. Plus tard je me demanderais si, en restant maîtresse d'elle-même, elle aurait pu empêcher ce qui se passa ensuite, mais, submergée par sa souffrance, elle était incapable de comprendre qu'en tuant ces deux jeunes gens son mari avait détruit du même coup quelque chose d'essentiel pour sa propre existence. Il avait assassiné deux adolescents désarmés et, malgré ce qu'il avait dit à ma mère, il ne savait pas trop pourquoi. Ou alors, ce qu'il lui avait raconté était vrai et il ne pouvait le supporter plus longtemps. Il avait envie de dormir. De dormir et de ne plus jamais se réveiller.

Se rendant compte de ma présence, mon père écarta son bras droit de ma mère pour m'accueillir dans leur étreinte. Nous demeurâmes un long moment sans bouger, puis il nous tapota le dos à tous deux.

« Allez, on va pas rester là toute la journée.

— Tu as faim ? » demanda ma mère en essuyant ses yeux à son tablier.

Il n'y avait plus trace d'émotion dans sa voix, comme si, ayant lâché la bonde à son chagrin, elle n'avait plus rien d'autre à donner.

« Ah, oui. J'aimerais bien des œufs. Des œufs au bacon. Tu veux des œufs au bacon, Charlie ? »

J'acquiesçai, même si je n'avais pas faim. Je voulais être avec mon père.

« Tu devrais prendre une douche, te changer, suggéra ma mère.

— Je vais le faire, je dois juste m'occuper d'autre chose avant.

— Tu veux des toasts ?

— Ce serait bien. Avec du pain blanc, s'il y en a. »

Ma mère commença à s'affairer dans la cuisine. Quand elle nous tourna le dos, mon père me pressa l'épaule et murmura :

« Tout ira bien, compris ? Aide ta mère. Veille à ce qu'elle s'en sorte. »

Il nous laissa. La porte de derrière s'ouvrit, se referma. Ma mère s'interrompit dans son travail et tendit l'oreille, comme un chien qui sent que quelque chose ne va pas, puis elle baissa de nouveau les yeux vers l'huile qui chauffait dans la poêle.

Elle cassait le premier œuf lorsque la détonation claqua.

3

Des nuages passant devant le soleil changèrent le jour de manière déconcertante et son éclat fit place en un clin d'œil à un crépuscule hivernal, avant-goût de l'obscurité plus profonde qui descendrait bientôt. La porte de devant s'ouvrit, le vieil homme apparut sur le seuil. Il portait un blouson à capuche mais avait gardé ses pantoufles. Il trottina jusqu'au bout de l'allée, s'arrêta à la limite de son terrain, les orteils au bord de la pelouse, comme si le trottoir était une rivière et qu'il craignait de tomber de la berge.

— Qu'est-ce que vous voulez, fiston ? me lança-t-il.

Fiston.

Quand je traversai la rue, il se raidit légèrement, se demandant sans doute si c'était une bonne idée de toiser ainsi un inconnu. Il baissa les yeux vers ses pantoufles, songea probablement qu'il aurait dû prendre le temps d'enfiler ses bottes. Il se serait senti moins vulnérable dans ses bottes.

De près, je pus voir qu'il avait soixante-dix ans ou plus, petit homme fragile qui avait cependant assez de force intérieure et de confiance en lui pour faire face à un inconnu épiant sa maison. D'autres plus jeunes que lui auraient simplement appelé la police. Il avait des yeux chassieux, mais relativement peu de rides sur le visage pour quelqu'un de son âge. La peau, particulièrement tendue autour des orbites et sur les pommettes, donnait l'impression d'avoir rétréci et non de s'être relâchée sur son crâne.

— J'ai habité cette maison autrefois, expliquai-je.

Sa méfiance disparut en partie.

— Vous êtes un des enfants Harrington ? hasarda-t-il en clignant des yeux comme s'il cherchait à me reconnaître.

— Non.

Je ne savais pas qui étaient les Harrington. Les gens qui avaient acheté la maison après notre départ s'appelaient Bildner. Un jeune couple avec un bébé, une fille. Un quart de siècle s'était écoulé depuis et j'ignorais combien de fois la maison avait changé de mains pendant ces années.

— Hum, fit-il. Comment vous vous appelez, fiston ?

Chaque fois qu'il prononçait ce mot, j'entendais l'écho de la voix de mon père.

— Parker. Charlie Parker.

— Parker, Parker, répéta-t-il, mâchonnant le nom comme un morceau de viande.

Il battit trois fois des paupières et ses lèvres se crispèrent en une grimace.

— Oui, je sais qui vous êtes, maintenant. Je m'appelle Asa, Asa Durand.

Il tendit une main, je la serrai.

— Vous vivez ici depuis longtemps ?

— Douze ans, à peu près. Avant nous, c'étaient les Harrington, ils ont vendu pour aller dans le Dakota. Je ne sais pas si c'était du Nord ou du Sud. Enfin, peu importe, c'était le Dakota.

— Vous connaissez le Dakota ?

— Lequel ?

— L'un ou l'autre.

Il eut un sourire malicieux qui me fit entrevoir le jeune homme emprisonné dans un corps de vieux.

— Qu'est-ce que j'irais faire dans le Dakota ? marmonna-t-il. Vous voulez entrer ?

Avant même de me rendre compte que j'avais pris une décision, je m'entendis répondre :

— Oui. Si ce n'est pas abuser.

— Pas du tout. Ma femme ne va pas tarder. Le dimanche après-midi, elle joue au bridge et je prépare le dîner. Mangez donc avec nous si ça vous dit. C'est un rôti à la cocotte. Toujours, le dimanche. Il n'y a que ça que je sais faire.

— Non, merci. C'est gentil quand même.

Je remontai l'allée avec Asa Durand, qui traînait légèrement la jambe gauche.

— Si je peux me permettre de demander, qu'est-ce que vous obtenez en échange de préparer le dîner ?

— Une vie plus facile, répondit-il. Des nuits tranquilles sans craindre de mourir étouffé.

Son sourire revint, doux et chaud.

— Et puis elle aime mon rôti et ça me plaît que ça lui plaise.

Quand nous parvînmes à l'entrée, il passa devant et tint la porte ouverte. Je m'arrêtai un moment sur le seuil avant de le suivre à l'intérieur. Le vestibule était plus clair que dans mon souvenir. On l'avait peint en jaune, avec des plinthes blanches. Quand j'étais gosse, le vestibule était rouge. À droite, il y avait la salle à manger, avec une table et des chaises en acajou pas très différentes de celles que nous possédions autrefois. À gauche, le séjour. Un écran plat haute définition occupait la place où se trouvait avant notre vieux téléviseur Zenith, à l'époque où les magnétoscopes étaient encore une nouveauté et où les chaînes avaient institué une heure familiale pour protéger les jeunes du sexe et de la violence. C'était quand ? 1974 ? 1975 ? Je n'arrivais pas à me souvenir.

On avait supprimé le mur entre cuisine et séjour pour obtenir un seul espace ouvert et la petite cuisine de mon enfance, avec sa table pour quatre, avait entièrement disparu.

Je ne parvenais pas à imaginer ma mère dans ce nouvel espace.

— Ça a changé ? me demanda Durand.

— Oui. Tout est différent.

— C'est ceux d'avant qui ont fait les travaux. Pas les Harrington, les Bildner. C'est à eux que vous avez vendu ?

— Oui.

— La maison est aussi restée inoccupée un bout de temps. Deux ans.

Il détourna les yeux, troublé par le tour que prenait la conversation.

— Vous voulez boire quelque chose ? J'ai de la bière. J'en bois plus tellement, maintenant. Elle me traverse le corps comme de l'eau dans un tuyau. À peine entrée par un bout qu'elle ressort par l'autre. Et il faut que je fasse un somme, après.

— C'est un peu tôt pour moi. Mais je veux bien du café, si vous en prenez aussi.

— Du café, ça marche. Au moins, je ne serai pas obligé de dormir après.

Il appuya sur le bouton de la machine à café, alla prendre des tasses et des cuillers.

— Ça vous dérangerait que je jette un coup d'œil à mon ancienne chambre ? sollicitai-je. C'est la petite pièce sur le devant, avec le carreau cassé.

Durand grimaça de nouveau et parut un peu gêné.

— Ah oui, ce foutu carreau. Les gosses l'ont cassé en jouant au base-ball et je ne me suis toujours pas décidé à le changer. Il faut dire que cette pièce nous sert surtout de débarras. Elle est pleine de caisses.

— J'aimerais quand même la voir.

Il hocha la tête et nous montâmes. Je me tins sur le seuil de mon ancienne chambre, sans entrer. De fait, elle était occupée par un tas de caisses, de classeurs, de livres et d'appareils électriques qui prenaient la poussière.

— Je garde tout, dit Durand sur un ton d'excuse. Ils marchent encore. Je continue à espérer que quelqu'un en aura besoin un jour et m'en débarrassera.

Alors que je contemplais le fatras, les caisses disparurent, de même que les appareils et le reste. Il n'y eut plus qu'une moquette grise, des murs blancs couverts de photos et de posters, une armoire dont le miroir reflétait mon image, un homme d'une quarantaine d'années aux cheveux grisonnants et aux yeux sombres ; des étagères aux livres soigneusement rangés par ordre alphabétique d'auteurs, une table de chevet avec un réveil à affichage numérique, sommet de la technologie de l'époque, dont le cadran indiquait *12:54*.

Et le bruit du coup de feu dans le garage, derrière la maison. Par la fenêtre, je vis des hommes courir…

— Ça va, monsieur Parker ?

Durand me toucha doucement le bras. Je voulus parler, n'en fus pas capable.

— Si on redescendait ? On va la prendre, cette tasse de café.

Le reflet dans le miroir devint le fantôme du garçon que j'avais été et je soutins son regard jusqu'à ce qu'il disparaisse lentement à son tour.

Nous étions assis dans la cuisine, Asa Durand et moi. Par la fenêtre, je voyais un bosquet de bouleaux argentés à l'endroit où se trouvait autrefois le garage. Durand suivit la direction de mon regard.

— J'ai appris ce qui s'est passé, dit-il. Une histoire horrible.

L'odeur de son rôti emplissait la pièce. Ça sentait bon.

— Ils ont rasé le garage, poursuivit-il.

— Qui ?

— Les Harrington. Je l'ai su par les voisins, M. et Mme Rosetti ; ils sont arrivés après votre départ, deux ans, quelque chose comme ça.

— Pourquoi ils l'ont rasé ? demandai-je.

Mais au moment même où je posais la question, je connaissais la réponse. L'étonnant, c'était qu'on l'ait gardé aussi longtemps.

— Il y a des gens qui pensent que quand il se passe quelque chose quelque part, il en reste des traces, dit Durand. Je ne sais pas si c'est vrai, je ne suis pas sensible à ce genre de chose. Ma femme croit aux anges…

Il pointa l'index vers une créature ailée fort peu vêtue fixée par un crochet à la porte de la cuisine.

— Sauf que pour moi, tous ses anges ressemblent à la fée Clochette. Ma femme ne doit pas faire la différence entre les anges et les fées… Enfin, bref, les gosses des Harrington n'aimaient pas aller dans le garage. La plus jeune, la petite fille, disait que ça sentait mauvais. Et d'après Mme Rosetti, la mère trouvait que quelquefois…

Durand s'interrompit et grimaça de nouveau. C'était apparemment une réaction réflexe à tout ce qui le contrariait.

— Dites, je vous en prie.

— Que ça sentait comme si on avait tiré au pistolet.

Nous gardâmes tous deux un moment le silence.

— Pourquoi vous êtes venu, monsieur Parker ?

— Je ne sais pas trop. Pour chercher des réponses à mes questions, je crois.

— Vous savez, parvenu à un certain point de la vie, on ressent le besoin de fouiller dans le passé. Moi, avant que ma mère meure, j'ai passé du temps avec elle pour lui faire raconter l'histoire de la famille, tout ce qu'elle se rappelait. Pour comprendre, je suppose, de quoi je faisais partie avant que celle qui pouvait me l'expliquer ait disparu à jamais. C'est bien de savoir d'où on vient. On le transmet à ses enfants et tout le monde se sent moins à la dérive dans la vie, moins seul.

« Cependant il y a des choses qu'il vaut mieux laisser au passé. Oh, je sais que les psychiatres, les psychothérapeutes, toute la bande des psys, soutiennent le contraire, mais ils se trompent. Il ne faut pas rouvrir et sonder toutes les plaies, ni réexaminer tous les griefs. Il vaut mieux laisser la blessure guérir, même si elle ne guérit pas tout à fait bien, ne pas exhumer les injustices et ne pas s'aventurer dans l'obscurité si on peut l'éviter.

— Le problème, c'est qu'on ne peut pas toujours, fis-je remarquer.

Durand tira sur sa lèvre inférieure.

— Mouais, sûrement. Vous en êtes au début ou à la fin ?

— Au début.

— Alors, vous avez un long chemin devant vous.

— Sans doute.

J'entendis la porte d'entrée s'ouvrir. Une petite femme légèrement boulotte aux cheveux argent permanentés s'avança dans le vestibule.

— C'est moi, chantonna-t-elle.

Sans regarder en direction de la cuisine, elle ôta d'abord son manteau, ses gants, son foulard, inspecta sa coiffure et son visage dans le miroir du portemanteau.

— Mmm, ça sent bon.

Elle tourna alors la tête et me vit.

— Seigneur Dieu !

— On a de la visite, Elizabeth, annonça tardivement Durand.

Je me levai quand elle entra dans la pièce.

— Je te présente M. Parker, il habitait ici quand il était gosse.

— Enchanté, madame Durand.

— Vous êtes…

Je regardai les émotions passer sur son visage tandis qu'elle établissait le rapport. Finalement, ses traits se stabilisèrent en ce qui devait être leur mode par défaut : la gentillesse, avec juste la touche de tristesse qu'ajoutent une vie d'expérience et la conscience que tout finira bientôt.

— Soyez le bienvenu. Asseyez-vous, asseyez-vous. Vous resterez dîner avec nous ?

— Non, je ne peux pas, je dois partir. J'ai déjà abusé du temps de votre mari.

Je sentis que, malgré sa gentillesse foncière, elle était soulagée.

— Alors…

— Merci quand même.

Je ne me rassis pas et Durand me raccompagna jusqu'à la porte.

— Quand je vous ai vu dans la rue, tout à l'heure, je vous ai pris pour quelqu'un d'autre, dit-il. Et pas pour un des fils Harrington.

— Pour qui, alors ?

— Un homme est venu ici, il y a deux mois. C'était le soir, il faisait plus sombre que maintenant. Comme vous, il a regardé la maison un bon moment, il s'est même avancé sur la pelouse pour voir l'arrière, là où il y avait le garage autrefois. Ça ne m'a pas plu. Je me suis approché pour lui demander ce qu'il faisait là. Je ne l'ai pas revu depuis.

— Vous pensez qu'il repérait le coin pour un cambriolage ?

— D'abord, c'est ce que j'ai cru, sauf que, quand je l'ai interpellé, il m'a fait une réponse bizarre.

— Qu'est-ce qu'il a dit ?

— « Je chasse. » Rien que ces deux mots. « Je chasse. » Qu'est-ce que ça signifie, d'après vous ?

— Je l'ignore, monsieur Durand.

Il plissa les yeux comme s'il essayait de savoir si je lui mentais.

— Ensuite, il m'a demandé si j'étais au courant de ce qui s'était passé ici, et quand j'ai répondu non, il a dit qu'il ne me croyait pas. Comme son ton ne me plaisait pas, je lui ai dit de déguerpir.

— Vous vous rappelez de quoi il avait l'air ?

— Pas très bien. Il portait un bonnet de laine enfoncé jusqu'à la racine des cheveux, une écharpe autour du cou et du menton. Il faisait froid, ce soir-là, mais pas à ce point. Il était plus jeune que vous, la trentaine. Un peu plus grand aussi. Je suis myope et je n'avais pas mes lunettes, je les égare tout le temps. Je devrais acheter une chaîne…

Se rendant compte qu'il s'écartait du sujet, il y revint :

— Je ne me souviens de rien d'autre sauf que…

— Oui ?

— J'étais content de le voir partir. Il me mettait mal à l'aise, et pas seulement parce qu'il empiétait sur ma pelouse et fouinait chez moi. Il avait quelque chose d'étrange, je ne sais pas comment vous expliquer… Le mieux que je puisse vous dire, c'est qu'il n'était pas d'ici. Ni d'ici ni d'ailleurs. Il était de nulle part. C'est ça, de nulle part.

Durand regarda autour de lui, les voitures roulant dans les rues, les lumières des bars et des boutiques près de la gare, les formes sombres des gens rentrant chez eux pour retrouver leur famille. C'était la normalité, et l'homme qui avait envahi sa pelouse n'en faisait pas partie.

La nuit était venue. La lumière des réverbères se reflétait sur les plaques de neige gelée et les faisait briller dans l'obscurité. Durand frissonna.

— Soyez prudent, monsieur Parker.

Il me serra la main et resta sur le seuil jusqu'à ce que j'atteigne le trottoir, me fit un bref signe de la main et referma la porte. Je levai les yeux vers la fenêtre au carreau brisé, mais il n'y avait personne. La pièce était vide. Ce qui subsistait n'avait pas de forme. Le fantôme du garçon était en moi, là où il avait toujours été.

4

Je retrouvai Angel et Louis ce soir-là, pour dîner, au Wilwood BBQ de Park Avenue, non loin d'Union Square. Difficile de choisir entre le Wilwood et le Blue Smoke, en haut de la 27e Rue, mais l'attrait de la nouveauté l'emporta. L'attrait de la nouveauté et, pour Louis, la perspective de haricots préparés avec des petits morceaux de steak. Quand il allait dans un gril, Louis aimait avoir de la viande en plus partout, y compris dans la gelée de groseille, probablement. À vrai dire, il ne s'imaginait pas mourir d'un infarctus.

Ces deux hommes, qui avaient déjà tué, mais dont un seul, Louis, pouvait être qualifié de tueur, étaient à présent mes amis les plus proches. Je ne les avais pas revus depuis la fin de l'année précédente, quand ils avaient eu des embrouilles dans le nord de l'État de New York et que j'avais suivi leurs traces pour voir si je pouvais les aider. L'affaire s'était mal terminée et nous nous étions évités depuis, non par rancœur mais parce que Louis s'inquiétait des retombées possibles et ne voulait pas que je sois contaminé par ricochet. Il pensait maintenant que le pire était passé et s'estimait satisfait, ou du moins aussi satisfait qu'il pouvait l'être. Avec lui, on ne savait jamais vraiment. Quand il riait, les autres riaient rarement avec lui mais se retournaient pour voir qui avait glissé sur le carrelage.

C'était toujours fascinant de voir Angel et Louis manger des côtelettes, parce qu'on avait l'impression qu'ils avaient inversé les rôles. Louis – grand, noir, aussi élégant qu'un mannequin de vitrine qui aurait soudain décidé de faire une fugue – avalait sa viande comme s'il craignait qu'on ne lui retire son assiette dans la seconde suivante. Angel, en revanche – petit et blanc (ou « blanc cassé », comme il se plaisait à le dire), toujours l'air d'avoir dormi dans ses fringues, et même d'y avoir invité du monde –, grignotait avec délicatesse, tel un moineau, si tant est qu'un moineau eût été capable de tenir une côtelette entre ses pattes. Ils éclusaient de la bière, je dégustais un verre de vin rouge.

— Du vin rouge, soupira Angel. Dans un gril. Tu sais, on est gays, mais il nous viendrait pas à l'idée de boire du vin dans un gril…

— Si j'étais homo, répliquai-je, je serais un homo plus raffiné que vous. D'ailleurs, indépendamment de mes goûts sexuels, je suis toujours plus raffiné que vous.

— Tu manges pas ? s'enquit Louis en désignant mon assiette de la pointe d'une côtelette.

— Je n'ai pas très faim. Après vous avoir observés, j'envisage de devenir végétarien, ou même de ne plus manger du tout. En tout cas pas en public et certainement plus avec vous.

— Qu'est-ce que tu nous reproches ? dit Angel, visiblement vexé.

— Tu manges comme une vieille dame et lui comme si on venait de le dégeler après l'avoir retrouvé près d'un squelette de mammouth.

— Tu voudrais qu'on se serve d'un couteau et d'une fourchette ?

— Vous *savez* vous en servir ?

— Me tente pas, Mademoiselle Bonnes-Manières. Les couteaux coupent bien, dans ce resto.

Louis finit sa dernière côtelette, s'essuya le visage avec sa serviette et se laissa aller en arrière en soupirant. Si ses coronaires avaient pu soupirer de soulagement, elles l'auraient imité.

— Je suis drôlement content d'avoir mis mon fute à ceinture élastique, déclara-t-il.

— J'en suis heureux, moi aussi, dis-je. Avec ton pantalon habituel, tu aurais déjà expédié un bouton dans l'œil d'un client.

Il haussa un sourcil.

— Je plaisante, m'excusai-je. Tu as toujours ta taille de jeune homme.

Angel fit signe au serveur de lui apporter une autre bière.

— Alors, tu nous racontes ? suggéra-t-il.

Ils connaissaient déjà l'essentiel. J'avais perdu ma licence de privé et mon avocate, Aimee Price, continuait à se battre pour me la faire restituer malgré les objections de la police de l'État et, en particulier, d'un inspecteur nommé Hansen. D'après ce qu'Aimee était parvenue à établir, l'ordre d'annuler ma licence venait d'en haut et Hansen n'était que le messager. Il me restait la possibilité d'une contestation en justice, mais Aimee n'était pas persuadée que cela serve de quelque manière. En matière de licences, la police de l'État était l'arbitre suprême et n'importe quel tribunal du Maine s'alignerait probablement sur sa décision.

Mon permis de port d'armes m'avait également été retiré, et mon avocate et moi ne comprenions toujours pas pour quel motif exactement. On m'avait d'abord enjoint de remettre toutes les armes que j'avais en ma possession en attendant ce qu'on qualifiait vaguement d'« enquête », et on avait ajouté que la mesure ne serait que temporaire.

J'avais remis mes armes à feu enregistrées (et planqué celles qui ne l'étaient pas, après un coup de fil anonyme me prévenant d'une perquisition), lesquelles m'avaient ensuite été restituées quand il était apparu que l'injonction de les remettre était d'une légalité douteuse, et peut-être même contraire au Deuxième Amendement. Moins sujette à discussion était la décision de me retirer mon permis de porter une arme dissimulée, au motif que mes actes antérieurs me faisaient apparaître comme un individu « peu sûr ». Aimee travaillait aussi là-dessus, mais jusqu'à maintenant la police de l'État se montrait aussi conciliante qu'un mur de brique. J'étais puni. Restait à savoir combien de temps la punition durerait.

Je bossais à présent comme responsable du bar au Great Lost Bear de Portland, un boulot pas désagréable et qui ne me prenait généralement que quatre jours par semaine, mais je n'étais pas fait pour ça. On ne s'apitoyait pas beaucoup sur mon sort dans la communauté des forces de l'ordre locales. Je ne me souvenais pas de m'être fait autant d'ennemis et il avait fallu qu'Aimee prenne la peine de m'expliquer la chose pour que cela devienne un peu plus clair.

Curieusement, je ne me faisais pas autant de souci que Hansen et ses supérieurs le supposaient. J'étais blessé dans mon orgueil et mon avocate se battait en partie pour le principe et surtout parce que je ne voulais pas que ces salauds s'imaginent que je me coucherais dans un coin pour y mourir, mais finalement j'étais plutôt content de ne plus pouvoir exercer comme privé. Cela me libérait de l'obligation d'aider les autres. Si j'acceptais une affaire, même officieusement, je me retrouverais sans doute en prison. Le comportement de la police de l'État m'autorisait à être égoïste et à ne poursuivre que mes propres objectifs. Il m'avait fallu quelques mois pour décider de le faire.

Malgré ce que Durand pensait peut-être, je n'avais pas choisi à la légère de fouiller dans mon passé et de m'interroger sur les circonstances de la mort de mon père. Un individu abject du nom de Kushiel, plus connu sous son pseudonyme, « le Collectionneur », m'avait révélé que ma famille avait des secrets, que mon groupe sanguin ne correspondait pas à celui de mes géniteurs présumés. Pendant un certain temps, je m'étais efforcé d'occulter ce qu'il m'avait dit. Je ne voulais pas y croire. Je pense même que j'avais accepté ce boulot au Great Lost Bear comme une sorte d'échappatoire. J'avais remplacé mes obligations envers mes clients par des obligations envers Dave Evans, l'un des patrons du Bear, l'homme qui m'avait offert ce travail. Mais, au retour de l'hiver, j'avais pris une décision.

Parce que le Collectionneur n'avait pas menti, pas totalement. Les groupes sanguins ne correspondaient pas.

Après le Nouvel An, j'avais commencé à poser des questions. J'avais cherché à joindre ceux qui avaient connu mon père, en particulier les flics qui avaient travaillé avec lui. Plusieurs d'entre eux étaient morts. D'autres avaient disparu des écrans radar après leur retraite, comme cela arrive quelquefois pour ceux qui ont tiré leur temps et ne souhaitent plus que toucher leur pension et laisser tout le reste derrière eux. Mais je connaissais les noms de deux types dont mon père avait été très proche, de simples flics qui avaient fait l'école de police avec lui : Eddie Grace, qui avait deux ou trois ans de plus que lui, et Jimmy Gallagher, l'ancien coéquipier de mon père et son meilleur ami. Ma mère les surnommait parfois, mon père et lui, quasi affectueusement, les « Frères Anniversaire », allusion aux virées qu'ils s'offraient deux fois par an en ville. C'était la seule occasion où mon père découchait, pour ne réapparaître que le lendemain, un peu avant midi, discrètement, presque avec l'air de s'excuser, juste un peu débraillé mais jamais malade ni titubant, prêt à dormir jusqu'au soir. Ma mère ne faisait aucun commentaire. C'était un petit plaisir qu'elle lui permettait et il ne s'en offrait pas beaucoup – du moins, j'avais cette impression.

Je n'avais pas revu Jimmy Gallagher depuis la mort de mon père. Peu après l'enterrement, il était passé à la maison pour voir comment ma mère et moi nous débrouillions. Elle lui avait dit qu'elle avait l'intention de quitter Pearl River et de retourner dans le Maine. Ma mère m'avait envoyé au lit, mais quel adolescent n'aurait pas écouté en haut de l'escalier, cherchant à entendre des informations qu'on lui cachait ? Et j'entendis ma mère demander :

« Qu'est-ce que tu savais au juste, Jimmy ?

— Sur quoi ?

— Sur tout : la fille, les gens qui sont venus…

— Je savais pour la fille. Les autres… »

Je l'imaginai haussant les épaules.

« Will affirmait que c'étaient les mêmes. »

Jimmy garda un moment le silence puis :

« Impossible. Tu sais bien que c'est impossible. J'en ai tué une et l'autre est mort des mois avant. Les morts ne reviennent pas, pas comme ça.

— Il me l'a dit, Jimmy. C'est une des dernières choses qu'il m'a dites. C'étaient les mêmes.

— Il avait peur, Elaine. Pour toi et pour le gamin.

— Mais il les a tués. Et ils n'étaient même pas armés.

— Je ne sais pas pourquoi.

— Moi je sais : pour les arrêter. Il savait qu'ils finiraient par revenir. Ils n'avaient pas besoin d'armes, ils se serviraient de leurs mains, au besoin. Peut-être même que…

— Quoi ?

— Peut-être même qu'ils auraient préféré ça », acheva-t-elle.

Elle se mit à pleurer. J'entendis Jimmy se lever et je sus qu'il la prenait dans ses bras, qu'il la consolait.

« Moi je sais une chose, dit-il. Il t'aimait. Il vous aimait tous les deux et il regrettait le mal qu'il vous avait causé. Je crois qu'il a essayé pendant seize ans de se racheter, mais il n'y est jamais arrivé. C'était pas ta faute, il pouvait pas se pardonner, c'est tout. Il ne pouvait pas. »

Les sanglots de ma mère redoublèrent et je retournai aussi silencieusement que je pus dans ma chambre, où je passai la nuit à contempler la lune, Franklin Avenue et les allées que mon père n'emprunterait plus jamais.

Le serveur vint débarrasser et parut tout autant impressionné par les piles d'os soigneusement rongés dans les assiettes de mes amis que déçu par tout ce qui restait dans la mienne. Je commandai des cafés et regardai la salle commencer à se vider.

— On peut faire quelque chose ? demanda Angel.

— Non. Celle-là, je dois la jouer seul.

Il dut repérer dans mon expression le reflet de ce qui se passait dans ma tête.

— Qu'est-ce que tu nous as caché ?

— Durand dit qu'un jeune gars – la trentaine, d'après lui – est venu rôder autour de la maison il y a deux mois. Le vieux l'a interpellé et le type a répondu qu'il chassait.

— À Pearl River ? s'étonna Angel. Il chassait quoi ? Des lutins ?

— Ça n'avait peut-être rien à voir avec toi, suggéra Louis.

— Peut-être, convins-je. Mais il a demandé à Durand s'il savait ce qui s'était passé dans cette maison.

— Un amateur de frissons, un touriste du meurtre. T'as déjà connu ça.

— Durand a dit aussi que le type le mettait mal à l'aise, il n'aurait pas su expliquer pourquoi. Mais c'est tout.

— Tu peux pas faire grand-chose, à moins qu'il ne se repointe.

— De toute manière, conclut Angel, un mec de trente ans qui met les gens mal à l'aise, ça devrait pas être trop dur à trouver. La moitié des joueurs titulaires de l'équipe des Mets correspondent à ce signalement.

Après avoir réglé l'addition, nous sortîmes dans la nuit.

— Tu nous appelles, à n'importe quelle heure, dit Angel. On est dans le coin.

Ils hélèrent un taxi et je regardai la voiture s'éloigner vers le nord de la ville. Quand elle eut disparu, je retournai dans le restaurant et m'installai au bar pour siroter un autre verre de vin. Je pensais au chasseur, je me demandais si c'était moi qu'il chassait.

Et une partie de moi souhaitait qu'il vienne.

5

Le Great Lost Bear, véritable institution à Portland, était situé sur une parcelle de Forrest Avenue – loin du quartier touristique du Vieux Port – occupée auparavant par un bar appelé le Bottom's Up. Les big bands qui y jouaient autrefois étaient soit sur le chemin du succès, soit sur le déclin, soit juste entre les deux, dans la situation où tout ce qui comptait, c'était un engagement pas trop mal payé devant une assistance fournie, de préférence un public qui ne commençait pas à leur balancer des bouteilles quand ils délaissaient les tubes en vogue pour interpréter un air de leur répertoire.

L'éclairage de scène était toujours en place dans la partie restaurant, ce qui donnait l'impression que les clients n'étaient qu'un prélude au numéro vedette ou qu'ils étaient eux-mêmes le numéro vedette. Dans une autre partie du bâtiment, il y avait une boulangerie et, un peu avant minuit, quand le bar servait les dernières tournées, l'endroit s'emplissait d'une odeur de pain en train de cuire qui filait une fringale terrible aux clients alors que les néons finissaient de s'éteindre dans les cuisines.

Quand le bar changea de propriétaire, en 1979, il prit le nom de Grizzly Bear, mais un fabricant de pizzas de la côte Ouest y trouva à redire et il fallut changer pour le Great Lost Bear, plus évocateur de toute façon. Outre qu'on pouvait y dîner tard, le Bear devait sa popularité à son choix de bières : au moins cinquante-six marques différentes à la pression, parfois soixante. Bien que niché dans un quartier calme, non loin du campus de l'université du Maine-Sud, il s'était bâti une solide réputation au fil des années, et l'été, autrefois sa saison creuse, était à présent sa période la plus active.

En plus des gens du coin, le Bear attirait les amateurs de bière, pour la plupart des hommes, et d'un certain âge. Ils ne causaient pas d'ennuis, ils n'abusaient pas de la bibine et se contentaient généralement de parler de houblon et de fûts, d'obscures microbrasseries que même certains barmen ne connaissaient pas. De temps en temps, la vue d'une femme les détournait brièvement de leur sujet de prédilection, mais des femmes, il y en aurait toujours. En revanche il n'y aurait pas toujours assis à côté d'eux un client qui avait essayé toutes les microbrasseries de Portland, Oregon, mais ignorait tout de celles de Portland dans le Maine.

Je m'occupais du bar du Bear depuis un peu plus de quatre mois. Je n'avais pas encore de problèmes d'argent, mais j'avais de bonnes raisons de travailler pendant qu'Aimee Price défendait ma cause. J'avais une fille à nourrir, même si sa mère ne me harcelait pas pour la pension alimentaire. Je me demandais parfois si Rachel n'aurait pas préféré que je ne fasse plus du tout partie de la vie de Sam, bien qu'elle n'eût jamais dit quoi que ce soit qui pût me le faire penser. Rachel me permettait de venir voir Sam dans le Vermont quand je le voulais, à condition de prévenir. Il m'était cependant arrivé d'avoir subitement envie de voir ma fille (et Rachel aussi, à vrai dire, car ce n'était pas tout à fait fini entre nous) et de me rendre à Burlington sur un coup de tête. Mis à part un occasionnel regard désapprobateur du père de Rachel (Sam et elle vivaient dans un cottage attenant à celui des parents), ces visites inopinées n'avaient jusqu'ici pas causé de friction entre nous.

Rachel et moi avions couché ensemble deux ou trois fois depuis notre séparation, mais aucun de nous n'avait parlé d'une éventuelle réconciliation. Je ne pensais pas que c'était possible, pas pour le moment, mais cela ne m'empêchait pas de l'aimer. C'était cependant une situation qui ne pouvait pas durer. Nous nous éloignions l'un de l'autre. C'était fini, même si ni elle ni moi n'avions prononcé les mots définitifs.

Il était un peu plus de quatre heures, ce jeudi après-midi, et l'atmosphère du Bear était calme. Enfin, relativement calme. Trois hommes étaient assis au bar, dont deux habitués, stéréotypes du gars du Maine en hiver : bottes éculées, casquette des Red Sox, et assez de couches de vêtements pour parer aux effets d'une nouvelle période glaciaire et attendre tranquillement que quelqu'un se décide à ouvrir un bar dans une caverne et se remette à brasser de la bière. Scotty et Phil. D'ordinaire, il y avait avec eux un troisième lascar qu'ils appelaient Dan, ou « Dan le Man », ou « Danny Boy », ou encore, quand il ne pouvait pas les entendre, « Dan la Banane », mais ce jour-là Dan était absent, apparemment remplacé par un homme qui n'était pas un habitué mais qui semblait souhaiter en devenir un, particulièrement depuis que je travaillais au Bear.

Ce n'était pas nécessairement une bonne chose. J'aimais bien Jackie Garner. Il était loyal et courageux, il gardait le silence sur certaines choses qu'il avait faites à ma demande, mais ça claquait dans sa tête quand il marchait et je n'étais pas sûr qu'il fût parfaitement sain d'esprit. J'étais même quasi certain du contraire. C'était le seul type que je connaissais qui avait de son propre choix intégré une école militaire au lieu d'un lycée ordinaire, parce qu'il était impatient d'apprendre à se servir d'un fusil, d'un poignard et d'explosifs. Le seul aussi qui se soit fait virer de l'école militaire pour zèle excessif à manier un fusil, un poignard et tout particulièrement des explosifs, zèle qui le rendait aussi potentiellement dangereux pour ses camarades que pour l'ennemi. Finalement, l'armée l'avait accueilli dans ses rangs mais n'avait jamais réussi à le contrôler, et tout laissait croire que ses officiers avaient poussé un soupir de soulagement quand il avait été réformé.

Pire, là où Jackie allait, les frères Fulci, Tony et Paulie, le suivaient fréquemment, et à côté de ces mastodontes, pâtés de maisons sous forme humaine, Jackie avait l'air de Mère Teresa. Jusque-là, ils n'avaient pas honoré le Bear de leur présence, mais ce n'était qu'une question de temps. Je n'avais pas encore trouvé la façon d'annoncer à Dave qu'il devrait très bientôt se procurer deux sièges renforcés pour eux. Je supposais qu'en découvrant que les Fulci allaient devenir des habitués il me virerait aussitôt. C'était ça ou se barder de flingues et se préparer pour un siège.

— Dan n'est pas là ? dis-je à Scotty.

— Non, il est retourné à l'hosto. Il pense qu'il est peut-être schizophrène.

Lucide, le gars.

— Il sort toujours avec cette nana ? demanda Phil.

— Ben, un des deux, oui, répondit Scotty en éclatant de rire.

Phil fronça les sourcils. Il n'était pas aussi intelligent que Scotty. Il n'avait jamais voté, parce qu'il trouvait les machines trop compliquées. L'un de ses frères, encore moins bien loti que lui sur le plan intellectuel, s'était retrouvé en taule après avoir écrit à l'émission « To Catch a Predator[1] » de NBC pour demander qu'on lui arrange un rendez-vous.

— Tu vois qui j'veux dire ? continua Phil comme si de rien n'était. Celle qu'est pas très fute-fute… Lia, ouais, c'est ça. Con comme un balai.

— C'est rien de le dire, renchérit Scotty. Elle s'est fait un tatouage en prison, elle a même pas su épeler correctement son nom. Trois lettres. Maintenant, elle a « Lai » tatoué sur le bras et elle raconte à tout le monde qu'elle est à moitié hawaïenne.

— Elle était pas dans une secte ?

— Si. Elle a pas su épeler le nom de la secte non plus, ou alors sa main a dérapé. Maintenant, elle doit se couvrir le bras gauche, surtout à l'église.

— Ouais, mais Dan, c'est pas un cadeau non plus, intervint Jackie. Il vit chez sa mère et il dort dans un lit en forme de voiture de course.

— Jackie, toi aussi tu vis chez ta mère, rappelai-je.

— D'accord, mais je dors pas dans un stock-car.

Je les laissai en me demandant si je ne devrais pas leur interdire l'entrée du Bear et allai aider Gary Maser à regarnir le bar. J'avais embauché Gary peu après être devenu responsable du bar, et il se débrouillait bien. Quand nous eûmes terminé, Jackie, Phil et Scotty

1. Émission dans laquelle on voit se faire piéger des pédophiles sévissant sur le Net. *(N.d.T.)*

étaient encore là, malheureusement. Jackie faisait aux deux autres la lecture du journal.

— C'est encore ce mec, celui d'Ogunquit, qui s'est fait enlever par des extraterrestres, expliqua-t-il. Il dit qu'il ose plus allumer sa télé. Les chaînes arrêtent pas de changer sans qu'il zappe, ça lui embrouille la tête.

Après une pause, il s'interrogea :

— Comment ça se fait que c'est toujours à des types d'Ogunquit que ce genre de truc arrive ?

— Ou de Fort Kent, ajouta Scotty.

— Ouais, Fort Kent, approuva Phil.

Ils hochèrent tous trois la tête gravement. Selon une croyance fort répandue dans l'Est, si vous remontiez suffisamment haut dans le Maine, les gens devenaient très bizarres. Comme Fort Kent est l'endroit le plus au nord où l'on puisse aller sans prendre la nationalité canadienne, il s'ensuit que ses habitants sont tout à fait étranges.

— Qu'est-ce que les extraterrestres s'imaginent qu'ils peuvent apprendre en fourrant une sonde dans le derche d'un gars d'Ogunquit ? reprit Jackie.

— Quelque chose d'important, sûrement, dit Phil.

— Oui, comme de ne plus jamais le refaire, dit Scotty.

— On s'attendrait à ce qu'ils enlèvent des physiciens nucléaires, des généraux, fit remarquer Jackie. Non, ils préfèrent les péquenauds.

— Les simples soldats, dit Phil.

— La première ligne, dit Scotty. C'est ceux-là que les extraterrestres devront, euh… soumettre.

— Mais pourquoi la sonde ? persista Jackie.

— Peut-être que quelqu'un leur a joué du pipeau, avança Phil. Un Vénusien, genre : « Ouais, tu leur carres une sonde dans le train, ils s'allument. »

— Ou ils te chantent un air, enchaîna Scotty.

— Je comprends pas, conclut Jackie.

Au bout du comptoir, un client écrivait dans un calepin. Son visage me parut familier et je crus me rappeler l'avoir vu la semaine d'avant. La cinquantaine, une veste en tweed marron sur une chemise blanche au col déboutonné. Il avait des cheveux courts et soit il vieillissait bien, soit il se ruinait en teintures. Quand je lui avais servi son verre, j'avais reniflé une odeur d'after-shave coûteux. Il ne lui restait plus maintenant qu'un fond de bière dans sa chope. Je me dirigeai vers lui d'un pas nonchalant.

— Une autre ?

Lorsqu'il me vit approcher, il referma son carnet et regarda sa montre.

— Non. Combien je vous dois ?

Je déposai son ticket devant lui.

— Sympa, cet endroit, dit-il. Vous y travaillez depuis longtemps ?

— Non. Je ne devrais même pas y être aujourd'hui si l'un des barmen n'était pas malade.

— Vous êtes le gérant ?

— Le responsable du bar.

Il considéra la chose un moment en se mâchouillant la lèvre inférieure.

— Il faut que j'y aille. À la prochaine.

— C'est ça.

Je le regardai partir et Jackie remarqua mon expression.

— Y a quelque chose ? demanda-t-il.

— Probablement pas.

Je n'eus pas le temps de penser ensuite à l'inconnu au calepin. Le jeudi, c'était toujours Soirée Microbrasseries au Bear, avec des bières spéciales, et ce jour-là, nous accueillions l'Andrew's Brewing Company, une petite brasserie familiale de Lincolnville. Quelques minutes plus tard, nous étions débordés et je dus me démener toute la soirée pour qu'on ne perde pas complètement pied. Deux groupes fêtant un anniversaire, l'un composé presque uniquement d'hommes, l'autre exclusivement de femmes, firent leur entrée simultanément et se fondirent, au fil des heures, en une seule masse imbibée où l'on ne pouvait plus distinguer les uns des autres. Il y avait rarement plus d'une place libre au comptoir et tout le monde voulait manger en plus de picoler. Faute de personnel, Gary et moi dûmes nous échiner six heures d'affilée. Je ne vis même pas Jackie partir, j'étais sans doute en train de changer un fût quand il avait quitté le Bear.

— On est bien en février ? dis-je à Gary, qui préparait une tournée de margaritas pour Sarah, l'une des serveuses habituelles.

Elle portait toujours un foulard sur la tête, ce qui la rendait facile à repérer les soirs comme celui-là.

— Je crois.

— Alors, ils viennent d'où, tous ces gens ? On est en *février*.

Vers vingt-deux heures trente, les choses se calmèrent un peu et nous eûmes le temps de nous occuper des blessés. Un des chefs de rang s'était ouvert la paume avec un couteau à découper et avait besoin de points de suture. Maintenant que le coup de feu était passé, il pouvait se rendre lui-même en voiture aux urgences. À part ça, il y avait le nombre habituel de brûlures légères et de prises de tête dans les cuisines. Je devais le reconnaître, les cuisiniers étaient toujours distrayants, mais ceux du Bear étaient meilleurs que la plupart. Je connaissais des gens de la profession qui passaient une bonne partie de leur temps à tirer leurs chefs de prison, à leur trouver un endroit où dormir quand leurs bonnes femmes les foutaient à la porte et parfois même à leur taper dessus pour leur apprendre à obéir.

Un groupe de flics de Portland avait pris position au comptoir, près de la porte. Gary avait passé une bonne partie de la soirée à s'occuper d'eux. Le Bear était apprécié par les policiers du coin : il y avait un parking, la bière était bonne, on servait à manger jusqu'à la fermeture et c'était suffisamment loin du Vieux Port et du central de la police de Portland pour qu'ils aient l'impression d'être hors de portée des radars. C'était peut-être aussi son côté bunker qui leur plaisait. Le Bear n'avait pas beaucoup de fenêtres, et si l'on éteignait toutes les lumières, il faisait noir comme dans un four à l'intérieur.

Au moment où je les regardais, les flics s'écartèrent légèrement pour laisser une silhouette familière s'approcher du comptoir. J'avais supposé qu'ils étaient tous de la police de Portland, mais je m'étais trompé. L'un d'eux au moins appartenait à celle de l'État : Hansen, l'inspecteur de Gray, qui plus que tout autre se réjouissait de ma situation présente. Il était en bonne forme physique, les yeux plus verts que bleus, les cheveux noirs et les joues ombrées en permanence par des années d'utilisation d'un rasoir électrique. Comme d'habitude, il était vêtu avec plus de recherche que la moyenne des flics : costume bleu foncé bien coupé et cravate de cachemire bleu.

Il s'assit un peu à l'écart du groupe, posa son verre presque vide sur le comptoir, joignit les mains et attendit que j'approche. Je laissai passer quelques secondes avant de me résigner à devoir le servir.

— Qu'est-ce que ce sera, inspecteur ?

Il ne répondit pas. Sa mâchoire remua et ses dents du bas vinrent agacer ses incisives. Je me demandai s'il avait beaucoup bu, conclus que non. Il ne devait pas aimer se laisser aller.

— J'ai appris que vous travailliez ici, attaqua-t-il.

— Vous avez mis le temps pour venir.

— Ce n'est pas une visite de courtoisie.

— Je m'en doutais. Vous n'êtes pas vraiment d'un naturel courtois.

Il détourna les yeux, hocha légèrement la tête, homme raisonnable confronté à un individu déraisonnable.

— Qu'est-ce que vous faites ici ? demanda-t-il, indiquant d'un geste dédaigneux le bar, la clientèle, voire le monde entier.

— Je gagne ma vie. Vos copains et vous avez retourné à la bêche la voie professionnelle que je m'étais choisie. J'en ai pris une autre, temporairement.

— Temporairement ? Vous croyez ? Il paraît que votre avocate se dépense beaucoup pour vous. Je lui souhaite bonne chance. Vous feriez bien d'accumuler les pourboires, elle n'est pas bon marché.

— Ben, vous avez l'occasion d'apporter votre contribution à la cause. Je vous ressers ou je vous laisse remplir vous-même votre verre de fiel ?

Hansen se pencha en avant et je m'aperçus qu'il avait les yeux légèrement vitreux. Ou il avait picolé plus que je ne croyais ou il ne tenait pas le coup.

— Vous n'avez aucune dignité ? m'assena-t-il. C'est un bar à flics, ici. Vous laissez d'anciens collègues vous regarder travailler derrière un comptoir ? Qu'est-ce que vous cherchez ? À leur faire honte ?

C'était une question que je m'étais posée. Même Dave, en me proposant le boulot, avait précisé qu'il comprendrait si je refusais à cause des flics qui fréquentaient le Bear. J'avais répondu que je me fichais de ce que tout le monde pouvait penser, mais Hansen était peut-être plus près de la cible que je ne voulais le reconnaître. C'était un peu par esprit de contradiction que j'avais accepté de travailler au Bear. Pas question de m'éclipser furtivement après ce qui s'était passé. Certes, plusieurs des flics qui fréquentaient le bar semblaient embarrassés par ma présence, et un ou deux affichaient même leur mépris pour moi, mais c'étaient des types qui ne m'avaient jamais beaucoup aimé, de toute façon. La plupart des autres réagissaient bien et certains m'avaient même fait comprendre qu'ils étaient désolés de ce qu'on m'avait fait. Dans un cas comme dans l'autre, cela m'était égal. Je me contentais de laisser les choses se tasser, pour le moment. Cela me donnait du temps pour ce que j'avais l'intention de faire.

— Vous savez, inspecteur, si je ne vous connaissais pas si bien, je m'imaginerais que je vous fais bander. Je pourrais peut-être vous présenter à quelqu'un qui vous aiderait à vous libérer de cette tension. Ou alors, vous pourriez passer une petite annonce dans le *Phoenix*. Il y a plein de jolis garçons qui rêvent de rencontrer un homme ayant un uniforme dans son placard.

Hansen expulsa un bref rire sans joie, comme une fléchette empoisonnée projetée par une sarbacane.

— Accrochez-vous à votre humour caustique, me recommanda-t-il. Un homme qui rentre dans une maison vide en puant la bière éventée a besoin de raisons de rire.

— Ce n'est pas vide chez moi, répondis-je. J'ai un chien.

Je pris son verre et, supposant qu'il buvait de l'Andrew's Brown, le remplis et le reposai devant lui.

— Offert par la maison, dis-je. Nous tenons à ce que nos clients soient contents.

— Buvez-le vous-même, répliqua-t-il, on s'en va.

Il tira de son portefeuille un billet de vingt dollars.

— Gardez la monnaie. Vous n'en ferez pas grand-chose ici mais encore moins à New York. À propos, qu'est-ce que vous faisiez là-bas ?

Je n'aurais pas dû être étonné. J'avais été arrêté cinq fois sur la nationale par la police de l'État ces derniers mois. Une façon de me faire savoir qu'on ne m'avait pas oublié. Un flic de l'aéroport de Portland avait dû me reconnaître quand je partais pour New York ou quand j'en revenais et avait donné un coup de fil. Il faudrait que je sois plus prudent, à l'avenir.

— Je rendais visite à des amis.

— C'est bien. Un homme a besoin d'amis. Mais si j'apprends que vous bossez sur une affaire, je vous casse en deux.

Il se retourna, dit au revoir à ses potes et sortit. Gary s'approcha de moi tandis que la porte se refermait sur Hansen.

— Tout va bien ? me demanda-t-il.

— Tout va on ne peut mieux. Tiens, dis-je en lui tendant le billet. C'est toi qui t'occupais de lui, je crois.

— Il n'a pas touché à son verre.

— Il n'était pas venu pour boire.

— Pour quoi, alors ?

C'était une bonne question.

— Pour la compagnie, je pense.

6

Je sortis promener Walter, mon labrador, quand je rentrai chez moi, peu après vingt-trois heures. La nouveauté de la neige avait fini par ne plus faire effet sur lui, comme c'était le cas pour toute créature, homme ou bête, qui passait plus de huit jours dans le Maine en hiver, et il se contentait maintenant de quelques reniflements sans conviction avant de faire ses besoins et d'indiquer qu'il préférait retrouver la chaleur de son panier en filant droit vers la maison. Il avait beaucoup mûri en un an. Peut-être parce que la maison était plus calme qu'avant et qu'il s'était fait à l'idée que Rachel et Sam n'en faisaient plus partie. J'aimais l'avoir près de moi pour un tas de raisons : la sécurité, la compagnie, et peut-être parce qu'il demeurait mon seul lien avec une vie de famille qui n'était plus mienne. J'avais perdu deux familles : Rachel et Sam, parties dans le Vermont, Susan et Jennifer, criblées de coups de couteau par un homme que j'avais ensuite tué de mes mains. Je me sentais coupable de laisser Walter trop longtemps seul ou chez mes voisins, les Johnson. Ils s'occupaient de lui avec plaisir quand je n'étais pas là, mais Bob ne tenait plus trop bien sur ses jambes et c'était beaucoup demander à un homme de son âge que de promener régulièrement un chien fringant.

Je fermai les portes à clé, tapotai Walter, allai me coucher et tentai de dormir. Quand le sommeil vint, il apporta avec lui des rêves étranges de Susan et de Jennifer, si saisissants que je me réveillai dans le noir, convaincu d'avoir entendu quelqu'un parler. Cela faisait des mois que je n'avais pas rêvé d'elles de cette façon.

Comment dois-je les appeler ? Comment prononcer ces mots, même après toutes ces années ? « Ma femme assassinée » ? « Ma fille défunte » ? Elles sont mortes, mais j'ai trop longtemps gardé en moi quelque chose d'elles qui s'est manifesté par des fantasmes, des échos de l'autre vie dans celle-ci, et je n'ai pu me résoudre à donner à ces vestiges les noms des êtres que j'avais aimés. Je pense quelquefois que nous nous hantons nous-mêmes, ou plutôt que nous choisissons d'être hantés. S'il y a une faille dans notre vie, quelque chose la remplit. Nous convions cette chose à se glisser en nous et elle accepte volontiers.

J'avais cependant fait la paix avec elles. Susan, ma femme, Jennifer, ma fille. Aimées de moi, moi aimé d'elles.

Susan m'avait dit un jour que s'il arrivait quelque chose à Jennifer, si notre fille devait mourir avant son heure, avant sa mère, je ne devais pas le lui révéler. Je ne devais pas essayer de lui annoncer que son enfant était morte. Je ne devais pas lui imposer cette souffrance. Si Jennifer mourait, je devais tuer Susan. Pas d'explication, pas de consolation. Je devais la tuer parce qu'elle ne se sentait pas capable de vivre après la perte de son enfant. Ce serait trop dur pour elle, elle ne le supporterait pas. Cela ne la tuerait pas, pas tout de suite, mais la mort de sa fille la minerait et la viderait, il ne resterait d'elle qu'une coquille vide résonnant de douleur.

Et elle me haïrait. Elle me haïrait de lui avoir infligé une telle peine, de ne pas l'avoir assez aimée pour la lui épargner. Je serais un lâche à ses yeux.

« Promets-moi, disait-elle tandis que je la tenais dans mes bras. Promets-moi que ça ne m'arrivera pas. Je ne veux pas entendre un jour ces mots. Je ne veux pas devoir endurer cette souffrance. Je ne le pourrais pas. Tu m'entends ? Je ne plaisante pas. Je veux que tu me promettes que je n'aurai jamais à connaître ça. »

Je promis. Je savais pourtant que je ne pourrais pas faire ce qu'elle me demandait, et elle le savait peut-être aussi, mais je promis quand même. Nous mentons à ceux que nous aimons pour les protéger. Toutes les vérités ne sont pas bienvenues.

Ce dont Susan n'avait pas parlé, ce à quoi elle n'avait pas réfléchi, c'était ce qui arriverait si elles m'étaient toutes deux enlevées. Devrais-je me suicider ? Devrais-je les rejoindre dans cet endroit obscur, suivre leurs traces dans le monde souterrain jusqu'à ce que je les retrouve enfin, le sacrifice de ma vie n'ayant d'autre but que de nier une perte ? Ou devrais-je continuer à vivre, et en ce cas, comment ? Quelle forme ma vie devrait-elle prendre ? Devrais-je adorer un mausolée à leur mémoire en attendant que le temps fasse ce que je n'avais pas été capable de faire ? Ou essaierais-je de vivre avec ma perte, de survivre sans trahir leur mémoire ? Que doivent faire ceux qui restent pour honorer la mémoire de ceux qui ne sont plus ? Jusqu'où peut-on aller avant de trahir cette mémoire ?

Je vivais. Voilà tout. Elles m'avaient été ravies mais j'étais resté. J'avais découvert celui qui les avait assassinées et je l'avais tué à mon tour, mais cela ne m'avait procuré aucune satisfaction. Cela n'avait pas apaisé une douleur cuisante. Cela ne m'avait pas rendu leur perte plus facile à supporter et j'avais failli y perdre mon âme, si j'en avais une. Le Collectionneur, dépositaire de secrets anciens, m'avait jeté à la figure que je n'en avais pas et j'avais quelquefois tendance à le croire.

Je sens encore leur perte chaque jour. Elle me définit.

Je suis l'ombre projetée par tout ce qui fut.

7

Assis dans la pièce aménagée au sous-sol, Daniel Faraday sentait son chagrin faire lentement place à de la colère. Son fils était mort depuis quatre jours et son cadavre gisait encore à la morgue. On lui avait promis qu'il lui serait restitué le lendemain pour l'enterrement. Le chef de la police le lui avait assuré quand il était passé, plus tôt dans l'après-midi.

Depuis la découverte des restes de Bobby, Daniel et sa femme étaient devenus des spectres dans leur propre maison, des êtres définis uniquement par un sentiment de perte, d'absence, de chagrin. Leur fils unique était mort et Daniel savait que sa disparition annonçait aussi la mort de leur couple. Bobby avait maintenu ses parents ensemble, mais Daniel ne s'en était rendu compte que lorsque son fils avait quitté la maison pour faire ses études puis était revenu. Presque toutes leurs conversations tournaient autour de leur fils adoré : leurs espoirs pour lui, leurs craintes, leurs éventuelles déceptions, celles-ci paraissant maintenant si dérisoires que Daniel se reprochait en silence d'en avoir parlé à son fils. Il regrettait tous les mots durs, tous les différends, chaque heure de silence maussade qui avait suivi une dispute. Il se rappelait les circonstances de chaque désaccord et savait que chaque mot prononcé sous le coup de la colère avait aussi été prononcé par amour.

Cet endroit était le coin de son fils. Il y avait un téléviseur, une chaîne stéréo, un chargeur pour son iPod, quoique Bobby ait été l'un des rares adolescents de la ville préférant écouter de la musique sur de vieux vinyles quand il était à la maison. Il avait hérité de la collection de disques de son père, pour la plupart des classiques des années 1960 et 1970, y avait ajouté ses trouvailles faites chez les marchands de disques d'occasion ou dans les brocantes. Il y avait encore un 33 tours sur la platine, un exemplaire original d'*After the Gold Rush* de Neil Young, à la surface couverte de minuscules rayures mais toujours écoutable, selon Bobby, car les craquements et le grésillement faisaient partie de l'histoire du disque, dont la chaleur et l'humanité se trouvaient renforcées par les défauts accumulés au cours des années.

Le sous-sol était en grande partie couvert par un immense tapis qui sentait toujours la bière répandue et les chips rances. Il y avait des étagères de livres, un classeur métallique dont les tiroirs avaient surtout servi à ranger de vieilles photos, des bulletins de notes, des manuels scolaires et, à l'insu de la mère de Bobby, des magazines pornos. Un canapé rouge défoncé, avec, à l'une de ses extrémités, un coussin bleu taché, faisait face au téléviseur. Le coussin gardait encore l'empreinte de la tête de Bobby et le canapé celle de son corps, si nettement qu'à la faible lumière de l'unique lampe du sous-sol il semblait à Daniel que le fantôme de son fils, invisible mais doté cependant d'une matérialité et d'un poids, était revenu occuper sa place familière. Daniel aurait voulu s'y allonger, couler son corps sur les bosses et dans les creux du canapé, ne plus faire qu'un avec son fils perdu, mais quelque chose l'en empêchait. Il craignait de perturber l'impression qui restait et de faire fuir du même coup quelque chose de l'essence de son fils. Il ne s'étendrait pas sur ce canapé. Personne ne s'y étendrait. Ce canapé resterait un sanctuaire à la mémoire de ce qui lui avait été arraché, de ce qui leur avait été arraché.

D'abord, il n'y avait eu que de la stupeur. Bobby ne pouvait pas être mort. La mort, c'était pour les vieux, pour les malades. Pour les enfants des autres. Son fils était mortel, bien sûr, mais l'ombre de la mort ne s'étendait pas encore sur lui. Sa disparition aurait dû attendre de longues années encore, son père et sa mère auraient dû le précéder dans le néant. C'est lui qui aurait dû les pleurer. Ce n'était pas naturel qu'ils versent maintenant des larmes sur sa dépouille, qu'ils voient son cercueil descendre dans la terre. Daniel se rappela le corps de son fils sur le chariot de la morgue, recouvert d'un drap, gonflé par les gaz de décomposition, une ligne rouge marquant la gorge là où la corde avait entamé la chair.

Suicide. Tel avait été le verdict initial. Bobby s'était étranglé en attachant une corde à un arbre, en passant le nœud coulant autour de son cou et en se penchant en avant pour peser de tout son corps. À un moment, il avait pris conscience de l'atrocité de ce qui allait suivre et s'était débattu pour se dégager, s'était griffé la peau et avait même perdu un de ses ongles, mais la corde s'était resserrée, le nœud étant fait pour que, si Bobby venait à manquer de courage, l'instrument de son autodestruction tienne bon.

Dans les premières heures de l'enquête, le chef de la police leur avait demandé si, à leur connaissance, Bobby aurait pu avoir une raison de se tuer. Était-il malheureux ? Subissait-il des pressions inhabituelles ? Devait-il de l'argent à quelqu'un ? L'autopsie avait montré qu'il avait beaucoup bu avant de mourir et on avait retrouvé sa moto dans un fossé au bord du champ. D'après le coroner, c'était incroyable qu'il ait réussi à monter dessus vu la quantité d'alcool qu'il avait engloutie.

Daniel Faraday n'avait alors pensé qu'à la fille, Emily, celle qui ne trouvait pas Bobby assez bien pour elle.

Mais le chef de la police était revenu dans l'après-midi et tout avait changé. C'était une question d'angles et de force, leur avait-il dit, même si les inspecteurs de la police de l'État et lui avaient déjà exprimé leurs doutes entre eux, compte tenu de la nature des marques que la corde avait laissées sur la peau. Leur fils avait deux blessures au cou, l'une masquée par l'autre, et il avait fallu les conclusions du médecin légiste de l'État pour confirmer les soupçons de son adjoint. Deux blessures : la première due à une strangulation par-derrière, peut-être pendant que le jeune homme était étendu par terre sur le ventre, à en juger par les marques dans le dos, peut-être celles des genoux du meurtrier. Le premier étranglement n'avait pas été fatal, il avait seulement causé une perte de conscience. La mort était due au second étranglement. On avait passé le nœud coulant autour du cou de Bobby, on l'avait redressé et mis en position agenouillée avant d'attacher le bout de la corde autour de l'arbre. Le ou les assassins avaient ensuite exercé une forte pression sur le dos du jeune homme pour l'étrangler lentement.

Selon le chef de la police, il avait fallu une force considérable pour tuer de cette manière un garçon robuste et bien bâti comme Bobby Faraday. On cherchait sur la corde des traces d'ADN, ainsi que sur la partie inférieure de l'arbre, mais…

Daniel et sa femme avaient attendu que le chef poursuive.

La ou les personnes responsables de la mort de Bobby avaient été méticuleuses, avait-il prévenu. Elles avaient maculé de boue les vêtements, les cheveux et la peau de Bobby dans l'intention évidente de faire disparaître toute trace et elles y étaient parvenues. La police ne renoncerait pas à trouver le meurtrier de Bobby, les avait-il rassurés, mais la tâche s'annonçait difficile. Il leur avait demandé de garder provisoirement ces informations pour eux et ils avaient accepté.

Après le départ du chef, Daniel avait serré contre lui sa femme en larmes. Il ne savait pas trop pourquoi elle pleurait, il était simplement surpris qu'elle ait encore des larmes à verser. Peut-être pleurait-elle à cause de l'horreur de toute cette histoire ou parce que c'était une autre souffrance de savoir que son fils avait été assassiné. Elle ne l'avait pas dit, il ne lui avait rien demandé. Mais quand il sentit la première de ses propres larmes rouler sur sa joue, il comprit qu'il ne pleurait ni de chagrin ni de colère. C'étaient des larmes de soulagement. Il se rendit compte qu'il avait éprouvé une sorte de haine envers son fils quand il croyait qu'il s'était suicidé. Une haine et une rage dues à l'égoïsme et à la stupidité de cet acte, au fait que Bobby ne s'était pas tourné vers ceux qui l'aimaient en ce moment de désespoir. Il avait haï un fils qui avait réduit son père à l'impuissance et s'était déchargé sur ses parents du poids de sa souffrance. Lorsqu'il était convaincu que Bobby s'était donné la mort, Daniel avait considéré cet acte avec horreur tandis que les heures passaient avec une lenteur implacable. Sa douleur lui semblait faite d'une matière indestructible : on ne pouvait ni la créer ni la détruire, on ne pouvait qu'en changer la forme. La tristesse qui avait peut-être conduit Bobby à commettre cet acte ne s'était pas dissoute dans la mort mais avait été simplement transférée à ceux qui restaient. Il n'y avait eu ni lettre ni explications. Il n'y avait eu que des questions sans réponse et le sentiment tenaillant qu'ils n'avaient pas été là pour leur fils.

La première réaction de Daniel fut d'accuser la fille. Bobby n'était plus le même depuis qu'elle avait rompu leurs relations. Malgré sa carrure et son assurance apparente, il y avait de la sensibilité et de la tendresse en lui. Il était sorti avec d'autres filles, il avait connu des ruptures et des drames d'adolescent, puis il était tombé éperdument amoureux de cette mince jeune femme aux cheveux châtains et aux yeux vert clair. Plus âgée que lui de quelques années, elle avait indéniablement quelque chose de spécial. D'autres garçons s'étaient disputé son affection, mais c'était lui qu'elle avait choisi. Bobby le savait. C'était elle qui détenait le pouvoir et il s'était toujours mal accommodé du déséquilibre que cela créait dans leurs rapports. À l'instar de la plupart des pères, Daniel considérait son fils comme le plus merveilleux jeune homme de la ville, peut-être même le plus merveilleux qu'il eût connu. Bobby méritait le meilleur dans la vie : le plus gratifiant des métiers, la plus belle des femmes, des enfants aimants. Bobby ne partageait pas cette opinion, ce qui était à la fois la meilleure et la pire facette de sa personnalité : admirable par son humilité et agaçante parce qu'elle entravait ses ambitions et le faisait douter de lui-même. Daniel croyait cette fille assez intelligente pour en jouer, mais c'était vrai, selon lui, de toutes les femmes. Il s'était toujours méfié des femmes. Il les admirait, il se sentait attiré par elles (davantage, à vrai dire, que sa femme ne le pensait, car il avait plus d'une fois cédé à cette attirance depuis leur mariage), mais il ne les avait jamais comprises. En accumulant des conquêtes qu'il rejetait peu après, il avait pu compenser ce manque de compréhension par du mépris. Il avait vu cette fille manipuler son fils, le faire danser comme si elle l'avait attaché à un fil de soie qui lui permettait de le rapprocher d'elle ou de le tenir à distance, selon son humeur. Bobby s'en rendait compte, mais il était tellement épris qu'il ne pouvait se résoudre à rompre. Son père et sa mère en avaient plusieurs fois discuté et leurs interprétations différaient. Si la femme de Daniel reconnaissait que la fille était habile, elle ne trouvait rien d'anormal dans son comportement. Elle faisait simplement ce que font toutes les jeunes filles, ou du moins ce que font généralement celles qui comprennent la nature du rapport de force entre les sexes. Le garçon la désirait, mais dès qu'elle se donnerait à lui inconditionnellement, elle perdrait la maîtrise de leurs relations. Il valait mieux le contraindre à faire auparavant la preuve de sa loyauté.

Daniel devait convenir que sa femme n'avait pas tort, mais il ne supportait pas de voir son fils traité comme un imbécile. Bobby était relativement naïf et inexpérimenté malgré ses vingt-deux ans. Il n'avait jamais encore eu le cœur brisé. Puis cette fille avait rompu quand il était revenu de la faculté pour les vacances. Sans avertissement, sans autre explication que sa conviction que Bobby n'était pas fait pour elle. Cela avait été un tel choc qu'il en avait ressenti des douleurs physiques : un mal de ventre aigu qui ne passait pas.

La rupture l'avait aussi plongé dans une dépression compliquée par le fait qu'ils vivaient dans une petite ville : il n'y avait que peu d'endroits où l'on pouvait boire un verre, manger, voir un film, passer le temps. La fille était barmaid au Dean's, l'endroit où les jeunes de la ville se retrouvaient depuis des générations. Si Bobby voulait faire des rencontres, il ne pouvait éviter très longtemps le Dean's. Daniel savait que les deux jeunes gens s'étaient plusieurs fois revus dans ce bar après la rupture. Même alors, la fille avait gardé le dessus. Bobby avait bu, pas elle. Après une altercation particulièrement bruyante, le vieux Dean en personne, qui tenait son bar comme un dictateur bienveillant, avait été forcé d'interdire à Bobby d'importuner le personnel. Bobby était resté une semaine sans remettre les pieds au Dean's ; il rentrait directement chez lui chaque soir après le travail, prenait à peine le temps de saluer ses parents avant de descendre au studio aménagé au sous-sol, ne remontait que pour piller le réfrigérateur ou partager avec eux un repas silencieux dans la cuisine. Parfois, il dormait sur le canapé au lieu d'aller jusqu'à son lit, sans même se déshabiller. Ce n'est que lorsque plusieurs de ses copains parvinrent à le convaincre de sortir que son état parut s'améliorer, et cela uniquement tant qu'il évitait de revoir cette fille.

Quand on avait découvert le corps de Bobby, Daniel avait tout de suite pensé qu'il s'était tué à cause de son adoration déplacée pour Emily. Il n'avait apparemment aucun autre souci. Il faisait des économies pour retourner à la fac et semblait décidé à poursuivre ses études, laissant entendre qu'Emily le suivrait peut-être et trouverait un emploi là-bas. Il était apprécié de ses amis, tant à l'université que dans sa ville, et était naturellement porté à l'optimisme, du moins jusqu'à la rupture.

Emily aurait dû laisser mon fils tranquille, pensait Daniel. C'était un brave garçon, elle n'aurait pas dû lui briser le cœur. Lorsqu'il était arrivé sur le lieu du présumé suicide, au moment où on portait le corps à travers champs vers l'ambulance, il avait été incapable de lui parler. Elle s'était approchée de lui, les yeux embués, mais il s'était détourné, un bras tendu derrière lui, la paume levée en un geste faisant clairement comprendre qui il tenait pour responsable de la mort de son fils.

Si la mère de Bobby avait versé des larmes de chagrin et d'incompréhension en apprenant que la vie de son fils lui avait été ravie par d'autres, le père avait senti s'alléger quelque peu le poids pesant sur ses épaules et s'était étonné de son égoïsme. Assis maintenant au sous-sol, il sentait sa colère revenir, et ses poings se fermaient dans un accès de rage contre l'être sans visage qui avait tué son fils.

Quelque part au-dessus de lui, la sonnette de la porte tinta, mais il l'entendit à peine par-dessus le grondement qui emplissait sa tête. Puis on l'appela ; il laissa la tension quitter son corps et poussa un soupir.

— Mon garçon, murmura-t-il. Mon pauvre garçon.

Emily Kindler était assise à la table de la cuisine et, derrière elle, la femme de Daniel préparait du thé.

— Monsieur Faraday, dit Emily.

Il réussit à lui sourire. C'était peu de chose, mais il y avait mis une chaleur sincère. On ne pouvait plus la rendre responsable de ce qui était arrivé et elle était devenue un lien le rattachant à son fils, de quoi alimenter le feu de sa mémoire.

— Emily. Comment vous allez ?

— Ça va, je crois, répondit-elle sans le regarder.

Il savait que son rejet de l'autre jour l'avait profondément blessée, et s'il l'avait totalement absoute, il restait à Emily à en faire autant pour lui. Comme ils n'en avaient pas parlé, il ne lui avait pas fait d'excuses.

Sa femme s'approcha de la table, toucha doucement les cheveux d'Emily, lissa des mèches rebelles. Daniel songea qu'elles se ressemblaient un peu : un teint pâle, pas de maquillage, et les cernes sombres du chagrin sous les yeux.

— Je suis venue vous dire que je quitterai la ville après l'enterrement, annonça-t-elle.

Il chercha quelque chose à répondre.

— Écoute, je te dois des excuses…

Il tendit le bras pour lui prendre la main, elle le laissa faire.

— L'autre fois, quand on a retrouvé Bobby, je n'étais plus moi-même. J'étais tellement bouleversé que…

Les mots lui manquaient. Il ne voulait pas lui mentir et il ne voulait pas lui dire la vérité non plus.

— Je sais pourquoi vous avez réagi comme ça, dit-elle. Vous pensiez que c'était de ma faute. Vous le pensez peut-être encore.

Le menton de Daniel se mit à trembler. Il ne devait pas pleurer devant elle.

— Je suis désolé, murmura-t-il. Je m'excuse d'avoir pensé ça de toi.

Emily s'agrippait maintenant à la main de Daniel tandis que sa femme disposait trois tasses sur la table et servait le thé dans une vieille théière en porcelaine.

— Dashut, le chef de la police, est passé hier, poursuivit-il. Il est maintenant certain que Bobby ne s'est pas suicidé. On l'a assassiné. Il nous a demandé de garder ça pour nous. On n'en a parlé à personne, mais toi, il faut que tu saches.

Emily émit une sorte de vagissement et son visage se vida du peu de sang qui l'irriguait.

— Comment…

— Les blessures ne correspondent pas à un suicide, répondit Daniel, qui pleurait maintenant. Bobby a été tué. Quelqu'un lui a serré la gorge jusqu'à ce qu'il perde conscience, puis a passé la corde autour de son cou et l'a étranglé. Qui a fait ça ? Qui a pu faire une chose pareille à mon garçon ?

La jeune fille dégagea sa main, se leva, vacilla sur ses talons bas. Elle se tourna brusquement et, de sa main droite, heurta la tasse la plus proche, qui se brisa sur le carrelage.

— Il faut que je parte, dit-elle. Je ne peux pas rester ici.

Quelque chose dans le ton de sa voix amena Daniel à cesser de pleurer et à plisser les yeux.

— Comment ça ?

— Je ne peux pas rester.

Il décela une lueur étrange dans le regard d'Emily.

— Tu sais quelque chose ? Tu sais quelque chose sur la mort de mon fils ?

Il entendit sa femme parler, ne saisit pas le sens des mots prononcés. Toute son attention était concentrée sur la fille. Les yeux agrandis, elle fixait la vitre où son visage se reflétait. Elle semblait perdue, comme si ce n'était pas cette image qu'elle s'attendait à voir.

— Dis-moi, insista-t-il. Je t'en prie.

Elle garda un moment le silence puis murmura :

— C'est à cause de moi.

— Quoi ?

— Je porte malheur. Ça me suit partout.

Elle le regarda pour la première fois et il frissonna. Jamais il n'avait vu une telle désolation dans les yeux d'un être humain, pas même dans ceux de sa femme quand il lui avait appris que leur fils était mort, pas même dans les siens quand il se regardait dans le miroir et qu'il voyait le père d'un enfant mort.

— Qu'est-ce qui te suit ?

Les premières larmes coulèrent des yeux d'Emily. Elle reprit la parole, mais il eut l'impression qu'elle ne sentait plus leur présence dans la pièce. Elle s'adressait à quelqu'un d'autre, ou peut-être à elle-même.

— Quelque chose me hante. *Quelqu'un* me hante, s'attache à mes pas. Cette chose ne me laisse pas en paix, elle fait du mal à ceux que j'aime. C'est moi qui la fais s'abattre sur eux, sans le vouloir.

Lentement, il s'approcha d'elle.

— Emmy, dit-il, utilisant le diminutif que lui donnait Bobby, ça ne tient pas debout, ton histoire. C'est quoi, cette chose ?

— Je ne sais pas, répondit-elle, la tête baissée. Je ne sais pas.

Il eut envie de la secouer pour lui arracher des éclaircissements. Il ne savait pas si elle parlait d'une personne réelle ou d'une ombre imaginaire, un fantôme inventé pour expliquer ses tourments. Un inconnu avait assassiné son fils et maintenant son ex-petite amie parlait de quelqu'un qui la suivait. Il avait besoin d'une explication.

Elle dut deviner ce qu'il pensait, car elle s'écarta quand il voulut la saisir.

— Ne me touchez pas !

Devant la violence du ton, il la laissa passer.

— Emily, tu dois dire à la police ce que tu viens de nous raconter.

— Leur dire quoi ? Que je suis hantée ?

Elle était maintenant dans le couloir et reculait vers la porte.

— Je suis triste de ce qui est arrivé à Bobby, mais je ne resterai pas ici. Cette chose m'a retrouvée, je dois repartir.

Sa main trouva la poignée de la porte et l'abaissa. Daniel sentit que dehors le temps tournait à la neige. L'étrange vague de douceur se terminait. Bientôt, ils seraient perdus dans les congères et la tombe de son fils béerait telle une blessure noire dans la blancheur quand ils le mettraient en terre.

Il s'élança lorsqu'elle se retourna pour partir, mais elle fut trop rapide pour lui. Ses doigts ne firent qu'effleurer le tissu de la jupe et il trébucha sur la marche de la véranda, tomba lourdement sur les genoux. Le temps qu'il se relève, elle courait déjà dans la rue. Il tenta de la suivre, mais il avait mal aux jambes et il était étourdi par sa chute. Il s'appuya contre la grille, le visage tordu de douleur et de frustration, tandis que sa femme s'accrochait à ses épaules et lui posait des questions auxquelles il ne pouvait pas répondre.

Daniel appela la police dès qu'il fut dans la maison. La standardiste prit son nom et son numéro de téléphone, promit de transmettre le message au chef. Daniel dit que c'était urgent, insista pour avoir le numéro du portable de Dashut, mais elle l'informa que ce dernier avait quitté la ville et avait donné l'ordre de ne pas le déranger. Finalement, elle promit de prévenir son patron dès que Daniel libérerait la ligne. N'ayant pas le choix, il la remercia et raccrocha.

Dashut ne rappela pas ce soir-là, bien que la standardiste l'eût informé du coup de téléphone de Daniel Faraday. Il passait un bon moment avec sa famille à la fête organisée pour les quarante ans de son frère, il estimait l'avoir bien mérité. Le matin, l'un de ses hommes avait attiré son attention sur le tronc d'arbre auquel Bobby avait été pendu. Au fil des ans, plusieurs générations de jeunes venus s'y peloter y avaient gravé leurs initiales, le transformant en un monument au désir et à l'amour, éternels aussi bien que passagers.

On avait gravé une marque d'une autre nature dans l'écorce, et ce récemment, à en juger par la couleur du bois ainsi mis à nu. Un symbole quelconque, qui ne ressemblait à rien de ce que Dashut avait déjà vu.

Il avait demandé qu'on le prenne en photo et avait l'intention d'essayer de se renseigner à ce sujet le lendemain. Naturellement, ce symbole n'avait peut-être aucun sens, ni aucun rapport avec l'affaire Faraday, mais sa présence sur le lieu du crime le troublait. À la soirée d'anniversaire, il lui était plusieurs fois revenu en mémoire, et il s'était même surpris à le tracer sur la table, comme si cela pouvait en révéler la signification.

Lorsque la fête avait pris fin, il était plus de deux heures du matin. Daniel Faraday attendra, décida le chef de la police.

Daniel Faraday et sa femme moururent cette nuit-là. Les robinets de leur cuisinière à gaz avaient été ouverts à fond. Les fenêtres, les portes de devant et de derrière s'ajustaient parfaitement à leur encadrement, puisque Daniel avait travaillé comme inspecteur pour une compagnie d'électricité locale et connaissait le coût d'une perte de chaleur en hiver. Tout le gaz s'était accumulé dans la maison. Apparemment, la femme avait changé d'avis à un moment donné (ou alors, éventualité plus sinistre encore, il ne s'agissait pas d'un pacte du couple mais d'un meurtre commis par le mari et suivi d'un suicide), car on avait retrouvé son corps sur le sol de la chambre. Sur la table de la cuisine, les policiers avaient découvert une photo des Faraday avec leur fils et un bouquet de fleurs d'hiver. On supposa qu'ils s'étaient tués par chagrin et Dashut se sentit coupable de ne pas les avoir rappelés. Cela renforça sa détermination à trouver le responsable de la mort de Bobby, tandis qu'il commençait à s'interroger sur cette succession de suicides, dont le premier s'était déjà révélé être autre chose que ce qu'il semblait être au départ.

Emily finit de faire ses bagages après avoir quitté les Faraday. Elle se préparait à partir depuis la disparition de Bobby, sentant confusément (sans mettre de mots sur sa prémonition) qu'il ne reviendrait pas, qu'il lui était arrivé quelque chose de terrible. La découverte du corps et la cause de la mort n'avaient fait que confirmer ce qu'elle savait déjà. On l'avait retrouvée, il était temps de recommencer à fuir.

Emily fuyait depuis des années cette chose qui la pourchassait. Elle avait appris à se cacher d'elle, pas assez bien cependant pour lui échapper éternellement. Cette chose finirait par la prendre au piège, craignait-elle.

La prendre au piège et la consumer.

8

J'avais une journée libre et ce fut ma première occasion depuis longtemps de constater à quel point mon chien était devenu agité. Il tapotait la porte de sa patte pour demander à sortir puis geignait quelques minutes plus tard pour que je le fasse rentrer. Il semblait ne pas pouvoir rester longtemps loin de moi et avait du mal à dormir. Lorsque Bob Johnson passa me saluer pendant sa promenade matinale, Walter refusa de sortir avec lui, même quand il lui offrit un demi-cookie tiré de sa poche.

— Tu sais, me dit Bob, il était comme ça pendant que tu étais à New York. J'ai pensé qu'il était peut-être malade, mais ça n'a pas l'air d'être le cas.

L'après-midi, j'emmenai Walter chez la vétérinaire, qui ne lui trouva rien d'anormal.

— Il reste seul pendant de longues périodes ? me demanda-t-elle.

— Mon travail m'oblige quelquefois à passer une ou deux nuits ailleurs. Les voisins s'occupent de lui quand je ne suis pas là.

— Je crois qu'il n'aime pas trop ça. C'est encore un jeune chien. Il a besoin de compagnie et de stimulation. Il lui faut un horaire régulier.

Deux jours plus tard, je pris une décision.

C'était un dimanche et je me mis en route de bonne heure. Installé à l'avant à côté de moi, Walter tour à tour sommeillait et regardait défiler le monde. Arrivé à Burlington avant midi, je m'arrêtai à un petit magasin de jouets que je connaissais pour acheter une poupée de chiffon et à une boulangerie pour prendre des muffins. J'en profitai pour m'offrir un café dans un bar de Church Street et tentai de lire le *New York Times*, Walter à mes pieds. Rachel et Sam vivaient à dix minutes seulement de la ville, mais je m'attardais. Je n'arrivais pas à me concentrer sur le journal et caressais Walter, dont les yeux se fermaient à demi de plaisir.

Une femme souriante sortit de la galerie marchande d'en face, ses cheveux roux tombant sur ses épaules. Rachel souriait, mais pas à moi. L'homme qui la suivait disait quelque chose qui l'amusait. Il avait l'air plus âgé qu'elle, le genre financièrement à l'aise et pansu. Il appuya légèrement une main au creux des reins de Rachel lorsqu'ils commencèrent à marcher ensemble sur le trottoir. Walter la repéra et se leva en remuant la queue, mais je le retins par son collier. Je refermai le journal, le jetai sur la table.

La journée s'annonçait mauvaise.

Quand j'arrivai chez les parents de Rachel, sa mère, Joan, jouait à la balle avec Sam devant le bâtiment principal. Sam avait maintenant deux ans et en était déjà au stade où elle connaissait les noms de ses plats préférés et comprenait le concept « à moi », qui couvrait pratiquement tout ce qu'elle trouvait à son goût, des cookies – les siens et ceux des autres – à un arbre. J'enviais la possibilité qu'avait Rachel de voir notre fille grandir. Moi, je suivais son développement par à-coups, comme sur un vieux film tressautant amputé d'images essentielles.

Sam me reconnut dès que je descendis de la voiture. En fait, je crois qu'elle reconnut Walter avant moi, parce qu'elle cria une version estropiée de son nom – quelque chose comme « Haltère » – et qu'elle écarta les bras pour l'accueillir. Elle n'avait jamais eu peur de lui car, pour elle, il entrait dans la catégorie « à moi » et Walter devait avoir à peu près le même regard sur elle. Il bondit vers Sam, ralentit quand il ne fut plus qu'à cinquante centimètres d'elle pour ne pas la renverser. Elle le prit dans ses bras. Après l'avoir léchée, il se coucha et, agitant la queue, la laissa tomber sur lui.

Si Joan avait été dotée d'une queue, je ne crois pas qu'elle l'aurait agitée. Elle fit des efforts pour me sourire lorsque je m'approchai d'elle, m'embrassa légèrement sur la joue.

— Nous ne t'attendions pas, dit-elle. Rachel est en ville, je ne sais pas quand elle rentrera.

— J'ai le temps. De toute façon, je suis venu voir Sam et demander une faveur.

Son sourire se fit encore plus hésitant.

— Une faveur ?

— Ça peut attendre le retour de Rachel.

Sam quitta Walter pour se diriger vers moi d'un pas chancelant, emprisonna mes jambes dans ses bras. Je la soulevai, la regardai dans les yeux en lui donnant la poupée.

— Salut, ma beauté.

Elle rit, toucha mon visage.

— Papa, dit-elle.

Je sentis une chaleur monter à mes yeux.

Joan me fit entrer, me proposa du café. J'avais ma dose pour la journée, mais cela lui donnerait quelque chose à faire et nous éviterait de rester à nous regarder sans rien dire. Elle s'excusa et me laissa. J'entendis une porte se fermer puis Joan parler à voix basse. Un coup de fil à Rachel, sûrement. Pendant son absence, je jouai avec Sam, l'écoutai débiter un mélange de mots reconnaissables et d'échantillons de sa langue personnelle.

Joan revint, servit le café, versa du lait dans un bol en plastique pour Walter et nous mangeâmes les muffins en parlant pour ne rien dire. Au bout d'un quart d'heure, une voiture s'arrêta dehors, Rachel entra dans la cuisine, l'air agitée et furieuse. Sam alla aussitôt vers elle et montra le chien en répétant « Haltère ».

— C'est une surprise, dit Rachel d'un ton signifiant que dans la catégorie surprise celle-là se classait à peine au-dessus de celle consistant à découvrir un cadavre dans son lit.

— Une impulsion, répondis-je. Désolé si j'ai contrarié tes projets.

Malgré mes efforts – mais je n'en faisais peut-être pas assez –, il y avait une pointe de sarcasme dans ma voix. Rachel la décela et fronça les sourcils. Joan, toujours diplomate, emmena Sam et Walter jouer à l'extérieur tandis que Rachel ôtait son manteau et le jetait sur une chaise.

— Tu aurais dû prévenir. J'aurais pu être partie quelque part avec Sam.

Elle entreprit de ranger les assiettes restées sur l'égouttoir, renonça presque aussitôt.

— Alors, comment tu vas ? me demanda-t-elle.

— Bien.

— Tu travailles toujours au Bear ?

— Ouais. Ce n'est pas si mal.

Elle me gratifia d'une bonne imitation du sourire peiné de sa mère.

— Tant mieux.

Après un silence, elle déclara :

— Il faut organiser ces visites. Tu habites trop loin pour venir sur un coup de tête.

— J'essaie de venir aussi souvent que je peux, Rach, et je fais tout mon possible pour prévenir. D'ailleurs, ce n'est pas un coup de tête.

— Tu sais bien ce que je veux dire.

Nouveau silence.

— Ma mère dit que tu as quelque chose à me demander.

— Je veux que tu gardes Walter.

Pour la première fois, elle montra autre chose qu'une colère à peine contenue.

— Quoi ? Mais tu l'adores, ce chien…

— Oui, mais je ne suis pas assez souvent avec lui et il vous aime au moins autant que moi, toutes les deux. Il reste enfermé dans la maison pendant que je travaille et je suis toujours obligé de demander à Bob et à Shirley de s'occuper de lui quand je m'absente. Ce n'est pas juste pour Walter, et je sais que ton père et ta mère aiment les chiens.

Jusqu'à ces derniers temps, les parents de Rachel avaient eu des chiens, deux vieux colleys, morts à quelques mois d'intervalle. Depuis, ils parlaient d'en prendre un autre mais n'arrivaient pas à se décider.

Le visage de mon ex-femme s'adoucit.

— Il faut que je pose la question à ma mère, même si je crois qu'ils seraient d'accord. Tu es sûr de vouloir te séparer de Walter ?

— Non, mais c'est la seule chose à faire.

Elle s'approcha de moi et, après un instant d'hésitation, m'étreignit.

— Merci, dit-elle.

Une fois que Joan eut déclaré qu'elle prendrait volontiers mon chien, je lui remis le panier et les jouets de Walter que j'avais entassés dans mon coffre. Frank, son mari, était absent pour ses affaires, mais elle savait qu'il n'y verrait pas d'objection, surtout si cela faisait plaisir à Rachel et à Sam. Walter parut comprendre ce qui se passait. Il allait là où allait son panier, et lorsqu'il vit qu'on le plaçait dans la cuisine, il sut qu'il restait. Il me lécha la main quand je partis, retourna s'asseoir près de Sam, prenant ainsi acte qu'on lui avait rendu son rôle de gardien de la petite.

Rachel m'accompagna à ma voiture.

— Comment se fait-il que tu doives t'absenter souvent si tu travailles toujours au Bear ?

— Je suis sur quelque chose, répondis-je.

— Où ça ?

— À New York.

— Tu ne devrais pas enquêter. Cela pourrait t'empêcher de récupérer ta licence.

— Ce n'est pas du travail, c'est personnel.

— Avec toi, c'est toujours personnel.

— Ça ne vaut pas le coup si ça ne l'est pas.

— Sois prudent, en tout cas.

— Promis.

En ouvrant la portière, j'ajoutai :

— J'ai quelque chose à te dire. Je t'ai vue, tout à l'heure, en ville.

Ses traits se figèrent.

— Qui est-ce ? demandai-je.

— Il s'appelle Martin.

— Tu sors avec lui depuis longtemps ?

— Pas très longtemps. Un mois, environ.

Après une pause, elle reprit :

— Je ne sais pas encore si c'est sérieux. J'avais l'intention de t'en parler, je ne savais pas comment m'y prendre.

Je hochai la tête.

— La prochaine fois, je préviendrai, dis-je en montant dans la voiture.

J'appris quelque chose ce jour-là : il y a peut-être des choses bien pires que d'arriver quelque part avec son chien et de repartir sans lui, mais elles ne doivent pas être si nombreuses.

Le retour fut long et silencieux.

II

Un ami déloyal est plus dangereux
qu'un ennemi franc.

Francis BACON (1561-1626),
Lettre de conseil... au duc de Buckingham

9

Il s'écoula pratiquement une semaine avant que j'aie une autre raison d'aller à New York. C'était tant mieux, d'ailleurs : on manquait à nouveau de personnel au Bear et je devais travailler des jours en plus pour boucher les trous, de sorte que je n'aurais pas pu me rendre là-bas même si je l'avais voulu.

Cela faisait près d'un mois que j'essayais de joindre Jimmy Gallagher et que je laissais des messages sur son répondeur, et il venait enfin de me répondre. Non par un coup de téléphone, mais par une lettre m'informant qu'il avait pris de longues vacances pour échapper à l'hiver new-yorkais, qu'il était maintenant de retour et serait heureux de me rencontrer. Une lettre manuscrite. C'était tout à fait le genre de Jimmy : il envoyait des lettres d'une écriture parfaitement moulée, dédaignait les ordinateurs et estimait que le téléphone devait être à son service, pas à celui des autres. Jimmy aimait quand même fréquenter des gens, et son répondeur lui permettait de ne rien manquer d'important tout en évitant ce qui ne lui disait rien. Quant aux portables, j'étais sûr qu'il y voyait la main du diable ou qu'il les mettait dans le même sac que les pointes de flèche empoisonnées et les gens qui salent leur nourriture avant de la goûter. Sa lettre m'informait qu'il pourrait me voir le dimanche suivant à midi. Cette précision était elle aussi typique de Jimmy Gallagher. Mon père disait que les rapports de police de Jimmy étaient des œuvres d'art. On les citait en exemple à l'école de police, ce qui revenait à montrer le plafond de la chapelle Sixtine à un groupe d'apprentis peintres en leur expliquant que c'était le résultat qu'ils devraient essayer d'atteindre quand ils travailleraient sur les murs d'un immeuble.

Je réservai le vol le moins cher que je pus trouver, débarquai à JFK un peu avant neuf heures du matin, pris un taxi pour Bensonhurst. Depuis toujours, j'avais du mal à associer Jimmy Gallagher à Bensonhurst. De tous les endroits où un flic irlandais – homosexuel de surcroît – pouvait choisir de vivre, Bensonhurst me semblait aussi peu probable que Salt Lake City ou l'Iran. Certes, le quartier accueillait à présent des Coréens, des Polonais, des Arabes et des Russes, et même des Afro-Américains, mais Bensonhurst avait toujours appartenu aux Italiens, au sens figuré si ce n'était pas au sens propre. À l'époque où Jimmy était enfant, chaque communauté avait son territoire et si vous vous risquiez dans un autre que le vôtre, vous aviez de bonnes chances de vous prendre une raclée, les Italiens se classant en tête des distributeurs de roustes. À présent, même leur époque était révolue. Bay Ridge Parkway était encore solidement italienne et l'on disait chaque jour une messe en italien à Saint Dominic, dans la 20e Rue, mais les Russes et les Arabes gagnaient peu à peu du terrain et s'emparaient des rues latérales, telles des fourmis cernant un mille-pattes. Les Juifs et les Irlandais avaient été laminés, et les Noirs, dont les racines dans le quartier remontaient à l'Underground Railroad[1], étaient réduits à une enclave de quatre pâtés de maisons derrière Bath Avenue.

J'avais deux heures d'avance pour mon rendez-vous avec Jimmy. Je savais qu'il allait à la messe tous les dimanches, mais même s'il était chez lui, il m'en voudrait si je m'y présentais trop tôt. C'était une autre de ses particularités. Il croyait à la ponctualité et n'appréciait pas ceux qui s'en écartaient, en arrivant trop tard ou trop tôt. Je descendis donc la Dix-huitième Avenue pour prendre un petit déjeuner au Stella's Diner de la 63e Rue, où mon père et moi avions plusieurs fois déjeuné avec Jimmy, parce que même si c'était à plus de vingt rues de l'endroit où il vivait, Jimmy connaissait bien les patrons, qui veillaient toujours à ce qu'il soit bien servi.

Si la Dix-huitième portait encore le nom de Cristoforo Colombo Boulevard, les Chinois y avaient imprimé leur marque. Leurs restaurants, leurs salons de coiffure et même leurs fournisseurs d'aquariums avaient pris place à côté des cabinets juridiques italiens, de la Gino's Focacceria, de la Pasta Queen Ann et du magasin de disques et de DVD Arcobaleno Italiano. Les vieux assis sur les bancs publics tournaient le dos à l'avenue, comme pour manifester leur mécontentement devant les changements du quartier. À l'ancienne Cotillion Terrace, condamnée par des planches, les cocktails roses jumeaux flanquant la marquise continuaient à pétiller tristement.

1. Réseau clandestin par lequel les esclaves en fuite gagnaient le Nord. *(N.d.T.)*

En arrivant au Stella's, je découvris qu'il avait lui aussi disparu. Le nom demeurait et je constatai que plusieurs tabourets étaient encore à leur place devant le comptoir, mais le reste du *diner* avait été désossé. Nous nous installions toujours au comptoir quand nous mangions au Stella's, Jimmy à gauche, mon père au milieu, moi tout au bout. Pour l'enfant que j'étais, c'était quasiment comme être dans un bar et je regardais, fasciné, les serveuses qui s'activaient, les assiettes qui passaient de la cuisine aux clients, je captais des bribes de conversations autour de moi tandis que Jimmy et mon père parlaient à voix basse d'histoires d'adultes.

Je tapotai la vitrine en signe d'adieu puis emmenai mon *New York Times* au coin de la 64e Rue et m'offris une part de pizza chez J & V, une pizzeria qui existait depuis plus longtemps que moi. Quand ma montre indiqua midi moins le quart, je pris le chemin de chez Jimmy.

Il habitait dans la 71e, entre la Seizième et la Dix-septième Avenue, dans une petite maison jumelée à la façade en stuc, avec une clôture en fer forgé entourant le jardin et un figuier à l'arrière, non loin du secteur encore appelé New Utrecht. New Utrecht avait fait partie des six petites villes originelles de Brooklyn, mais avait ensuite été rattachée à New York dans les années 1890 et avait perdu son identité. New Utrecht était restée essentiellement rurale jusqu'en 1885, moment où l'arrivée de la ligne de chemin de fer Brooklyn, Bath and West End l'avait ouverte aux promoteurs. L'un d'eux, James Lynch, fit bâtir une banlieue pouvant accueillir mille familles, Bensonhurst-by-the-Sea. Avec le chemin de fer arrivèrent aussi le grand-père de Jimmy, ingénieur en chef du projet, et sa famille. Finalement, après avoir traîné dans le coin, les Gallagher retournèrent à Bensonhurst et s'installèrent dans la maison que Jimmy occupait encore aujourd'hui, près de la New Utrecht Reformed Church, au coin de la Dix-huitième et de la 83e.

Le métro vint à son tour et avec lui les classes moyennes, notamment des Juifs et des Italiens qui abandonnaient le Lower East Side pour les espaces relativement dégagés de Brooklyn. Fred Trump, le père de Donald, se fit un nom en construisant les Shore Haven Apartments, près de la Belt Parkway, la plus grande opération immobilière privée de Brooklyn avec ses cinq mille appartements. Finalement, les immigrés italiens débarquèrent en force dans les années 1950 et Bensonhurst devint à quatre-vingts pour cent italienne par sa population, à cent pour cent par sa réputation.

Je ne m'étais rendu que deux ou trois fois chez Jimmy avec mon père, dont une pour lui présenter nos condoléances après la mort de son père. La seule image que je gardais de cette journée, c'était un mur de flics, en uniforme ou en civil, des femmes aux yeux rougis qui faisaient passer des plateaux chargés de verres et évoquaient à voix basse des souvenirs du défunt. Peu après, la mère de Jimmy avait emménagé dans une maison de Gerritsen Beach pour être plus près de sa sœur. Depuis, il avait toujours vécu seul à Bensonhurst.

L'extérieur du bâtiment était tel que je me le rappelais : un jardin bien entretenu, une façade récemment repeinte. Je tendais le bras pour presser la sonnette quand la porte s'ouvrit, m'épargnant cette peine, et Jimmy Gallagher m'apparut, plus vieux et grisonnant, mais toujours le même grand costaud qui m'écrasait la main pour me donner l'occasion de gagner un dollar si je ne bronchais pas. Il avait aussi le teint plus fleuri, et bien qu'il eût manifestement pris le soleil pendant ses vacances, la teinte rosée de son nez suggérait qu'il picolait plus souvent qu'il n'aurait dû.

Sinon, il semblait en forme. Il portait une chemise blanche bien repassée au col ouvert, un pantalon gris au pli impeccable, des chaussures noires astiquées avec soin. Il avait l'air d'un chauffeur qui profite de ses derniers moments de temps libre avant d'enfiler le reste de sa tenue.

— Charlie, dit-il, ça fait une paye.

Il me serra la main en m'adressant un sourire chaleureux et en me tapotant l'épaule de sa grosse patte gauche. Je mesurais encore une dizaine de centimètres de moins que lui et je me retrouvai instantanément dans la peau d'un garçon de douze ans.

— J'ai droit à un dollar ? m'enquis-je quand il relâcha sa pression.

— Tu claquerais tout en gnôle, répliqua-t-il en m'invitant à entrer.

Un grand portemanteau ancien et une horloge de parquet qui indiquait encore l'heure exacte faisaient la fierté du vestibule. Le tic-tac sonore devait résonner dans toute la maison et je me demandai comment Jimmy pouvait dormir avec ce bruit dans la tête, mais après toutes ces années il ne l'entendait probablement plus. À droite d'un escalier en acajou sculpté menant au premier étage, il y avait la salle de séjour, dont tout le mobilier était ancien. Sur le dessus de la cheminée et sur les murs, des photos montraient des hommes en uniforme – notamment mon père –, mais je ne sollicitai pas l'autorisation de les regarder de plus près. Le papier mural de l'entrée au motif rouge et blanc semblait récent, pourtant il avait un style 1900 qui cadrait avec le reste.

Sur la table de la cuisine, Jimmy avait disposé deux tasses et une assiette de pâtisseries. Le café passait sur la cuisinière. Jimmy remplit les tasses et nous prîmes place de part et d'autre de la petite table.

— Prends un gâteau, me proposa-t-il. Ils viennent de chez Villabate, la meilleure pâtisserie de la ville.

J'en goûtai un. Il était bon.

— Tu sais, reprit-il, ton vieux et moi, ça nous faisait rigoler, cette histoire de bière achetée avec l'argent que je te filais. Il ne te l'aurait jamais avoué, parce que ta mère avait pensé que c'était la fin du monde quand elle avait trouvé cette bouteille, mais il voyait que tu grandissais et ça lui faisait plaisir. Il m'accusait de t'avoir mis l'idée en tête, au début, mais il ne restait jamais longtemps en colère contre quelqu'un, encore moins contre toi. T'étais son fils chéri. C'était un type bien, ton père. Qu'il repose en paix. Qu'ils reposent en paix, tous les deux.

Il grignota pensivement son gâteau et demeura un moment silencieux. Puis il regarda sa montre et le geste n'avait rien de machinal. Il avait voulu que je le remarque et un signal d'alarme se déclencha dans ma tête. Jimmy était nerveux. Et pas seulement parce que le fils de son vieil ami – un homme qui avait tué deux personnes avant de se suicider – était venu chez lui dans l'intention évidente de tisonner les cendres de feux morts depuis longtemps. Il y avait autre chose. Jimmy ne voulait pas de moi dans sa cuisine. Il voulait que je décampe, et le plus tôt serait le mieux.

— J'ai un rencard, expliqua-t-il. Des vieux potes qui se retrouvent. Tu sais ce que c'est.

— Il y en a que je connais ?

— Non, aucun. Ils n'étaient pas encore arrivés du temps de ton père.

Se renversant en arrière, il me lança :

— T'es pas venu simplement pour me voir, hein, Charlie ?

— J'ai des questions à te poser, reconnus-je. Sur mon père. Et sur ce qui s'est passé le soir de la mort des deux jeunes gens.

— Pour les jeunes, je peux pas t'aider, j'étais pas là. Je n'ai même pas vu ton père ce jour-là.

— Vraiment ?

— C'était mon anniversaire. Je bossais pas. J'avais fait une bonne prise, une affaire de beuh, on m'avait filé un jour de congé. Ton père devait passer me voir après son service, comme d'habitude, mais il n'est jamais venu.

Il fit tourner sa tasse, observa les mouvements à la surface du café.

— Après ça, j'ai plus jamais fêté mon anniversaire comme avant. Trop de souvenirs, tous mauvais.

Je n'allais pas le laisser s'en tirer aussi facilement.

— Mais c'est ton neveu qui est venu chez nous ce soir-là, lui rappelai-je.

— Ouais, Francis. Ton père m'avait appelé au Cal's, il était inquiet. Il avait peur que quelqu'un s'en prenne à toi et à ta mère. Il m'a pas dit pourquoi il pensait ça.

Le Cal's était le bar jouxtant le commissariat du 9e District. Il n'existait plus, comme tant d'autres choses du temps de mon père.

— Et tu ne lui as pas posé la question ?

Jimmy gonfla ses joues.

— Peut-être que si. Ouais, je l'ai fait, j'en suis sûr. Ça ne ressemblait pas à Will. Il ne paniquait pas pour un rien et il n'avait pas d'ennemis. D'accord, il avait envoyé au trou quelques grands méchants, mais comme nous tous. C'était le boulot, rien de personnel. Ces mecs-là savaient faire la différence, à l'époque. La plupart, en tout cas.

— Tu te souviens de ce qu'il t'a répondu ?

— De lui faire confiance. Il savait que Francis habitait à Orangetown, il m'a demandé de l'envoyer veiller sur toi et ta mère en attendant qu'il soit de retour. Tout s'est passé très vite, ensuite.

— Il téléphonait d'où ?

— Ah, ça…

Il parut fouiller sa mémoire.

— J'en sais rien. Pas du commissariat, c'est sûr. Y avait un bruit de fond, il devait appeler d'un bar. C'est tellement vieux, je me rappelle pas tout.

Je bus une gorgée de café et fis observer, en choisissant mes mots avec soin :

— Ce n'était pas un soir ordinaire, Jimmy. Deux personnes se sont fait tuer et mon père s'est suicidé. On n'oublie pas des choses pareilles.

Je vis Jimmy se raidir et je sentis son agressivité affleurer. Il savait se servir de ses poings et n'hésitait pas à le faire. Mon père et lui s'équilibraient. Mon père retenait Jimmy et celui-ci l'obligeait à maintenir un tranchant qu'il aurait peut-être laissé s'émousser.

— Dis donc, Charlie, tu me traites de menteur ?

Dis donc, Jimmy, qu'est-ce que tu me caches ?

— Non, simplement, je ne veux pas que tu gardes quoi que ce soit pour toi parce que… parce que tu chercherais à m'épargner.

Il se détendit un peu.

— C'était dur, tu sais. J'aime pas y repenser. Will était mon meilleur ami.

— Je le sais, Jimmy.

— Ton père m'a demandé de l'aider et j'ai donné un coup de fil. Francis est resté auprès de toi et de ta mère.

Moi, j'étais à New York, mais je me suis dit : Je peux pas rester ici alors qu'il se passe peut-être quelque chose de grave. Le temps que j'arrive à Pearl River, les deux jeunes étaient morts et on interrogeait déjà ton père. On ne m'a pas laissé lui parler. J'ai essayé, mais il avait les gars de la police des polices sur le dos. Je suis allé chez toi, j'ai parlé à ta mère. Tu dormais, je pense. Après ça, je n'ai revu ton père vivant qu'une seule fois. Je suis passé le chercher quand ils ont mis fin à l'interrogatoire. On est allés prendre un petit déjeuner, mais il a pas dit grand-chose. Il voulait juste se ressaisir avant de rentrer.

— Il ne t'a pas expliqué pourquoi il venait de descendre deux personnes ? Arrête, Jimmy. Vous étiez très proches. S'il devait se confier à quelqu'un, c'était à toi.

— Il m'a répété ce qu'il avait dit aux bœuf-carottes et à tous les autres présents dans la pièce. Le jeune faisait tout le temps mine de glisser une main sous son blouson, comme s'il avait un flingue, pour énerver ton père. Il avançait la main, il la ramenait en arrière. Et puis d'un seul coup, il y est allé carrément. La main a disparu, Will a tiré. La fille a crié, elle s'est jetée sur le corps. Will lui a ordonné d'arrêter, avant de l'abattre elle aussi. Il a dit qu'il avait craqué quand le môme l'avait provoqué. C'est peut-être vrai. La violence était partout, à l'époque, il valait mieux ne pas prendre de risques. On connaissait tous des collègues qui s'en étaient morflé une dans la rue.

« La dernière fois que j'ai vu Will, il était recouvert d'un drap et il avait un trou dans la tête, du genre qu'on rebouche avant l'enterrement. C'est ça que tu voulais savoir, Charlie ? Tu veux que je te dise que j'ai chialé, que je m'en suis voulu à mort parce que j'avais pas été là pour l'aider ? Que j'en suis encore malade après toutes ces années ? C'est ça que tu veux ? Ou tu cherches quelqu'un à qui coller sur le dos ce qui s'est passé ce soir-là ?

Il avait haussé la voix. Je voyais sa colère sans en comprendre la source. Elle semblait fabriquée. Non, ce n'est pas vrai : sa tristesse et sa rage étaient sincères, mais elles lui servaient d'écran de fumée pour dissimuler quelque chose, à moi et peut-être à lui-même.

— Ce n'est pas ce que je cherche, Jimmy.

Je sentis une lassitude et une sorte de désespoir dans les mots qu'il prononça alors :

— Alors, qu'est-ce que tu veux ?

— Je veux savoir pourquoi.

— Il n'y a pas de pourquoi. Tu n'arrives pas à te mettre ça dans la tête ? Ça fait vingt-cinq ans que tout le monde se demande pourquoi. Moi aussi et y a pas de réponse. Quelle que soit la raison, elle a disparu en même temps que ton père.

— Je n'y crois pas.

— Il faut que tu laisses tomber, Charlie. Il ne peut rien en sortir de bon. C'est fini. Laisse ton père et ta mère reposer en paix.

— Je ne peux pas.

— Pourquoi ?

— Parce que l'un d'eux au moins ne m'est pas lié par le sang.

Ce fut comme si j'avais piqué Jimmy Gallagher par-derrière avec une épingle. Sa masse parut se dégonfler et il se laissa tomber contre le dossier de son siège.

— Quoi ? murmura-t-il. Qu'est-ce que tu racontes ?

— Les groupes sanguins ne correspondent pas. Je suis B, mon père était A, ma mère O. Impossible qu'ils m'aient engendré.

— Qui t'a dit ça ?

— J'en ai parlé à notre médecin de famille. Il a pris sa retraite, mais il a conservé ses dossiers. Il les a consultés, m'a envoyé les photocopies de deux analyses de sang de mon père et de ma mère. J'ai eu confirmation de ce que je pensais. Je suis peut-être le fils de mon père, mais sûrement pas celui de ma mère…

— C'est complètement dingue.

— Tu étais plus proche de lui que tous ses autres amis. S'il a dit quelque chose à ce sujet, c'est à toi.

— Dit quoi ? Qu'il y avait un coucou dans le nid ? rétorqua Jimmy en se levant. Je peux pas écouter ça, je ne veux pas. Tu te trompes. Tu te trompes forcément.

Il prit les deux tasses, les vida dans l'évier et les y laissa. Il me tournait le dos, mais je voyais ses mains trembler.

— Je ne me trompe pas. C'est la vérité.

Jimmy fit volte-face et marcha vers moi. Certain qu'il allait me coller une droite, je me levai et, du pied, écartai la chaise, me préparant au coup, à tenter de le bloquer si je le voyais venir. Il ne vint pas. À la place, Jimmy déclara, d'une voix calme et ferme :

— Alors, c'est une vérité qu'ils ne voulaient pas que tu saches et qui ne t'aidera pas. Ils t'aimaient, tous les deux. Quoi que tu penses avoir découvert, n'y touche pas. Ça ne peut que te faire du mal, si tu t'obstines à chercher.

— Tu en as l'air bien sûr, Jimmy.

— Tu fais chier, Charlie. Va-t'en, maintenant. J'ai des choses à faire.

De la main, il me signifia mon congé et me tourna de nouveau le dos.

— On se reverra, dis-je.

Il dut entendre l'avertissement contenu dans ces mots, mais ne releva pas. Je sortis et pris la direction de la station de métro.

Plus tard, j'apprendrais que Jimmy Gallagher attendit seulement d'être certain que j'étais bien parti pour donner un coup de téléphone. À un numéro qu'il n'avait pas composé depuis des années, depuis le lendemain de la mort de mon père. Il fut étonné quand l'homme en personne décrocha, presque aussi étonné de découvrir qu'il vivait encore.

— C'est Jimmy Gallagher.

— Je me souviens, dit la voix. Cela fait longtemps.

— Le prenez pas mal, pas assez longtemps, je trouve.

Il crut entendre ce qui était peut-être un rire.

— Que puis-je faire pour vous, monsieur Gallagher ?

— Charlie Parker sort de chez moi. Il m'a posé des questions sur ses parents, il a parlé de groupes sanguins. Il est au courant, pour sa mère.

Il y eut un silence à l'autre bout de la ligne puis :

— Il fallait s'y attendre.

— Je lui ai rien dit.

— Je n'en doute pas, mais il reviendra. Il est trop bon dans sa partie pour ne pas découvrir que vous lui avez menti.

— Et alors ?

La réponse fut pour Jimmy la dernière surprise d'une journée qui en avait déjà compté beaucoup.

— Alors, vous devriez peut-être lui révéler la vérité.

10

Je passai la nuit chez Walter Cole – l'homme qui avait donné son prénom à mon chien, mon ancien coéquipier et mentor au NYPD – et sa femme Lee. Je dînai avec eux et la conversation porta sur des amis communs, des livres et des films, la façon dont Walter occupait sa retraite et qui se réduisait presque à faire de longues siestes et à être tout le temps dans les jambes de sa femme. À vingt-deux heures, Lee, qui était le contraire d'un oiseau de nuit, m'embrassa sur la joue et alla se coucher, me laissant avec Walter. Il ajouta une bûche au feu, remplit son verre avec ce qu'il restait du vin et me demanda ce que j'étais venu faire en ville.

Je lui parlai du Collectionneur, un homme dépenaillé qui se prenait pour le bras de la justice divine, un horrible individu qui assassinait ceux dont il pensait qu'ils avaient perdu leur âme par leurs actes. Je me rappelais l'odeur de nicotine dans son haleine quand il avait mentionné mes parents et leurs groupes sanguins, la lueur satisfaite de ses yeux quand il avait évoqué des choses qu'il n'aurait pas dû connaître. Je me rappelais que tout ce que j'avais cru sur moi-même avait alors commencé à s'effondrer. Je parlai à Walter des dossiers médicaux, de ma visite chez Jimmy Gallagher plus tôt dans la journée et de ma conviction qu'il détenait des informations qu'il se refusait à partager avec moi. Je lui dis aussi une chose que je n'avais pas abordée avec Jimmy. Lorsque ma mère était morte d'un cancer, l'hôpital avait conservé des prélèvements de tissu de ses organes. Par l'intermédiaire de mon avocat, j'avais fait faire une analyse de mon ADN et comparé des cellules provenant de ma joue à celles provenant de ma mère. Elles ne correspondaient pas. Je n'avais pas pu procéder à la même comparaison avec l'ADN de mon père, dont il n'y avait pas de prélèvement disponible. Il aurait fallu demander qu'on exhume ses restes et je n'étais pas encore décidé à aller aussi loin. Je craignais peut-être ce que je découvrirais. Après avoir appris la vérité sur ma mère, j'avais pleuré. Je n'étais pas sûr d'être prêt à sacrifier mon père sur le même autel que la femme dont j'avais cru qu'elle était ma mère.

Walter dégusta son vin en regardant les flammes, sans m'interrompre une seule fois.

— Pourquoi ce type, le « Collectionneur », t'a-t-il raconté tout ça, ces vérités et ces demi-vérités ? me demanda-t-il quand j'eus terminé.

Manœuvre flicarde typique : ne pas s'attaquer directement au sujet central, l'éviter au contraire. Gagner du temps pour mettre en relation des petits détails avec des faits plus importants.

— Parce que ça l'amusait, répondis-je. Parce qu'il est d'une cruauté que tu ne peux même pas imaginer.

— Pourtant, il n'a pas l'air du genre à lâcher des indices étourdiment.

— Non, admis-je.

— Ce qui signifie qu'il cherchait à te faire réagir. Il savait que tu ne resterais pas sans rien faire.

— Qu’est-ce que tu veux dire ?

— Qu’il se sert peut-être de toi pour débusquer un autre gibier. C’est dans ses habitudes de manipuler les gens, non ?

Il avait raison. Le Collectionneur m’avait utilisé pour établir l’identité d’hommes dépravés qu’il avait l’intention de châtier pour leurs fautes. Il était rusé, et sans la moindre pitié. Il s’était de nouveau caché quelque part et je n’avais aucune envie de le retrouver.

— Il chercherait qui, si c’est vrai ?

Walter haussa les épaules.

— D’après ce que tu m’as dit, il cherche toujours quelqu’un.

Il en vint ensuite à l’essentiel :

— Quant à cette histoire de groupes sanguins, je ne sais pas quoi te dire. Quelles sont les possibilités ? Soit tu as été adopté par Will et Elaine Parker et ils te l’ont caché pour des raisons à eux ; soit Will Parker t’a engendré avec une autre femme, puis Elaine et lui t’ont élevé ensemble.

Je ne pouvais qu’être d’accord. Le Collectionneur prétendait que je n’étais pas le fils de mon père, mais, d’après l’expérience que j’avais de lui, il ne disait jamais vraiment la vérité, ni toute la vérité. C’était un jeu pour lui, un moyen de parvenir à ses fins, quelles qu’elles puissent être, et toujours agrémenté de pas mal de cruauté. Il se pouvait aussi qu’il ne connaisse pas toute la vérité, qu’il sache seulement qu’il y avait quelque chose qui clochait dans mon ascendance. Je ne croyais toujours pas que je n’étais pas lié à mon père par le sang. Tout en moi se rebellait contre cette hypothèse. Je m’étais toujours vu en lui. Je me rappelais la façon dont il me parlait, dont il me regardait. C’était différent chez la femme que j’avais eue pour mère. Je rejetais peut-être la possibilité que notre famille ait reposé sur un mensonge, mais je ne pourrais de toute façon accepter une pareille chose avant d'en avoir une preuve irréfutable.

Walter s'approcha de la cheminée, s'accroupit pour tisonner le feu.

— Cela fait maintenant trente-neuf ans que je suis marié à Lee. Si je l'avais trompée et que l'autre femme soit tombée enceinte, je ne crois pas que Lee aurait volontiers accepté qu'on élève l'enfant avec nos deux filles.

— Même s'il était arrivé quelque chose à la mère ?

Il réfléchit.

— Je me fonde uniquement sur mon expérience, mais la tension que cela introduirait dans un couple serait quasi insupportable. Être confrontée chaque jour au fruit de l'infidélité de son mari, devoir faire semblant d'aimer cet enfant autant que les autres, le traiter exactement comme eux…

Il secoua la tête.

— Non, trop difficile. Je penche pour la première hypothèse : l'adoption.

Je songeai que mes parents n'avaient pas eu d'autres enfants et me demandai si cela ne changeait pas tout.

— Pourquoi me le cacher, alors ? demandai-je, mettant de côté ma dernière réflexion. Ça n'avait rien de honteux.

— Je ne sais pas. Si ce n'était pas une adoption légale, ils craignaient peut-être qu'on ne te reprenne et il valait mieux ne rien te dire avant que tu deviennes adulte.

— J'étais étudiant quand ma mère est morte. Il s'était écoulé assez de temps pour qu'elle m'en parle.

— Ouais, mais pense à tout ce qu'elle avait subi. Son mari est accusé de meurtre, il se suicide. Elle quitte l'État, elle retourne dans le Maine avec son fils, elle attrape un cancer. Tu étais peut-être tout ce qui lui restait, elle ne voulait pas te perdre en tant que fils, quelle qu'ait été la vérité.

Il se redressa et retourna s'asseoir. Walter avait près de vingt ans de plus que moi et à ce moment précis nos rapports semblaient être davantage ceux d'un père et d'un fils que ceux de deux hommes qui avaient fait équipe dans la police.

— Parce que le fond du problème est là, Charlie. Quoi que tu découvres, ils ont été ton père et ta mère. Ceux qui t'ont élevé, protégé, aimé. Ce que tu poursuis, c'est une définition médicale des parents, et je le comprends. Cela a un sens pour toi. À ta place, je ferais probablement la même chose. Mais ne prends pas ça pour la réalité : Will et Elaine Parker étaient tes parents, rien ne doit te masquer cette vérité.

Il me pressa le bras et demanda :

— Et maintenant ?

— Mon avocat a établi les papiers pour obtenir un permis d'exhumer. Je pourrais comparer mon ADN à celui de mon père.

— Tu pourrais, mais tu ne l'as pas fait. Pas encore prêt pour ça, hein ?

J'acquiesçai de la tête.

— Tu retournes quand dans le Maine ?

— Demain après-midi, une fois que j'aurai parlé à Eddie Grace.

— Qui est-ce ?

— Un autre copain de mon père. Il est souffrant, mais sa fille dit qu'il pourrait être en état de me voir quelques minutes à condition que je ne le fatigue pas trop.

— Et si tu ne tires rien de lui ?

— Je mettrai la pression sur Jimmy.

— Si ce dernier a caché quelque chose, il l'a bien caché. Les flics aiment les ragots, tu le sais. De vraies pipelettes. Encore maintenant, je sais qui couche à droite et à gauche, qui s'est remis à la picole, qui taxe les putes et les dealers. C'est comme ça. Après la mort des deux jeunes, la police des polices a examiné la vie et la carrière de ton père au microscope…

— L'enquête officielle n'a rien donné.

— On s'en fout, de l'enquête officielle. Tu devrais savoir mieux que personne comment ça marche. Il y a eu l'enquête officielle et l'enquête en douce. Celle qui a été menée au grand jour et celle qu'on a faite discrètement puis enterrée au fond d'un puits.

— Où tu veux en venir ?

— Je peux poser des questions par-ci par-là. On me doit encore quelques services. On verra si quelqu'un avait trouvé quelque chose. En attendant, tu fais ce que tu dois faire.

Il me regarda et conclut :

— Au pieu, maintenant. Demain, je te conduirai à Pearl River. Je suis toujours content de voir comment vivent les Irlandais. Après, je regrette moins de ne pas en être un.

11

Eddie Grace était récemment sorti de l'hôpital pour être confié aux soins de sa fille Amanda. Il était malade depuis longtemps et passait une grande partie de son temps à dormir, m'avait-on dit, mais il avait apparemment repris quelques forces ces dernières semaines. Il avait voulu retourner chez sa fille et l'hôpital y avait consenti puisque son personnel ne pouvait plus faire grand-chose pour lui. Il pouvait aussi bien prendre dans son propre lit les médicaments destinés à calmer la douleur et il serait moins angoissé au sein de sa famille. En réponse à mes coups de fil, Amanda m'avait laissé un message m'informant qu'Eddie était disposé à me recevoir, et apparemment en état de le faire.

Elle habitait en haut de Summit Street, non loin de l'église Saint Margaret of Antioch, de l'autre côté de la voie ferrée par rapport à notre ancienne maison de Franklin Avenue. Walter me déposa devant l'église et alla prendre un café. Amanda m'ouvrit dès que je pressai la sonnette, comme si elle attendait mon arrivée dans l'entrée. Elle avait de longs cheveux châtains auxquels une teinture donnait une nuance assez proche de sa couleur naturelle. Elle était petite, moins d'un mètre soixante, avec une peau semée de taches de rousseur et des yeux marron clair. Elle venait sans doute de se mettre du rouge à lèvres et sentait un parfum au citron vert qui, comme elle, réussissait à être à la fois discret et frappant.

J'en pinçais pour Amanda Grace quand nous fréquentions ensemble le lycée de Pearl River. Elle avait un an de plus que moi et traînait avec une bande qui aimait le vernis à ongles noir et d'obscurs groupes anglais. C'était le genre de fille que les sportifs prétendaient détester mais sur qui ils fantasmaient quand leurs copines blondes exubérantes se livraient à des actes qui ne nécessitaient pas qu'ils les regardent dans les yeux. Un an avant la mort de mon père, elle avait commencé à sortir avec Michael Ryan, qui voulait devenir mécanicien ou ouvrir un bowling, objectifs valables en eux-mêmes mais pas assez ambitieux pour satisfaire une fille comme Amanda. Elle parlait de se rendre en Europe et de faire des études à la Sorbonne. On voyait mal ce qu'il pouvait y avoir de commun entre elle et Mike.

Je l'avais maintenant devant moi et, malgré les rides de son visage, elle n'avait pas fondamentalement changé, comme la ville elle-même.

— Charlie Parker, dit-elle en souriant. Je suis contente de te voir.

Je ne savais pas trop comment la saluer. Je tendis la main, mais elle l'écarta et me serra contre elle en secouant la tête.

— Toujours aussi empoté, soupira-t-elle, non sans une pointe d'affection, crus-je sentir.

— C'est censé vouloir dire quoi ?

— Tu rends visite à une jolie femme et tu lui serres la main ?

— Ça fait longtemps qu'on ne s'est pas vus, je n'ai pas voulu être présomptueux. Comment va ton mari ? Il joue toujours avec des quilles ?

Elle eut un petit rire.

— À t'entendre, on croirait qu'il est gay.

— Un grand costaud qui caresse des objets phalliques ? Difficile de ne pas en tirer certaines conclusions.

— Tu lui diras ça quand tu le verras. Il le prendra en considération, j'en suis sûre.

— Je n'en doute pas. Ou alors, il essaiera de m'expédier à Jersey City à coups de pied dans les fesses.

L'expression d'Amanda changea. Elle perdit un peu de sa bonne humeur pour se faire songeuse.

— Non, je ne crois pas qu'il se risquerait à ça avec toi.

Elle recula d'un pas et s'écarta.

— Entre donc. J'ai fait à manger. Enfin, j'ai acheté de la viande froide, des salades, et il y a du pain frais. Tu devras t'en contenter.

— C'est plus que suffisant.

J'avançai dans l'entrée et Amanda referma la porte, passa devant moi pour me conduire à la cuisine, posa un instant les mains sur ma taille, m'effleura de son ventre. Je poussai un profond soupir.

— Quoi ? fit-elle, ouvrant de grands yeux innocents.

— Rien.

— Si, dis-moi.

— Je crois que tu pourrais encore défendre les couleurs de ton pays au championnat de flirt.

— Tant que c'est pour une bonne cause. De toute façon, je ne flirte pas avec toi. Tu as eu ta chance, autrefois.

— Vraiment ?

J'essayai de me rappeler à quelle occasion j'avais eu ma chance avec Amanda Grace, rien ne me vint à l'esprit. Je la suivis dans la cuisine, la regardai remplir un pichet à un robinet d'eau filtrée.

— Vraiment, dit-elle sans se retourner. Il aurait suffi que tu m'invites à sortir avec toi. Ce n'était pas compliqué.

— Tout paraissait compliqué, à l'époque, répondis-je en m'asseyant.

— Pas pour Mike.

— Oui, ce n'était pas un gars compliqué.

Elle ferma le robinet, plaça le pichet sur la table.

— Il n'a pas changé. Avec le temps, j'ai fini par me rendre compte que ce n'est pas une mauvaise chose.

— Qu'est-ce qu'il fait ?

— Il tient un garage à Orangetown. Il joue encore au bowling, mais il mourra sans en avoir un à lui.

— Et toi ?

— J'ai été instit, j'ai arrêté à la naissance de ma seconde fille. Maintenant, je travaille à temps partiel pour une maison d'édition de manuels scolaires. Représentante, en fait, et ça me plaît.

— Je ne savais pas que tu avais des enfants.

— Deux filles. Kate et Annie. Elles sont à l'école, en ce moment. Il leur faudra un peu de temps pour s'habituer à la présence de mon père dans la maison.

— Comment il va ?

Elle fit une grimace.

— Ce n'est qu'une question de temps. Les médicaments le font dormir, mais il a généralement une heure ou deux dans l'après-midi où il est à peu près bien. Bientôt, il devra aller dans une maison de retraite médicalisée. Il n'est pas encore prêt à le faire. Pour l'instant, il reste ici avec nous.

— Je suis désolé.

— Pourquoi ? Il ne l'est pas, lui. Il a eu une bonne vie, il la termine en famille. Il est impatient de te voir, tu sais. Il aimait beaucoup ton père. Toi aussi, il t'aimait beaucoup. Je crois qu'il aurait été heureux qu'on finisse ensemble, toi et moi.

Son visage s'était assombri à cette évocation d'une autre vie dans laquelle elle aurait pu être ma femme.

Mais ma femme était morte.

— J'ai lu dans le journal ce qui vous est arrivé, dit Amanda. Épouvantable, cette histoire.

Elle garda un moment le silence. Elle s'était sentie obligée d'aborder le sujet et ne savait pas comment dissiper maintenant l'atmosphère qu'elle avait créée.

— J'ai une fille, moi aussi, dis-je.

— Ah oui ? C'est formidable ! s'exclama-t-elle avec un peu trop d'enthousiasme. Quel âge a-t-elle ?

— Deux ans. On n'est plus ensemble, sa mère et moi.

Après une pause, j'ajoutai :

— Mais je vois souvent ma fille.

— Comment elle s'appelle ?

— Samantha. Sam.

— Elle vit dans le Maine ?

— Non, dans le Vermont. Quand elle sera grande, elle pourra voter socialiste et signer des pétitions pour que l'État du Vermont fasse sécession.

Amanda leva un verre d'eau.

— Alors, à Sam.

— À Sam.

Nous mangeâmes en parlant d'anciens copains de lycée, de sa vie à Pearl River. Elle m'apprit qu'elle était finalement allée en Europe, avec Mike. Le voyage était un cadeau pour leur dixième anniversaire de mariage. Ils avaient visité la France, l'Italie, l'Angleterre.

— C'était comme tu l'espérais ? demandai-je.

— En partie. J'aimerais y retourner, mais c'est déjà bien pour le moment.

Je perçus un bruit au-dessus de nous.

— Mon père est réveillé. Je monte lui donner un coup de main.

Amanda sortit de la cuisine et, quelques instants plus tard, j'entendis leurs voix puis une toux sèche, dure, sans doute douloureuse.

Dix minutes après, Amanda aidait un vieil homme à pénétrer dans la pièce, un bras rassurant passé autour de la taille. Il était si maigre qu'elle en faisait facilement le tour mais, quoique voûté, il était presque aussi grand que moi.

Eddie Grace avait perdu ses cheveux et même ses poils de barbe. Sa peau était moite, transparente, teintée de jaune aux joues et marquée de cernes violacés autour des yeux. Ses lèvres étaient quasi exsangues et, quand il sourit, je constatai qu'il avait perdu un grand nombre de dents.

— Monsieur Grace. Content de vous voir.

— Eddie... Appelle-moi Eddie, dit-il d'une voix grinçante de poulie rouillée.

Sa poignée de main était cependant encore ferme.

Sa fille resta à son côté jusqu'à ce qu'il soit assis et lui proposa :

— Tu veux un thé, papa ?

— Non, je te remercie.

— Il y a de l'eau dans le pichet. Tu veux que je t'en serve un verre ?

Il leva les yeux au ciel.

— Parce que je marche lentement et que je dors beaucoup, elle s'imagine que je ne suis plus capable de me verser à boire.

— Je sais que tu peux, dit-elle. Je voulais juste être gentille. Tu n'es qu'un vieil ingrat.

Mais le ton était affectueux et, quand elle le serra contre elle, il lui tapota la main en souriant.

— Et toi, t'es une bonne fille. Je ne te mérite pas.

— Tant que tu t'en rends compte…

Elle embrassa le crâne chauve.

— Bon, je vous laisse. Je suis en haut, si vous avez besoin de moi.

Elle me lança un regard par-dessus la tête de son père pour me rappeler de ne pas trop le fatiguer. Je hochai la tête et elle sortit, laissant la porte à demi ouverte derrière elle.

— Comment vous allez, Eddie ?

— Couci-couça. Enfin, je suis toujours là. Je souffre du froid, la Floride me manque. J'y suis resté tant que j'ai pu, mais quand je suis tombé malade, je n'ai plus été capable de m'occuper de moi. Andrea, ma femme, est morte il y a quelques années. Comme j'avais pas les moyens de me payer une infirmière privée, Amanda m'a amené ici, elle a dit qu'elle me soignerait, si l'hôpital était d'accord. Et j'ai encore de vieux copains, tu sais. C'est pas si mal. Si je ne souffrais pas autant du froid…

Il se servit un verre d'eau, la main tremblant un peu seulement, but une gorgée.

— Pourquoi t'es venu ici, Charlie ? Quelle idée de vouloir parler à un mourant !

— C'est au sujet de mon père.

— Hum, fit-il.

De l'eau s'échappa de sa bouche et coula sur son menton. Il s'essuya à la manche de sa robe de chambre.

— Pardon, murmura-t-il, gêné. C'est uniquement quand il y a quelqu'un de nouveau que j'oublie le peu de dignité qu'il me reste. Tu sais ce que la vie m'a appris ? Faut pas vieillir. Faut l'éviter le plus longtemps possible. Et tomber malade n'arrange rien.

Il parut se perdre dans ses pensées et ses yeux se fermèrent à demi.

— Eddie, dis-je avec douceur. Je suis venu pour parler de Will.

Il grogna, ramena son attention sur moi.

— Ouais, Will. L'un des bons.

— Vous étiez son ami. Je me demandais si vous pourriez me dire quelque chose sur ce qui est arrivé. Et pourquoi c'est arrivé.

— Après tout ce temps ?

— Après tout ce temps.

Il pianota des doigts sur la table.

— Il faisait les choses tranquillement, ton vieux. Il savait dire ce qu'il fallait pour calmer les gens, tu sais. C'était son truc. Il ne se mettait jamais en colère. Même son transfert temporaire du 9e aux quartiers nord, c'était sa décision. Ça n'a sûrement pas été un bon point dans son dossier, demander un transfert si tôt dans sa carrière, mais il l'a fait pour avoir une vie plus tranquille.

— Plus tranquille ? Pourquoi ?

— Ah, il ne s'entendait pas avec quelques gradés du 9e, et son copain Jimmy non plus. Quelle équipe ils formaient, ces deux-là ! Quand l'un faisait un truc, l'autre suivait. A eux deux, ils ont envoyé se faire foutre tous les gens importants. C'était le défaut de ton père. Il avait un diable en lui, mais la plupart du temps il arrivait à le maîtriser. Et puis y a eu cette salade avec Bennett, un sergent du 9ᵉ. T'as entendu parler de lui ?

— Non, jamais.

— Ça n'a pas pris longtemps pour qu'ils s'accrochent, ton père et lui. Et Jimmy a soutenu ton père, comme toujours.

— Vous vous rappelez pourquoi ils ne s'entendaient pas, Bennett et lui ?

— Non. Des caractères incompatibles, je suppose. Ça arrive. En plus, Bennett n'était pas clean et ton père n'aimait pas trop les ripoux, qu'ils aient des galons ou pas. Bref, Bennett a réussi à faire sortir le diable de sa boîte. Un soir, les gnons ont volé et tu fais pas ça quand t'es en uniforme. C'était mauvais pour Will, mais les chefs ne pouvaient pas se permettre de perdre un bon flic. Certains ont dû intervenir en sa faveur.

— Qui ?

Eddie haussa les épaules.

— Si t'es correct avec les collègues, ils renvoient l'ascenseur. Ton vieux avait des amis, on est arrivé à un compromis.

— Le compromis, c'était que mon père sollicite un transfert.

— Exactement. Il a passé un an dans le désert, jusqu'à ce que la commission Knapp taxe Bennett de « carnivore ».

La commission Knapp, qui enquêta sur la corruption dans la police au début des années 1970, avait défini deux catégories de ripoux : les « herbivores », coupables de corruption légère, pour des billets de dix ou de vingt, et les « carnivores », qui soutiraient aux dealers et aux macs des sommes plus importantes.

— Et après le départ de Bennett, mon père a pu revenir ?

— Quelque chose comme ça.

De l'index, Eddie fit un mouvement circulaire, comme s'il composait un numéro sur un téléphone à l'ancienne.

— Je ne savais pas que mon père avait ce genre d'amis.

— Il le savait peut-être pas non plus et l'a appris seulement quand il en a eu besoin.

Je n'insistai pas.

— Vous vous souvenez du meurtre des deux jeunes ?

— Je me souviens d'en avoir entendu parler. Je faisais un seize/vingt-quatre, cette semaine-là. Mon coéquipier et moi, on a retrouvé deux autres gars, Kloske et Burke, pour boire un jus. Ils étaient au commissariat quand on a reçu l'appel. Lorsque j'ai revu ton père, il était allongé dans une caisse. Les croque-morts avaient fait du bon boulot, il était comme d'habitude. Des fois, l'embaumeur, il te fait ressembler à un mannequin en cire.

Avec un sourire, Eddie ajouta :

— Ça me travaille, ces trucs-là, tu t'en doutes.

— Ils fignoleront le boulot, pour vous. Amanda y veillera.

— Si elle arrive à obtenir ce qu'elle veut, j'aurai meilleure mine mort que vivant. Et je serai mieux sapé, aussi.

Je ramenai la conversation sur mon père :

— Vous avez une idée de la raison pour laquelle il a tué ces deux jeunes ?

— Aucune, mais comme j'ai dit, il en fallait beaucoup pour qu'il voie rouge. Ils ont dû vraiment le pousser à bout.

Il but une autre gorgée, la main gauche sous le menton pour empêcher l'eau de couler. Quand il reposa le verre, il respirait avec peine et je sus que notre entretien ne durerait plus très longtemps.

— Il était comment, dans les jours qui ont précédé ? Il semblait malheureux, distrait ?

— Non, comme d'habitude. Rien d'anormal. Mais je ne l'ai pas vu beaucoup cette semaine-là. Je faisais un seize/vingt-quatre, il faisait un huit/seize. On se saluait quand on se croisait, c'est tout. Il était avec Jimmy Gallagher, c'est à lui que tu dois demander. Jimmy était avec ton père, ce jour-là.

— Quoi ?!

— Jimmy et ton père, ils se retrouvaient toujours pour l'anniversaire de Jimmy. Toujours.

— Jimmy m'a dit qu'ils ne s'étaient pas vus. Qu'il avait un jour de congé parce qu'il avait fait une belle prise, une histoire de drogue.

On pouvait obtenir un jour de congé pour une arrestation importante. On remplissait un « 28 », on le soumettait au scribouillard du commissariat, le secrétaire du capitaine. Pour être sûrs d'avoir cette journée, la plupart des flics lui glissaient aussi quelques dollars, ou une bouteille de Chivas gagnée en escortant le patron d'un magasin de vins et spiritueux se rendant à la banque. C'était un des avantages de s'occuper de la paperasse.

— Peut-être, mais ils étaient ensemble le jour où ton père a descendu les deux mômes. Je m'en souviens. Jimmy est venu chercher ton vieux à la fin de son service.

— Vous êtes sûr ?

— Bien sûr que je suis sûr. Il est venu au commissariat. J'ai même couvert Will pour qu'il puisse partir plus tôt. Ils devaient commencer à s'imbiber au Cal's et se finir à l'Anglers' Club.

— Où ça ?

— L'Anglers' Club, à Greenwich Village. Un endroit réservé aux membres dans Horatio Street. Un quart de dollar la canette.

Je me renversai en arrière.

— Vous avez vu Jimmy au commissariat ?

— T'es sourd, mon gars ? Je viens de te le dire. Je l'ai vu venir prendre ton père, je les ai vus partir ensemble. Jimmy t'a raconté autre chose ?

— Oui.

— Hum, fit de nouveau Eddie. Il se souvient peut-être mal.

Une idée me vint.

— Vous êtes resté en contact avec Jimmy ?

— Pas trop, non, répondit-il.

Sa bouche eut un pli de dégoût qui m'intrigua.

— Il sait que vous êtes revenu à Pearl River ?

— Peut-être, si quelqu'un le lui a dit. Il n'est pas venu me voir, si c'est ça que tu veux savoir.

Je me rendis compte que je m'étais raidi, le corps à présent penché en avant. Eddie s'en aperçut, lui aussi.

— Je suis vieux et en train de crever, dit-il. Je n'ai rien à cacher. J'aimais beaucoup ton père, c'était un bon flic. Jimmy aussi était un bon flic. Je vois pas pourquoi il mentirait à propos de ton père, mais tu peux lui dire que tu m'as parlé. Et que je pense qu'il devrait dire la vérité, si c'est ce que tu veux.

J'attendis. Ce n'était pas fini.

— Je sais pas ce que t'espères trouver, poursuivit Eddie. Ton père a fait ce dont on l'a accusé. Il a tué ces deux jeunes et il s'est suicidé.

— Je veux savoir pourquoi.

— Il y a peut-être pas de pourquoi. Tu peux le supporter, ça ?

— J'ai essayé.

J'hésitai à lui en dire plus, demandai finalement :

— Vous l'auriez su si mon père… couchaillait ?

Eddie chancela légèrement puis se mit à rire. Cela provoqua une nouvelle quinte de toux et je dus lui donner un autre verre d'eau.

— Will ne « couchaillait » pas, affirma-t-il après avoir bu. C'était pas son genre.

Il prit plusieurs profondes inspirations et une lueur s'alluma dans ses yeux.

— Mais il était humain, ajouta-t-il. On fait tous des erreurs. Pourquoi ? Quelqu'un t'a dit quelque chose ?

Il m'examina attentivement, toujours avec cette lueur dans le regard.

— Non, personne ne m'a dit quoi que ce soit.

Il m'observa un moment encore puis hocha la tête.

— T'es un bon fils. Aide-moi à me lever, s'il te plaît. Je vais regarder un peu la télé. Il me reste une heure avant que ces saloperies de médocs me fassent redormir.

Le soutenant par le bras, je le conduisis dans le séjour, où il s'installa sur le canapé avec les télécommandes, choisit une émission de jeu. Au bout d'un moment, le son fit descendre Amanda.

— Vous avez fini ? s'enquit-elle.

— Je crois, répondis-je. Je vais y aller, maintenant. Merci, Eddie.

Le vieil homme leva un des boîtiers pour me dire au revoir mais garda les yeux rivés sur l'écran. Amanda me raccompagnait quand il me rappela :

— Charlie !

Je revins auprès d'Eddie, qui continuait à regarder l'émission.

— À propos de Jimmy…

J'attendis.

— On était copains mais pas vraiment proches. On ne peut pas faire confiance à un homme dont toute la vie repose sur un mensonge. C'est tout ce que je voulais te dire.

Il appuya sur un bouton pour passer du jeu à un feuilleton. Je retournai dans l'entrée, où Amanda m'attendait.

— Il t'a aidé ? me demanda-t-elle.

— Oui. Toi aussi.

Elle sourit, m'embrassa sur la joue.

— J'espère que tu trouveras ce que tu cherches, Charlie.

— Tu as mon numéro. Tiens-moi au courant, pour ton père.

— Entendu.

Elle détacha une feuille du bloc posé près du téléphone, écrivit quelques chiffres.

— Mon portable. Au cas où.

— Si j'avais su que c'était si facile d'obtenir ton numéro, je te l'aurais demandé bien avant.

— Tu l'avais, mon numéro. Tu ne t'en es jamais servi.

Là-dessus, Amanda ferma la porte et je redescendis la colline en direction du Muddy Brook Café, où Walter m'attendait pour me conduire à l'aéroport.

12

J'étais frustré de devoir quitter New York avec des questions sans réponse sur ce qu'avait fait Jimmy Gallagher le jour où mon père était devenu un meurtrier, mais je n'avais pas le choix : j'avais une dette envers Dave Evans et il aurait besoin de moi au Bear pendant une bonne partie de la semaine. De plus, je n'avais que la parole d'Eddie, qui se trompait peut-être, pour prouver que Jimmy et mon père s'étaient vus ce jour-là. Je voulais en avoir la certitude absolue avant de traiter Jimmy Gallagher de menteur.

Je montai dans ma voiture à l'aéroport de Portland, passai chez moi me doucher et me changer. À un moment, je me surpris à prendre le chemin de la maison des Johnson pour récupérer Walter, me rappelai où était mon chien, et cela me mit d'une humeur noire qui, je le savais, ne s'éclairerait pas de sitôt.

Je passai la soirée derrière le bar avec Gary. Les affaires marchaient, mais j'avais quand même le temps de bavarder avec les clients et même de noircir un peu de paperasse dans le bureau. Le seul moment palpitant, ce fut quand un accro de la gonflette, qui s'était débarrassé de ses couches de fringues hivernales pour se retrouver en marcel et bas de survêt' taché, s'approcha d'une petite blonde nommée Hillary Herman, mesurant à peine un mètre soixante et donnant l'impression qu'un vent un peu fort la décollerait du sol. Lorsqu'elle tourna le dos au type et à ses avances, il commit l'erreur de lui poser la main sur l'épaule pour regagner son attention et Hillary, lauréate du championnat de judo de la police de Portland, pivota et tordit le bras de son « soupirant » derrière son dos, avant de lui faire franchir le seuil et de l'envoyer bouler dans la neige. Les copains du culturiste semblèrent un moment tentés de manifester leur mécontentement, mais un mouvement de foule parmi les autres flics avec qui Hillary buvait un verre les en dissuada et leur épargna de se faire eux aussi botter le cul.

Quand il fut clair que le calme était revenu et que seul celui qui l'avait mérité s'était fait punir, j'allai chercher des casiers de bouteilles dans la remise pour regarnir les frigos. On ne fermerait qu'une heure plus tard, mais rien n'indiquait un coup de feu inattendu et cela me ferait gagner du temps pour le lendemain. J'en étais à mon troisième voyage quand je découvris le type qui s'était installé au bout du bar. Il portait la même veste en tweed et avait son carnet ouvert près de sa main droite. Normalement, c'était Gary qui s'occupait de cette partie du comptoir, mais lorsqu'il fit un pas vers le nouveau venu, je lui indiquai d'un geste que je me chargeais de lui et il retourna bavarder avec Jackie Garner, pour lequel il semblait s'être pris d'une tendresse pleine de sollicitude. Même si Jackie s'efforçait de faire la conversation à une rousse, mignonne mais timide, d'une quarantaine d'années, il parut soulagé du retour de Gary. Jackie ne savait pas s'y prendre avec les femmes. Chaque fois qu'une personne du sexe opposé lui adressait la parole, il avait l'air perdu d'un bébé à qui on parle dans une langue étrangère. En ce moment, il rougissait et la rousse aussi. Apparemment, Gary servait d'intermédiaire pour entretenir la conversation et, sans lui, ils auraient bientôt glissé dans un silence absolu.

— Comment ça va ? dis-je à l'homme au carnet. Vous voilà de retour ?

— Ouais.

Il défit sa veste. Les manches de sa chemise étaient retroussées jusqu'aux coudes, sa cravate desserrée et son col déboutonné. Malgré la décontraction de sa tenue, il donnait l'impression d'être sur le point de s'attaquer à un travail sérieux.

— Qu'est-ce que je vous sers ?

— Juste un café, s'il vous plaît.

Quand je revins avec une tasse, du lait et des édulcorants, il y avait une carte de visite près du carnet, tournée pour que je puisse la lire. Je posai dessus la tasse et le reste, sans même jeter un coup d'œil à ce qui y était écrit.

— Pardon, dit-il.

Il récupéra la carte, me la tendit. Je la pris, la lus et la reposai sur le comptoir.

— Jolie carte, commentai-je.

Et c'était vrai. Le nom du type, Michael Wallace, était gravé en lettres d'or, avec une boîte postale à Boston, deux numéros de téléphone, une adresse électronique et un site Web. « Écrivain et journaliste », était-il précisé.

— Gardez-la, dit-il.

— Non merci.

— Sérieusement.

Il avait une expression qui ne me plaisait pas beaucoup, celle que prennent les flics quand ils harcèlent un suspect qui ne saisit pas le message.

— Sérieusement ? répliquai-je.

Il tira de sa serviette deux livres de poche, dont un que je reconnus pour l'avoir vu dans les librairies. Il racontait en détail l'histoire d'un Californien qui, après avoir assassiné sa femme et ses deux enfants, avait failli échapper à la justice en prétendant qu'ils s'étaient noyés quand leur bateau avait été pris dans une tempête. Il y serait parvenu si un technicien de la police scientifique n'avait pas décelé d'infimes traces d'un produit chimique dans l'eau de mer contenue dans les poumons des cadavres et ne les avait pas comparées aux taches de solvant relevées dans l'évier de la cuisine du bateau, preuve que l'homme avait noyé les trois victimes dans cet évier avant de jeter leurs corps pardessus bord. Pour justifier son acte, il avait argué, après avoir finalement avoué, qu'« ils n'étaient jamais à l'heure pour rien ». L'autre livre, apparemment plus ancien, exploitait la veine classique des tueurs en série aux motivations sexuelles. Son titre était presque aussi macabre que son sujet : *Du sang sur les draps*.

— Ils sont de moi, dit-il inutilement. Michael Wallace. J'écris des bouquins sur des affaires criminelles réelles. Mes amis m'appellent Mickey, se présenta-t-il en tendant la main.

— Je ne suis pas sûr de vouloir en faire partie, monsieur Wallace.

Il haussa les épaules comme s'il s'attendait à cette réaction.

— Je vous explique, monsieur Parker. J'ai lu beaucoup de choses sur vous. Vous êtes un héros. Vous avez éliminé plusieurs criminels vraiment affreux, mais jusqu'ici personne n'a fait le récit complet de vos exploits. Je veux écrire un livre sur vous. Je veux raconter votre histoire : la mort de votre femme et de votre enfant, comment vous avez traqué leur assassin puis d'autres meurtriers. J'ai déjà un éditeur et un titre. Ça s'appellera *L'Ange de la vengeance*. C'est bon, vous ne trouvez pas ?

Je gardai le silence.

— L'avance n'est pas énorme – une somme à cinq chiffres, ce qui n'est pas si mal pour ce genre de boulot –, mais je suis prêt à la partager fifty-fifty avec vous en échange de votre coopération. Pour les droits d'auteur, ce sera à négocier. Mon nom figurera sur la couverture, mais ce sera votre histoire, comme vous voudrez la raconter.

— Je ne veux pas raconter mon histoire. Fin de la conversation. Le café est pour moi et vous pouvez le boire en vitesse, il ne doit plus être très chaud.

Je me retournai, mais il reprit :

— Je crois que vous ne comprenez pas, monsieur Parker. Ce bouquin, je l'écrirai, que vous décidiez de m'aider ou non. Une partie des matériaux est publique et j'en trouverai d'autres au fil de mes investigations. J'ai déjà rassemblé une documentation de base, j'ai déniché à New York une ou deux personnes disposées à me parler. J'interrogerai des gens de votre ancien quartier ou d'ici, qui peuvent fournir un éclairage intéressant sur votre vie. Je vous offre la possibilité de réagir à ces matériaux, de les mettre en forme. Tout ce que je vous demande, c'est quelques heures de votre temps pendant une ou deux semaines. Je travaille vite et je ne m'immiscerai pas plus que nécessaire dans votre vie privée.

Il fut sans doute étonné de la rapidité avec laquelle je revins vers lui, mais je dois reconnaître qu'il ne broncha pas, même quand mon visage se trouva à dix centimètres du sien.

— Écoute-moi bien, murmurai-je. Tu vas te lever, tu vas sortir et je n'entendrai plus jamais parler de toi. Il est fini, ton livre. C'est clair ?

Wallace referma son carnet, tapota plusieurs fois le comptoir avec et le rangea dans une poche. Il remit sa veste, noua son écharpe autour de son cou et laissa trois dollars sur le comptoir.

— Pour le café et le service. Je vous laisse les bouquins. Feuilletez-les, ils sont meilleurs que vous ne pensez. Je vous appelle dans un jour ou deux pour savoir si vous avez changé d'avis.

Après son départ, je balançai directement les livres à la poubelle. Jackie Garner, qui avait suivi l'échange, descendit de son tabouret et se tourna vers moi.

— Si tu veux, je peux m'en occuper, proposa-t-il. Ce connard est sûrement encore sur le parking.

Je secouai la tête.

— Laisse-le partir.

— C'est pas à moi qu'il soutirera des infos, déclara Jackie. Et s'il essaie avec Paulie et Tony, ils foutront son corps à la flotte à Casco Bay.

— Merci, Jackie.

— Normal.

Une voiture démarra sur le parking du Bear. Jackie alla à la porte pour regarder Wallace partir.

— Taurus bleue, plaques du Massachusetts, récita-t-il. Modèle ancien, pas une location. Pas le genre de caisse que conduirait un auteur à succès.

De retour au comptoir, il me demanda :

— Tu crois que tu peux l'empêcher ?

— Je ne sais pas. Je peux essayer.

— Il a l'air têtu.

— Ouais.

— Mon offre tient toujours. Tony, Paulie et moi, on est meilleurs avec les obstinés. On voit ça comme un défi à relever.

Jackie resta après la fermeture du bar, mais ce n'était manifestement pas pour me tenir compagnie. Il n'avait d'yeux que pour la rousse, dont le nom, me murmura-t-il, était Lisa Godwin. Je fus tenté de conseiller à cette femme de s'enfuir en courant, mais cela n'aurait été sympa ni pour lui ni pour elle. Selon Dave, qui la connaissait un peu parce qu'elle était déjà venue plusieurs fois au Bear, c'était une gentille fille qui avait fait de mauvais choix en matière de mecs. Comparé à la plupart de ses anciens amoureux, Jackie était quasiment Cary Grant. Il était loyal, il avait bon cœur et, contrairement à quelques ex de cette femme, il ne serait jamais violent avec elle. D'accord, il vivait chez sa mère et avait un penchant pour les bombes de fabrication maison – lesquelles avaient un caractère moins explosif que sa mère –, mais Lisa saurait s'atteler à ces problèmes quand ils se poseraient.

Je pris le reste de café et retournai dans le bureau, où je lançai l'ordinateur et cherchai tout ce qu'on pouvait trouver sur Michael Wallace. Je me rendis sur son site, lus ensuite quelques-uns de ses papiers dans la presse – il avait cessé d'en écrire en 2005 –, ainsi que des critiques de ses deux premiers livres. Au bout d'une heure, j'avais son adresse, son CV, les détails de son divorce en 2002 et les circonstances de sa condamnation pour conduite en état d'ivresse en 2006. Il faudrait que je discute de lui avec Aimee Price. Je ne savais pas par quel moyen – si tant est qu'il y en eût un – je pouvais légalement empêcher ce type d'écrire sur moi, mais je ne voulais pas voir mon nom sur la couverture d'un livre. Si Aimee n'avait pas de solution, je serais contraint de faire pression sur Wallace et quelque chose me disait qu'il ne le prendrait pas bien. Les journalistes le prennent rarement bien.

Gary entra au moment où je terminais mes recherches.

— Ça va ? me demanda-t-il.

— Ouais, ça va.

— On a fini.

— Merci. Rentre te coucher, je fermerai.

— Bonne nuit, alors…

Il demeurait sur le pas de la porte.

— Qu'est-ce qu'il y a ?

— S'il revient, l'écrivain, je fais quoi ?

— Tu mets du poison dans son verre. Sois prudent en te débarrassant du corps, quand même.

Il parut perdu, comme s'il n'était pas sûr que je plaisantais. Je connaissais cette expression. La plupart des employés du Bear savaient quelque chose de mon passé, en particulier ceux du coin, qui y travaillaient depuis quelques années. Qu'est-ce qu'ils avaient raconté à Gary quand je n'étais pas là ?

— Préviens-moi simplement si tu le vois, dis-je. Tu pourrais peut-être aussi informer les autres que j'apprécierais qu'ils ne lui parlent pas de moi.

— D'accord, répondit Gary, dont le visage s'éclaira notablement.

Il me laissa et je l'entendis adresser quelques mots à Sergueï, l'un de nos cuisiniers, puis une porte se ferma derrière eux et le silence se fit.

Mon café était froid. Je le versai dans l'évier, imprimai tout ce que j'avais appris sur Wallace et rentrai chez moi.

Assis dans une chambre de motel proche du Maine Mall, Mickey Wallace relatait par écrit sa rencontre avec Parker. C'était un truc qu'il avait appris quand il était reporter : tout mettre par écrit quand c'est encore frais parce que, même au bout de seulement deux heures, la mémoire commence à jouer des tours. On peut se raconter qu'on se rappelle l'essentiel, mais c'est faux. On se rappelle seulement ce qu'on n'a pas oublié, important ou non. Wallace avait l'habitude de prendre des notes dans un carnet et de les taper ensuite sur son ordinateur, mais ses carnets restaient ses sources principales et c'était toujours eux qu'il consultait pendant la rédaction d'un livre.

Il n'avait été ni déçu ni surpris par la réaction de Parker. En fait, la collaboration de l'ancien privé lui semblait peu probable, mais il ne risquait rien à essayer. Ce qui l'étonnait davantage, c'était que personne n'ait encore écrit de livre sur lui étant donné ce qu'il avait fait et les affaires auxquelles il avait été mêlé, mais ce n'était qu'une des nombreuses choses étranges au sujet de Charlie Parker. Malgré son passé et ses actes, il avait réussi à demeurer légèrement hors du champ des radars. Même dans les articles couvrant les plus retentissantes de ces affaires, son nom demeurait généralement enfoui quelque part en petits caractères. C'était comme s'il y avait un accord tacite pour minimiser son rôle.

Et il ne s'agissait que des affaires rendues publiques. Wallace avait déjà commencé à fouiner et découvert que le nom de Parker avait été prononcé en relation avec un trafic impliquant des gangsters russes dans le nord de l'État de New York – du moins, c'était le bruit qui courait. Wallace avait réussi à faire parler un policier de Massena en lui offrant quelques bières et il avait rapidement subodoré un scandale étouffé ; cependant, lorsqu'il avait essayé de revoir le flic, le lendemain, on l'avait chassé de la ville en lui recommandant, de manière non équivoque, de ne jamais y remettre les pieds. Après quoi, la piste s'était refroidie, mais la curiosité de Wallace était éveillée.

Il sentait une odeur de sang et le sang fait vendre des livres.

13

Peu après l'enterrement des parents de son copain, Emily Kindler quitta la petite ville où elle avait vécu un an. Aucune conclusion officielle n'avait été formulée sur les causes de leur mort, mais tout le monde présumait qu'ils avaient mis fin à leurs jours, même si Dashut, le chef de la police, se demandait pourquoi ils l'avaient fait avant de donner une sépulture décente à leur fils. Il n'arrivait pas à croire que des parents puissent négliger leurs devoirs envers leur enfant mort, si traumatisés puissent-ils être par ce qui s'était passé. Il mettait en doute la version officielle, en privé et en public, et liait la mort des parents au meurtre du fils, à la fois dans son esprit et dans son enquête.

Indéniablement, la stupéfaction d'Emily Kindler en apprenant leur mort n'était pas feinte. Un des médecins locaux avait dû lui administrer un sédatif pour la calmer et on avait même envisagé de la faire admettre dans un établissement psychiatrique. Elle avait déclaré à Dashut qu'elle avait rendu visite aux Faraday le soir de leur mort, que Daniel, en particulier, lui avait paru profondément affligé, mais rien n'indiquait que l'un ou l'autre songeait au suicide.

La seule piste dans le meurtre de Bobby Faraday provenait jusqu'ici de la police de l'État, qui avait découvert que le jeune homme avait été mêlé à une altercation dans un bar de Mackenzie, à une dizaine de kilomètres de la ville, deux semaines avant sa mort. Le bar en question était un tripot fréquenté par des motards et Bobby, complètement soûl, avait dragué une fille faisant plus ou moins partie des Crusaders. Cette bande avait sa base en Californie mais s'étendait jusqu'en Oklahoma et en Géorgie. Après un échange de mots et deux ou trois coups de poing, les motards avaient balancé Bobby sur le parking. Il avait eu de la chance de ne pas se faire piétiner, mais quelqu'un du bar qui le connaissait était intervenu en sa faveur et avait fait valoir que ce n'était qu'un gosse ignorant qui était cette fille et, de surcroît, souffrant de peines de cœur. Le bon sens avait prévalu. Le bon sens et l'arrivée fortuite d'une voiture radio de la police de l'État alors que les Crusaders débattaient de l'opportunité d'infliger à Bobby quelques tourments physiques pour le distraire de sa détresse émotionnelle. Les Crusaders étaient des mauvais garçons, mais Dashut les voyait mal étrangler un jeunot uniquement parce qu'il les avait contrariés. Les inspecteurs de la police de l'État estimaient cependant que la piste méritait d'être suivie et ils jouaient en ce moment à une partie de cache-cache avec les motards, aidés en cela par le FBI. Entre-temps, Dashut avait attiré leur attention sur le symbole gravé dans le tronc du hêtre. Ils en avaient pris des photos, mais il n'en avait plus entendu parler depuis.

Emily Kindler était seule chez elle à l'heure présumée du meurtre de son copain, ce qui signifiait qu'elle n'avait pas d'alibi, mais il en allait de même pour la moitié des habitants de la ville. Les robinets de la cuisinière à gaz des Faraday avaient été ouverts entre minuit et deux heures du matin, selon les meilleures estimations. Là encore, la plupart des gens de la ville étaient au lit à ce moment-là.

Dashut ne soupçonnait pas vraiment la fille Kindler d'être mêlée au meurtre de Bobby Faraday et, par voie de conséquence, les soupçons qu'il nourrissait sur la mort des parents ne la concernaient pas, même si, par simple conscience professionnelle, il n'excluait pas totalement son implication. Lorsqu'il avait discrètement mentionné le nom d'Emily devant Homer Lockwood, adjoint du médecin légiste, qui habitait la ville et connaissait de vue la jeune femme et les Faraday, le vieil homme s'était contenté de rire.

« Elle n'a pas la force nécessaire, étant donné la façon dont on a tué Bobby, avait-il dit à Dashut. Il faut des bras d'acier pour ça. »

Aussi, quand Emily avait annoncé au chef de la police qu'elle avait l'intention de quitter la ville, il ne s'y était pas opposé. Il lui avait cependant demandé de le prévenir une fois qu'elle se serait installée quelque part et de le tenir au courant de ses déplacements pendant un certain temps. Elle avait accepté et il n'avait plus eu aucune raison de la retenir. Elle lui avait donné un numéro de portable ainsi que l'adresse d'un hôtel touristique de Miami où elle espérait se faire embaucher comme serveuse, et s'était dite prête à revenir n'importe quand si elle pouvait l'aider dans son enquête. Mais lorsque Dashut avait essayé de la joindre, le numéro de portable n'était plus attribué et le directeur de l'hôtel de Miami n'avait jamais vu la jeune femme.

Emily Kindler avait apparemment disparu.

Emily allait vers le nord-est. Elle voulait sentir l'odeur de la mer, purifier ses sens. Se débarrasser de cette chose qui la suivait partout. Qui l'avait retrouvée dans cette petite ville du Middle West et avait causé la mort des Faraday. Cette chose la retrouverait encore, Emily le savait, mais elle se refusait à attendre, recroquevillée dans un coin sombre, que cela arrive. Elle avait en tête des lieux lointains, peut-être même le Canada.

Des hommes la lorgnaient tandis que, assise dans l'autocar Greyhound, elle regardait le paysage monotone et plat se transformer peu à peu en hauteurs aux sommets encore enneigés. Un type en blouson de cuir râpé qui puait la sueur et les phéromones essaya d'engager la conversation avec elle à l'un des arrêts, mais elle se détourna et reprit sa place derrière le chauffeur, un homme d'une cinquantaine d'années qui sentait sa vulnérabilité mais qui, à la différence des autres, ne cherchait pas à en profiter. Il l'avait au contraire prise sous son aile et lançait des regards noirs à tout mâle de moins de soixante-dix ans faisant mine de s'asseoir sur le siège libre à côté d'elle. Quand l'homme au blouson de cuir remonta dans le car et parut sur le point de changer de place pour se rapprocher de l'objet de son intérêt, le chauffeur lui enjoignit d'aller poser ses fesses dans le fond et de ne pas les décoller avant Boston.

Lorsqu'elle pensait à Bobby, Emily avait les larmes aux yeux. Elle ne l'avait pas aimé, mais il lui avait plu. Il était drôle, gentil et maladroit, du moins jusqu'à ce qu'il se mette à boire et que sa frustration et sa colère contre son père, contre la petite ville et même contre elle remontent à la surface.

Elle n'avait jamais su exactement ce qu'elle attendait d'un homme. Parfois, elle croyait en avoir une idée, bref aperçu de ce qu'elle cherchait, comme une lumière aperçue dans l'obscurité. Alors, elle réagissait et l'homme réagissait à son tour. Quelquefois, il était trop tard pour qu'elle batte en retraite et elle en subissait les conséquences : injures, parfois même violences physiques, et presque pire, une fois.

Comme beaucoup de jeunes gens de son âge, elle avait tenté de donner un sens à sa vie. Le chemin qu'elle voulait lui faire prendre n'était pas encore tout à fait clair pour elle. Elle avait envisagé de devenir artiste, ou écrivain, car elle aimait les livres, la peinture et la musique. Dans les grandes villes, elle passait des heures dans les musées et les galeries, observant longuement les toiles comme si elle espérait s'y perdre, ne plus faire qu'un avec leur monde. Quand elle en avait les moyens, elle achetait des livres. Quand l'argent manquait, elle fréquentait les bibliothèques, même si ce n'était pas la même chose de lire des livres qui ne lui appartenaient pas. Ces livres lui donnaient cependant un sentiment de choix possibles et elle n'avait plus l'impression d'aller à la dérive dans le monde. D'autres s'étaient heurtés aux mêmes problèmes qu'elle et avaient su faire face.

Elle n'alla pas jusqu'à la frontière canadienne et s'arrêta dans une petite ville du New Hampshire. Elle n'aurait su dire pourquoi ; elle avait appris à se fier à son instinct. Au bout d'une semaine, l'endroit ne lui plaisait toujours pas, mais elle y resta, comme malgré elle. Ce n'était pas un lieu de culture. Il y avait un seul musée, tout petit, méli-mélo de pièces historiques, pour la plupart locales, et d'objets d'art, locaux eux aussi. Les acquisitions extérieures semblaient avoir été ajoutées après coup, sur l'impulsion de personnes n'ayant pas des moyens à la hauteur de leurs goûts, ou peut-être pas des goûts à la hauteur de leurs moyens, dans une ville qui estimait qu'un musée était approprié, voire nécessaire, sans comprendre tout à fait pourquoi. Cette attitude avait apparemment imprégné toutes les strates de la communauté et Emily ne se rappelait pas un autre cadre où la créativité était ainsi étouffée, du moins jusqu'à ce que lui revienne en mémoire la petite ville où elle avait grandi. L'art et la beauté n'y avaient aucune place non plus et la maison de son enfance était dépourvue de ces futilités. Même les magazines n'y entraient pas, exception faite pour les revues pornos de son père.

Cela faisait très longtemps qu'elle n'avait pas pensé à lui. Sa mère était partie quand elle était encore enfant, en promettant de revenir pour elle, mais elle ne l'avait pas fait. Emily avait appris plus tard qu'elle était morte quelque part au Canada et qu'elle avait été enterrée par la famille de son nouvel amant. Le père d'Emily faisait le strict nécessaire pour élever et éduquer sa fille. Elle allait à l'école, elle avait toujours de l'argent pour acheter des livres. Ils mangeaient convenablement mais jamais au restaurant. Son père mettait de l'argent dans un bocal pour les dépenses courantes de la maison et en donnait un peu à Emily, qui ignorait où passait le reste. Il ne buvait pas excessivement, il ne prenait pas de drogue. Il ne levait jamais la main sur elle et ne la câlinait pas non plus. Quand elle devint grande et que son corps s'épanouit, il veilla à ne rien faire et à ne rien dire qui aurait pu paraître inconvenant. Emily lui en était plus reconnaissante qu'il ne le saurait jamais. Elle avait entendu d'autres filles de l'école parler de pères et de beaux-pères, de frères et d'oncles, de nouveaux mecs de mères seules et lasses. Son père n'était pas comme ça. Il maintenait au minimum les contacts et les conversations avec sa fille.

Emily ne s'était cependant jamais sentie négligée. Quand, à l'orée de l'adolescence, elle commença à avoir des problèmes à l'école – chahutant en classe, pleurant dans les toilettes –, il discuta avec le principal et s'arrangea pour qu'elle voie un psychologue, mais Emily se confia aussi peu à cet homme aimable à la voix douce qu'à son père. Elle n'avait pas envie de parler à un psychologue. Elle ne voulait pas être perçue comme différente et elle ne lui révéla rien de ses maux de tête, de ses pertes de conscience ni des rêves dans lesquels une créature dentée émergeait d'un trou sombre et lui rongeait l'âme. Elle ne parla pas de sa paranoïa ni de son sentiment d'être une chose fragile qu'on pouvait perdre ou briser à tout moment. Au bout de dix séances, le psychologue conclut qu'Emily était une fille normale quoique très sensible qui finirait par trouver sa place dans le monde. Il était cependant possible que ses difficultés annoncent quelque chose de plus grave, une forme de schizophrénie, peut-être, et il conseilla à Emily et surtout à son père d'être attentifs aux changements qui pourraient affecter sa conduite. Dès lors, son père eut envers elle une attitude différente et deux fois, dans les mois qui suivirent, elle se réveilla en pleine nuit et le découvrit sur le pas de la porte de sa chambre. Quand elle lui demanda ce qu'il faisait là, il répondit qu'elle avait crié dans son sommeil.

Son père était chauffeur-livreur pour un fabricant de meubles, Trejo & Fils, des Mexicains qui avaient réussi. Il était le seul employé non hispanique de l'entreprise, Emily ne savait pas pourquoi. Elle lui posa la question, il répondit qu'il n'en savait rien non plus. Peut-être parce qu'il conduisait bien son camion, avança-t-il, mais Emily pensait que c'était plutôt parce que les Trejo vendaient toutes sortes de meubles, certains chers, d'autres non, à toutes sortes de gens, certains mexicains, d'autres non. Son père avait de l'autorité et s'exprimait bien. Pour les clients riches, il était la facette acceptable des Trejo.

Tous les meubles de leur maison avaient été achetés au rabais à ses patrons, généralement parce qu'ils étaient endommagés, ou tellement laids que les Trejo avaient abandonné tout espoir de les vendre. Son père avait scié les pieds de leur table de cuisine bancale pour l'équilibrer et elle était devenue trop basse. Les canapés du séjour étaient confortables mais dépareillés, les tapis peu coûteux mais résistants. Seuls les téléviseurs successifs qui honoraient de leur présence un coin de la pièce étaient de qualité et son père en changeait régulièrement quand un meilleur modèle sortait. Il regardait les documentaires historiques et les émissions de jeux, rarement les rencontres sportives. Il voulait savoir des choses, apprendre, et sa fille avait appris en silence à côté de lui.

Lorsqu'elle était partie, elle s'était demandé s'il s'en apercevrait. Elle supposait qu'il serait plutôt soulagé de son départ. Ce n'est que plus tard qu'elle avait compris qu'il avait peur d'elle.

Elle trouva un autre boulot de serveuse, celui-là dans ce qui ressemblait le plus à un café bohème. Ce n'était pas très bien payé, mais son loyer n'était pas très élevé non plus et, au moins, la musique était bonne et les autres employés pas totalement abrutis. Emily arrondissait sa paie en travaillant comme barmaid le week-end, ce qui n'était pas particulièrement agréable, mais elle avait déjà rencontré un gars à qui elle semblait plaire. Il était venu avec ses copains voir un match de hockey et il avait un peu flirté avec elle. Il avait un gentil sourire et ne jurait pas comme ses amis, ce qu'elle appréciait chez un homme. Depuis, il était revenu deux fois et elle avait senti qu'il rassemblait son courage pour l'inviter à sortir avec lui. Emily n'était pas sûre d'être déjà prête à ça, après ce qui s'était passé, et elle n'était pas sûre de lui non plus. Il y avait cependant quelque chose chez ce garçon qui l'intéressait. S'il se décidait à l'inviter, elle accepterait et garderait ses distances en attendant de mieux le connaître. Elle ne voulait pas que les choses tournent finalement comme avec Bobby.

La quatrième nuit dans sa nouvelle ville, elle se réveilla brusquement avec dans la tête l'image d'un homme et d'une femme remontant une rue en direction de son appartement. La vision paraissait si réelle qu'elle se précipita à la fenêtre pour regarder au-dehors, s'attendant à découvrir deux silhouettes près du réverbère le plus proche, mais la ville était silencieuse et la rue déserte. Dans son rêve, elle avait presque pu distinguer leurs visages. C'était un rêve qu'elle faisait depuis des années, mais ce n'était que récemment qu'elle avait commencé à mieux voir les traits de l'homme et de la femme, plus nets à chaque fois. Elle ne parvenait pas encore à les reconnaître mais savait que cela viendrait.

Il faudrait alors rendre des comptes. De cela au moins elle était sûre.

III

Ainsi, ainsi mets fin à ce dernier baiser plaintif
Qui aspire deux âmes et les change en vapeur,
Prends ce chemin, spectre,
et laisse-moi
prendre l'autre…

John DONNE (1572-1631), *L'Expiration*

14

Je passais chaque vendredi à m'occuper de notre principal fournisseur, Nappi. Le Bear se faisait livrer de la bière trois fois par semaine, mais Nappi représentait quatre-vingts pour cent de nos pompes et sa livraison prenait du temps. Le camion arrivait toujours le vendredi. Une fois les trente fûts vérifiés et descendus à la cave, réglés comptant selon l'habitude du Bear, j'invitais le chauffeur à déjeuner et on parlait de bière, de sa famille et de la crise économique.

Au Bear, on avait un critère un peu différent, par rapport aux autres bars, pour estimer comment les choses allaient pour nos clients. Il avait toujours été fréquenté par des « récupérateurs » de biens non payés et nous avions un nombre croissant de leurs camions sur notre parking. Ce n'était pas un boulot que j'aurais aimé faire, mais la majorité d'entre eux le considéraient avec philosophie. À deux exceptions près, c'étaient des types costauds et durs. Le plus endurci, cependant – Jake Elms, qui mangeait toujours un hamburger au bar –, ne mesurait qu'un mètre soixante-cinq et accusait à peine soixante kilos sur la balance. Il parlait à voix basse et je ne l'avais jamais entendu jurer, mais les rumeurs qui circulaient sur lui en faisaient une légende. Il conduisait avec un terrier galeux à l'avant de son camion et une batte de base-ball en aluminium accrochée sous le tableau de bord. À ma connaissance, il n'avait pas d'arme à feu, mais cette batte avait en son temps cassé quelques crânes et le chien de Jake avait le singulier talent, disait-on, en plus de grogner dès que quelqu'un avait la témérité de menacer son maître bien-aimé, de saisir les testicules des inconscients ou des malentendants dans ses mâchoires et de s'y suspendre.

Ce chien, inutile de le préciser, n'était pas admis dans le bar.

— Je déteste cette période de l'année, disait Nathan, le chauffeur de Nappi, qui finissait de s'emmitoufler avant de sortir affronter le froid. Je devrais me trouver un boulot en Floride.

— Tu aimes la chaleur ?

— Non, pas trop. Mais ça…

D'un geste, il désigna le monde au-delà du cocon du Bear.

— On prétend que c'est le printemps, mais ça n'a rien à voir. C'est toujours le cœur de l'hiver.

Il avait raison. Il n'y avait que trois saisons dans la région, semblait-il : l'hiver, l'été et l'automne. Pas de printemps. C'était déjà la mi-février, et rien n'annonçait le renouveau. Les rues de la ville étaient fortifiées par des remparts de neige et de glace. Les trottoirs les plus larges portaient les traces des engins qui les avaient nettoyés sans relâche. Certes, le plus gros de la neige était passé, mais elle avait été remplacée par une pluie verglaçante, par le siège interminable d'un froid qu'un vent fort rendait parfois plus cuisant encore et qui, même par temps calme, mettait à vif les nez, les oreilles et l'extrémité des doigts. Les rues abritées étaient recouvertes de plaques de glace, certaines visibles, d'autres pas. Celles qui montaient de Commercial vers le Vieux Port se révélaient traîtresses pour les semelles lisses, et les pavés, tant appréciés par les touristes, ne contribuaient pas à rendre l'ascension moins périlleuse. La corvée de balayage des sols dans les bars et les restaurants était plus fastidieuse encore à cause de la neige fondue, du gravier et du sel. Dans certains endroits – devant les parkings de Middle Street ou le long des quais –, les tas de neige et de glace étaient si hauts qu'on avait l'impression que des piétons s'y livraient à une guerre de tranchées. Avec, par endroits, quelques blocs de glace, aussi gros que des rochers, comme s'ils avaient été projetés des profondeurs d'un étrange volcan quasi gelé.

Dans le port, les langoustiers étaient recouverts d'un linceul de neige. Parfois, une âme courageuse se risquait à faire une sortie dans la baie et, à son retour, le sang du poisson colorait la glace en rose et en rouge, mais la plupart du temps les mouettes volaient tristement en attendant l'été et le retour du chapardage facile. La nuit, on entendait le crissement de pneus cherchant une prise sur la glace, le claquement de pieds impatient d'un gusse cherchant ses clés, et des rires au bord des larmes.

Mars attendait en coulisse, mois misérable de neige fondue et de vestiges de l'hiver salissant encore les endroits à l'ombre. Puis venaient avril et mai. L'été, la chaleur et les touristes.

Pour le moment, il n'y avait que l'hiver sans promesse de printemps. Il n'y avait que le froid et la neige, de vieilles empreintes de pas prises dans la glace comme des souvenirs indésirables refusant de disparaître. Blottis les uns contre les autres, les gens attendaient la fin du siège. Mais le jour où Nathan parla du cœur de l'hiver, ce jour apporta quelque chose d'étrange et de différent dans cette partie du monde.

Il apporta la brume.

Et *elles*.

Depuis des jours, depuis des semaines, il faisait un froid glacial, inhabituel même à cette période de l'année. Il n'avait pas cessé de neiger et puis, juste avant la Saint-Valentin, une pluie froide avait inondé les rues et transformé les congères en plaques de glace rugueuse. Quand la pluie avait cessé, le froid s'était maintenu jusqu'à ce qu'enfin le temps change et la température monte.

La brume s'éleva des champs blanchis comme la fumée d'un feu froid, portée par des courants aériens que l'homme ne sentait pas, si bien qu'elle semblait être une chose vivante, une pâle apparition aux desseins tus et inconnus. Les formes des arbres devinrent indiscernables, les forêts disparurent dans le brouillard qui semblait s'épaissir au fil des heures, enveloppant les villes petites et grandes de son humidité, tombant comme une pluie douce sur les fenêtres, les voitures et les gens. Au crépuscule, on ne voyait plus à deux mètres et les pancartes lumineuses des routes affichaient des messages sur la vitesse et les distances à respecter.

La brume s'empara de la ville, changea les lumières les plus vives en fantômes d'elles-mêmes, isola les uns des autres ceux qui marchaient dans les rues, si bien que chacun pouvait se croire seul au monde. À sa manière, elle rapprocha ceux qui avaient une famille ou des êtres chers, car ils cherchèrent à se réconforter mutuellement, resserrant les contacts dans un environnement devenu soudain étrange.

C'est peut-être pour cette raison qu'elles revinrent, ou dois-je penser qu'elles n'étaient jamais parties ? Je les avais libérés, ces fantômes de ma femme et de mon enfant. J'avais imploré leur pardon pour mes défauts, j'avais réuni tout ce que j'avais conservé de leurs vies – vêtements, jouets, chaussures – et je l'avais brûlé dans mon jardin. Je les avais sentis partir, suivre les canaux des marais pour se jeter dans la mer qui attendait, là-bas. Lorsque j'étais rentré, imprégné d'une odeur de fumée et de choses perdues, la maison m'avait semblé différente : plus légère, d'une certaine façon, comme débarrassée d'une partie de ce qui l'encombrait, comme si le vent avait chassé par les fenêtres ouvertes une vieille odeur rance.

C'étaient *mes* fantômes, bien sûr. Je les avais créés, à ma manière. Je leur avais donné forme ; ma colère, mon chagrin et mon sentiment de perte, je les avais faits leurs et elles m'étaient devenues hostiles, dépossédées de tout ce que j'avais aimé en elles, et tout ce que je haïssais en moi avait comblé le vide. Elles avaient pris cette forme et l'avaient acceptée parce que c'était leur façon de revenir dans ce monde, le mien. Elles n'étaient pas prêtes à se glisser dans les ombres du souvenir, à renoncer à leurs places dans cette vie.

Et je ne comprenais pas pourquoi.

Mais ces formes n'étaient pas elles. Elles n'étaient pas la femme que j'avais aimée, ni la fille que j'avais chérie. J'avais entrevu ce qu'elles étaient vraiment avant que je les laisse se transformer. J'avais vu ma femme guidant le fantôme d'un jeune garçon au cœur d'une forêt profonde, sa petite main dans la sienne, et j'avais su qu'il n'avait pas peur d'elle. Elle était la Dame de l'Été qui le ramenait à ceux qu'il avait perdus, l'accompagnant pour son dernier voyage parmi les buissons et les arbres. Et pour qu'il ne soit pas effrayé, pour qu'il ne soit pas seul, il y avait une fillette sensiblement du même âge qui sautillait dans le jour hivernal en attendant que son camarade de jeu arrive.

Il s'agissait bien maintenant de ma femme et de mon enfant, c'était leur vraie forme. Ce que j'avais libéré dans la fumée et les flammes, c'étaient mes fantômes. Ce qui revenait avec la brume étaient les leurs.

Je travaillai ce soir-là. Ce n'était pas prévu, mais Al et Lorraine, deux des employés du bar qui vivaient ensemble depuis presque aussi longtemps qu'ils étaient au Bear, avaient eu un accident de voiture sur la Route 1, non loin de Scarborough Downs, et on les avait emmenés à l'hôpital pour un examen approfondi. N'ayant personne pour les remplacer, je dus passer une soirée de plus derrière le comptoir. J'étais encore fatigué de la veille, mais je n'avais pas le choix. Je me dis que j'obtiendrais probablement de Dave une journée de compensation, ce qui me donnerait un peu plus de temps à passer à New York, la semaine suivante. Pour le moment, nous n'étions que trois – Gary, Dave et moi – à servir bières et hamburgers en tâchant de ne pas nous laisser déborder.

Mickey Wallace avait prévu de retourner voir Parker au Bear ce jour-là, mais un incident survenu sur le parking du motel l'avait fait changer d'avis. Un type qu'il avait remarqué dans le bar la fois précédente, celui qui flirtait avec la petite rousse, l'attendait près de sa voiture, à peine visible dans la brume, quand il était sorti de sa chambre, un peu après quinze heures. L'homme ne s'était pas présenté, mais Wallace s'était souvenu qu'on l'appelait Jackie, et ce Jackie lui avait fait clairement comprendre qu'il n'approuvait pas qu'il vienne embêter Parker, et que s'il continuait, il le présenterait à deux messieurs – plus costauds et moins raisonnables que lui – qui le plieraient en quatre pour le faire entrer dans une caisse et l'expédieraient dans le trou le plus perdu de l'Afrique par le chemin le plus long possible. Quand Wallace avait demandé à ce Jackie si c'était Parker qui l'envoyait, il avait répondu par la négative, mais l'écrivain n'avait pas su s'il devait le croire.

Finalement, c'était sans importance. Mickey Wallace, qui ne rechignait pas lui-même aux coups fourrés, avait aussitôt appelé le Bear pour s'assurer que Parker s'y trouvait encore, et lorsqu'on lui avait demandé s'il voulait lui parler, il avait répondu que ce n'était pas la peine de le déranger, qu'il passerait le voir plus tard.

L'obscurité descendait sur la ville et la brume pesait encore lourdement sur la terre quand Wallace prit le chemin de Scarborough.

Il était vingt heures passées lorsque Mickey Wallace arriva à proximité de la maison de la colline. Il savait que Parker ne serait pas de retour avant une ou deux heures du matin et il n'y avait pas de lumière chez les voisins, les Johnson. Le vieux couple était apparemment parti. Comment appelait-on, déjà, ces gens qui filaient en Floride quand le froid commençait à mordre ? Des oiseaux migrateurs ? Non. Des oiseaux des neiges, oui, c'était ça.

Même s'ils avaient été chez eux, cela n'aurait pas dissuadé Wallace de mettre son projet à exécution. Il aurait simplement eu plus longtemps à marcher. En leur absence, il pouvait garer sa voiture près de la maison sans risquer de se faire alpaguer par un flic curieux de savoir ce qu'il faisait à pied à la nuit tombée sur une route longeant un marécage.

Il était déjà passé deux ou trois fois en plein jour devant la maison de Parker sans l'examiner de près. Maintenant que celui-ci n'avait plus sa licence de privé, il passait plus de temps chez lui et Wallace n'avait pas pu l'observer assez longtemps pour se faire une idée de son emploi du temps quotidien.

Wallace espérait encore parvenir à user les défenses de Parker et obtenir un minimum de coopération de sa part. L'écrivain était tenace, à sa manière tranquille. Il savait que la plupart des gens ont envie de raconter leur vie, même s'ils n'en ont pas toujours conscience. Ils veulent une oreille compatissante, quelqu'un qui les comprend. Parfois, il suffit de leur offrir une tasse de café, mais il arrive aussi qu'il faille aller jusqu'à la bouteille de Chivas. C'étaient les deux extrêmes et, selon l'expérience de Mickey Wallace, le reste de l'humanité se situait entre ces deux points.

Il avait été un bon reporter, sincèrement intéressé par les gens sur qui il écrivait. Il n'avait pas eu à faire semblant. Les êtres humains étaient pour lui un éternel objet de fascination, et même le plus assommant d'entre eux avait une histoire à raconter cachée au fond de lui. Mais Wallace avait fini par se lasser du journalisme. Il n'avait plus l'énergie nécessaire, ni l'envie de harceler les gens jour après jour, sachant que les histoires qu'il découvrait seraient tombées dans l'oubli la semaine suivante. Il voulait écrire quelque chose qui dure. Les romans, ce n'était pas pour lui. Il n'en lisait pas, pourquoi aurait-il eu envie d'en écrire ? La vie réelle était suffisamment passionnante sans les enjolivements de la fiction.

Non, ce qui intéressait Wallace, c'était le bien et le mal. Depuis toujours, depuis qu'enfant il regardait *Le Virginien* et autres feuilletons à la télévision. Quand il était reporter, c'étaient les histoires criminelles qui l'attiraient le plus. Certes, elles occupaient généralement une très bonne place à la une, et Wallace aimait avoir son nom le plus près possible de celui du journal, mais il était aussi fasciné par les relations entre les assassins et leurs victimes. Il y avait entre eux un lien intime. Wallace pensait qu'un peu de l'identité de la victime passait chez le meurtrier au moment de la mort. Il croyait aussi – ce qui était peut-être encore plus discutable – que la mort des victimes donnait un sens à leur vie, qu'elle les élevait au-dessus de l'anonymat de la banalité quotidienne et leur conférait une sorte d'immortalité, ou tout au moins ce qui pouvait s'en approcher le plus étant donné la brièveté de l'attention des gens. Ce n'était pas vraiment de l'immortalité, puisque les victimes étaient mortes, mais le mot ferait l'affaire jusqu'à ce qu'il en trouve un meilleur.

Il était encore journaliste quand il avait vu Parker pour la première fois. Wallace faisait partie de la foule massée devant la petite maison de Brooklyn, le soir où la femme et l'enfant de Parker avaient été tuées. Il avait suivi l'affaire, les articles devenant de moins en moins longs et se perdant de plus en plus loin dans les pages intérieures à mesure que toutes les pistes aboutissaient à des impasses. Finalement, Wallace lui-même avait renoncé à écrire sur ces meurtres et les avait gardés au chaud quelque part dans sa tête. Il avait appris que les fédéraux envisageaient un lien possible avec un tueur en série mais, pour prix de ce tuyau, il avait dû promettre de ne pas s'en servir avant le moment venu.

Si Wallace s'intéressait sincèrement aux êtres humains et à leurs histoires, il devait s'avouer une certaine sécheresse de cœur, qui affligeait nombre de ses relations. Il était curieux des gens mais ne se souciait pas d'eux, ou pas assez pour ressentir leurs souffrances. Il avait de la sympathie pour eux – une brève émotion superficielle –, pas de l'empathie. Peut-être parce que, dans son travail, il passait d'une histoire à une autre, la durée et la profondeur de son implication dépendant entièrement de l'intérêt du public et, par voie de conséquence, de son journal. C'était en partie la raison pour laquelle il avait décidé d'abandonner le journalisme et d'écrire des livres. Il espérait qu'en s'immergeant dans quelques affaires seulement il retrouverait sa sensibilité. Et se ferait peut-être en même temps un peu de fric. Il fallait simplement qu'il trouve le bon sujet, et il était convaincu qu'il le tenait avec Charlie Parker.

Wallace ne se rappelait pas le moment précis où il s'était persuadé qu'il y avait quelque chose de différent chez cet homme. Parker n'avait pas dépéri après la mort de sa femme et de sa fille. Il n'avait pas non plus participé à des émissions-débats l'après-midi à la télévision pour parler de sa souffrance et tenter de maintenir l'intérêt du public afin que la pression sur les enquêteurs ne faiblisse pas. Non, il avait pris une licence de détective privé et s'était mis à chasser, d'abord le meurtrier – celui qu'on surnommerait « le Voyageur » –, et d'autres ensuite. Il y avait là une histoire en soi, digne du supplément dominical : un homme perd sa femme et son enfant, assassinés par un tueur, il se met à traquer les tueurs, d'enfants ou autres. Il y avait tout ce qu'un public blasé pouvait désirer.

Sauf que Parker refusait d'en parler. Après la mort des siens, il avait décliné poliment – ou parfois même grossièrement – toute demande d'interview. Puis il était soudain réapparu et, cette fois, il essayait de ferrer un gros poisson : le Voyageur. Dans les années qui avaient suivi, Wallace et d'autres s'étaient rendu compte qu'il se passait quelque chose d'exceptionnel. Parker avait une sorte de don, mais pas un don qu'un homme sain d'esprit aurait souhaité avoir : il était attiré par le mal et, en retour, il attirait le mal. Et quand il l'avait trouvé, il le détruisait. C'était aussi simple – ou aussi complexe, selon l'angle de vue choisi – que ça, et Wallace n'était pas idiot, il savait qu'un homme ne peut pas faire ce que Parker avait fait sans subir de graves conséquences. Il travaillait maintenant dans un bar d'une ville du Nord-Est, il était séparé de sa compagne, il voyait une ou deux fois par mois l'enfant qu'ils avaient eue ensemble et vivait seul dans la grande maison sur laquelle Mickey Wallace braquait maintenant avec précaution sa lampe électrique.

Il était résolu à y entrer. À fouiller dans les tiroirs du bureau, ouvrir les dossiers des classeurs et des ordinateurs, voir où le sujet mangeait, s'asseyait, dormait. Il voulait marcher dans ses pas, parce que son but, c'était donner une voix à Parker, prendre ses mots, ses expériences, et les améliorer, forger de lui une nouvelle version plus grande que la somme de ses parties. Pour cela, Wallace devait *devenir* Parker, comprendre ce qui faisait son existence.

Et si Parker refusait finalement de coopérer ? Wallace s'efforçait de ne pas y penser. Le matin même, il en avait discuté avec son éditeur, qui ne lui avait pas caché sa préférence pour une collaboration de Parker. Ce n'était pas une cause de rupture de contrat, mais cela affecterait le nombre d'exemplaires imprimés et la nature de la publicité faite au livre. Le point de vue de l'éditeur se défendait, même s'il compliquait singulièrement la tâche de Wallace. N'importe qui était capable d'assembler des bouts de texte pris à droite et à gauche – pas aussi bien cependant que Wallace –, mais ce n'était pas pour ça qu'on signait un gros chèque. Il ne s'agissait pas seulement d'une question d'argent : il y avait là une histoire vraie, étrange, déroutante, et les mots pour l'écrire devaient venir de la bouche même du sujet. Wallace parviendrait à convaincre Parker, il en était sûr, ou presque sûr. En attendant, il avait commencé à prendre contact avec d'autres personnes susceptibles de lui accorder un entretien afin d'établir un dossier aussi détaillé que possible sur le sujet, parce que Wallace voulait en savoir plus sur Parker que Parker lui-même.

Sauf que les gens proches de l'ancien détective lui étaient aussi loyaux, et jusqu'ici Wallace n'avait obtenu en échange de ses efforts qu'une suite de rebuffades. Certes, il avait rendez-vous avec deux ou trois anciens policiers qui avaient connu Parker quand il était flic à New York, ainsi qu'avec un ex-capitaine de la police des polices convaincu – Wallace le tenait de source sûre – que le sujet aurait dû se trouver derrière les barreaux, avec ses petits copains. Ils intéressaient aussi Wallace, ces deux-là. Tout ce qu'il savait d'eux, c'étaient leurs prénoms : Angel et Louis. Le capitaine disait pouvoir l'aider également pour ces deux types, pas autant toutefois. Il parlerait uniquement si Wallace lui garantissait l'anonymat, mais il avait promis des photocopies de rapports d'enquête et des tuyaux qu'un bon journaliste comme lui n'aurait aucun mal à vérifier. C'était un début, mais Wallace voulait davantage.

Ses vêtements devenaient moites. La brume était une aubaine, parce qu'elle le dissimulait à un éventuel observateur passant en bas sur la route, et même quelqu'un qui monterait l'allée aurait du mal à voir sa voiture avant d'arriver à la maison. Wallace s'était garé sous un bosquet et personne, à moins de savoir qu'elle était là, ne repérerait la voiture. Même si Parker rentrait à l'improviste, il passerait devant sans la voir. Mais la brume était par ailleurs froide et humide, si épaisse qu'il avait l'impression de pouvoir en saisir une poignée, comme de la barbe à papa.

Dans la poche de son manteau, il avait un jeu de crochets de serrurier.

Il monta sur la véranda et, à tout hasard, essaya d'ouvrir la porte. Fermée. Il réfléchit, donna de l'épaule contre le panneau, qui trembla dans l'encadrement. Aucun signal d'alarme ne se déclencha. Encore un coup de chance à ajouter à l'absence des voisins et au fait que Parker semblait ne plus avoir de chien. Un peu avant de se faire virer du bar, Wallace avait entendu l'ancien privé en parler à l'un des barmen.

Il se porta vers la gauche, regarda à travers le carreau. Une veilleuse allumée dans la cuisine, au fond de la maison, éclairait faiblement la salle de séjour. La pièce semblait confortablement meublée et pleine de livres. À droite de la porte d'entrée, il y avait un petit bureau, avec un ordinateur entouré de paperasse. Wallace savait que Parker s'était rendu à New York récemment et se demandait pourquoi. Il fallait absolument qu'il lise ces papiers.

Après avoir gagné l'arrière de la maison, Wallace se tint dans le carré de lumière projeté par la veilleuse. Le brouillard y semblait plus épais et, quand il regarda derrière lui, il eut l'impression d'un mur de blancheur quasi impénétrable, obscurci par les arbres et les marécages, au-delà. Il frissonna. Essaya d'ouvrir la porte de derrière, là encore en vain. Pressa de nouveau son visage contre la vitre.

Quelque chose bougea à l'intérieur de la maison.

Il crut d'abord que c'était une lumière reflétée, ou le passage d'une voiture sur la route qui créait des ombres dans la pièce, cependant il n'avait entendu aucun bruit de moteur. Il cligna des yeux, s'efforça de se rappeler ce qu'il avait vu. Il n'avait pas de certitude, mais il pensait que c'était une femme, une femme vêtue d'une robe s'arrêtant juste au-dessous du genou. Pas le genre de robe qu'on porterait à cette période de l'année. Une robe d'été.

Wallace songea à partir puis se rendit compte qu'une occasion s'offrait peut-être à lui de pénétrer chez Parker sans avoir à enfreindre la loi. S'il y avait quelqu'un dans la maison, il pouvait se présenter comme un ami de l'ancien détective. On lui proposerait peut-être un café ou un verre, et une fois qu'il serait dans la place, on l'en chasserait difficilement. On se débarrassait plus facilement de cafards que d'un Mickey Wallace déterminé à poser ses questions.

— Il y a quelqu'un ? appela-t-il. Je suis un ami de M. Parker. Pourriez-vous…

La lumière s'éteignit dans la cuisine. Sa stupeur fut si vive qu'il recula, effrayé, des points dansant devant ses yeux jusqu'à ce qu'ils se soient accoutumés à l'obscurité totale. Il se ressaisit, prit une inspiration. Il valait peut-être mieux partir. Il ne voulait pas que la femme prenne peur et prévienne les flics. Il s'approcha quand même une dernière fois de la porte, prudemment. De la torche électrique qu'il serrait dans sa main droite, il tapota l'encadrement et se pencha vers le carreau, la main gauche en visière au-dessus des yeux.

La femme se tenait dans l'embrasure séparant la cuisine de la salle de séjour. Les bras le long du corps, elle le regardait. Wallace distinguait la forme de ses jambes à travers le mince tissu de la robe, mais son visage demeurait dans l'ombre.

— Désolé, s'excusa-t-il d'une voix forte, je ne voulais pas vous faire peur. Mon nom est Michael Wallace, je suis écrivain. Je vous glisse ma carte sous la porte, vous verrez que vous n'avez rien à craindre.

Il s'agenouilla et fit ce qu'il avait annoncé. Quand il se redressa, la femme avait disparu.

— Madame ?

Quelque chose de blanc apparut à ses pieds. Sa carte. Elle la lui avait renvoyée.

Bon Dieu, elle est près de la porte, pensa-t-il. Elle se cache près de la porte.

— Je veux juste vous parler…

Allez-vous-en.

Un moment, il pensa avoir mal entendu. Les mots avaient été prononcés clairement, mais il avait eu l'impression qu'ils venaient de derrière lui. Il se retourna, ne vit que la brume. Il colla de nouveau son visage au carreau pour tenter d'apercevoir la femme qui se cachait à l'intérieur. Il crut presque la voir, tache sombre sur le sol. Qui est-ce ? se demanda-t-il. L'ancienne compagne de Parker était censée être dans le Vermont, pas dans cette maison. Wallace avait l'intention d'aller là-bas aussi, dans les prochaines semaines, pour lui parler. De toute façon, ils étaient séparés, elle n'avait aucune raison d'être là, et encore moins de se cacher si c'était elle.

Quelque chose commença à le tourmenter, à le mettre mal à l'aise. Il tenta de chasser cette chose de son esprit, n'y parvint que partiellement. Il la sentait tapie au bord de sa conscience, comme la femme accroupie près de la porte dans l'obscurité, présence indésirable à laquelle il redoutait d'accorder pleinement son attention.

— S'il vous plaît, quelques mots seulement sur M. Parker…

Michael.

La voix, de nouveau, cette fois plus proche. Il crut sentir une haleine sur sa nuque, se dit que ce n'était que le vent soufflant de la mer, sauf qu'il n'y avait pas de vent. Haletant, il fit volte-face. La brume pénétrant dans ses poumons le fit tousser, un goût de neige et de sel lui emplit la bouche. Il n'aimait pas la façon dont la voix avait prononcé son prénom. Il ne l'aimait pas du tout. Il y avait décelé une trace de moquerie, une menace implicite. Il se sentait comme un enfant récalcitrant grondé par sa nounou, sauf que…

Sauf que c'était une voix d'enfant qui avait parlé.

— Qui est là ? cria-t-il. Montrez-vous !

Il n'y eut ni réponse ni mouvement, du moins pas devant lui. Puis il sentit quelque chose remuer derrière lui. Lentement, il tourna la tête.

La femme se tenait de nouveau dans la cuisine, à mi-chemin entre la porte de derrière et le seuil du séjour, mais elle manquait nettement de… de substance. Elle ne projetait aucune ombre, déformant au lieu de la bloquer le peu de lumière qui entrait par le carreau, comme un long pan de voile à forme humaine.

Allez-vous-en.

S'il vous plaît.

Ce furent ces derniers mots qui eurent finalement raison de lui. Il les avait déjà entendus, prononcés de la même façon, avant qu'un flic projette un malfrat par terre ou qu'un videur de boîte de nuit se déchaîne brutalement sur un ivrogne. Un dernier avertissement formulé en termes polis. Wallace changea de position pour voir à la fois la porte et le brouillard, puis commença à battre en retraite vers le coin de la maison.

Parce que l'ombre qui le troublait venait de prendre une forme reconnaissable alors même qu'il tentait d'en nier la réalité.

Une femme et un enfant. Une voix de petite fille. Une femme en robe d'été. Wallace avait déjà vu cette robe, c'était celle que portait la femme de Parker sur les photos distribuées à la presse après sa mort.

Dès qu'il fut hors de vue, il se mit à courir. Il glissa et tomba lourdement, trempant son pantalon et enfonçant ses bras dans la neige jusqu'aux coudes. Il gémit en se relevant, se brossa de la main. Il était encore en train de se nettoyer sommairement quand il entendit un bruit derrière lui. Légèrement étouffé par la brume, mais clairement identifiable.

Le bruit de la porte de derrière qui s'ouvrait.

Wallace se remit à courir. Quand il aperçut sa voiture, il tira les clés de sa poche, pressa le bouton de déverrouillage pour allumer les feux. S'arrêta net et sentit son estomac se révulser.

De l'autre côté de la voiture, un enfant, une petite fille, le regardait fixement à travers la vitre du passager. La main gauche plaquée contre le verre, elle traçait de l'index de la main droite des traits dans la buée. Wallace ne pouvait pas distinguer son visage, mais il savait instinctivement qu'il ne l'aurait pas mieux vu s'il avait été à vingt centimètres d'elle au lieu de plusieurs mètres. Elle était aussi peu substantielle que le brouillard qui l'entourait.

— Non, murmura-t-il en secouant la tête, non.

Derrière lui, la neige dure craqua, comme si une forme invisible s'approchait de lui, mais Wallace savait que, s'il se retournait vers la maison, il ne verrait que l'empreinte de ses propres pas.

— Oh, mon Dieu…

Déjà la petite fille reculait dans la brume, la main levée en un geste d'adieu moqueur. Wallace saisit sa chance en se ruant vers la voiture. Il ouvrit la portière, la claqua derrière lui, appuya aussitôt sur le bouton intérieur de verrouillage. Malgré sa peur, ses doigts ne tâtonnèrent pas quand il démarra et il déboîta dans l'allée, sans regarder ni à gauche ni à droite. Il regagna la route à vive allure, tourna à droite, retraversa le pont en direction de Scarborough tandis que ses phares tentaient de percer le brouillard. Des maisons apparurent, puis les lumières rassurantes des entreprises le long de la Route 1. Ce fut seulement quand il approcha de la station-service qu'il ralentit. Il s'engagea sur le parking, s'arrêta, se laissa retomber contre le dossier de son siège et s'efforça de calmer sa respiration.

Lorsque le feu changea de couleur au croisement, l'attention de Wallace fut attirée vers la vitre côté passager, et ce qui lui avait paru n'être qu'un dessin tracé au hasard prit une forme définie.

Sur le verre, une main avait écrit :

LAISSEZ MON PAPA TRANQUILLE

Wallace fixa un moment la vitre puis appuya sur le bouton pour la faire descendre et détruire le message. Une fois sûr de l'avoir effacé, il retourna à son motel et alla droit au bar. Après une double vodka, il se sentit capable de mettre ses notes à jour et s'autorisa un second verre pour faire cesser le tremblement de ses mains.

Cette nuit-là, Mickey Wallace dormit fort mal.

15

Je découvris la carte de Wallace le lendemain après-midi seulement, quand j'ouvris la porte de derrière pour sortir la poubelle. Elle était sur la marche, collée au ciment par le gel. Je rentrai et l'appelai sur son portable depuis mon bureau.

Il répondit à la deuxième sonnerie.

— Mickey Wallace.

— Charlie Parker à l'appareil.

Il resta un moment silencieux, et lorsqu'il répondit, il paraissait mal à l'aise. En vrai pro, il se ressaisit toutefois rapidement.

— Monsieur Parker, j'allais justement vous téléphoner. Vous avez considéré mon offre ?

— J'y ai réfléchi et j'aimerais vous voir.

— Formidable.

La surprise avait fait monter sa voix d'une octave, mais elle retrouva aussitôt son timbre habituel.

— Où et quand ?

— Chez moi, disons dans une heure. Vous savez où c'est ?

— Non, répondit-il après une pause. Vous pouvez m'indiquer le chemin ?

Mes explications furent complexes et détaillées, mais je savais qu'il ne prendrait pas la peine de les noter.

— Vous avez compris ? demandai-je lorsque j'eus terminé.

— Je crois.

Je l'entendis boire.

— Vous voulez qu'on vérifie ?

Il avala de travers. Quand il eut fini de tousser, il répondit :

— Non, pas la peine.

— Si vous êtes sûr…

— Merci, monsieur Parker. À tout de suite.

Je raccrochai, descendis l'allée et repérai les traces de pneus sous les arbres. Si c'était Wallace qui s'était garé là, il était reparti en trombe, ses roues creusant la couche de neige au point de révéler la terre qu'elle recouvrait. Je retournai dans mon bureau et lus le *Portland Press Herald* et le *New York Times* jusqu'à ce que j'entende une voiture dans l'allée. La Taurus bleue de Wallace apparut. Il ne se gara pas au même endroit que la veille et roula jusqu'à la maison. Je le regardai descendre, prendre sa serviette sur le siège passager, tapoter ses poches pour vérifier qu'il avait un stylo de rechange. Une fois certain que tout était en ordre, il ferma les portières de la voiture.

Sans attendre qu'il frappe, j'ouvris la porte et lui expédiai mon poing dans le ventre. Il tomba à genoux, se plia et eut un haut-le-cœur.

— Lève-toi.

Il resta par terre. Il avait peine à recouvrer son souffle et je crus qu'il allait vomir sur ma véranda.

— Ne me frappez plus.

C'était une supplique, pas une mise en garde, et je me sentis embarrassé.

— D'accord.

Je l'aidai à se relever. Il s'assit sur la balustrade et, les mains sur les genoux, prit le temps de récupérer. Planté en face de lui, je regrettais mon geste. J'avais laissé ma colère monter et je l'avais déversée sur un homme qui ne faisait pas le poids contre moi.

— Ça va ?

Il acquiesça d'un hochement de tête, mais il était livide.

— Pourquoi vous avez fait ça ?

— Vous le savez parfaitement. Parce que vous vous êtes introduit chez moi. Parce que vous avez été assez con pour laisser tomber votre carte.

— Je ne l'ai pas laissée tomber.

— Vous l'avez déposée par terre devant la porte de derrière pour que je la retrouve ? Ça ne paraît pas très vraisemblable.

— Je l'ai glissée sous la porte pour la femme qui était chez vous hier soir, mais elle me l'a retournée aussi sec.

Je détournai les yeux et vis des arbres squelettiques parmi les sapins, et les canaux des marais salants brillant d'un éclat froid. Je vis un unique corbeau noir perdu dans le gris du ciel.

— Quelle femme ?

— Une femme en robe d'été. J'ai essayé d'engager la conversation, elle n'a pas répondu.

Je me tournai de nouveau vers lui et il évita mon regard. Il me servait sa version de la vérité en omettant un élément essentiel. Il cherchait à se protéger, mais pas de moi. Mickey Wallace était terrifié, je le voyais dans la façon dont ses yeux revenaient sans cesse à un point situé derrière la fenêtre de ma salle de séjour. Je ne sais pas ce qu'il s'attendait à découvrir mais, quoi que ce puisse être, il semblait content de ne pas le voir apparaître.

— Dites-moi ce qui s'est passé.

— Je me suis approché de la maison. Je pensais que vous y seriez mieux disposé qu'au bar pour une discussion.

Je savais qu'il mentait, mais je ne l'interrompis pas. Je voulais entendre ce qu'il avait à dire sur les événements de la veille.

— J'ai vu de la lumière, j'ai fait le tour de la maison. Il y avait une femme, derrière. J'ai glissé ma carte sous la porte, elle me l'a renvoyée et puis…

Il se tut.

— Continuez.

— J'ai entendu une petite fille. Elle, elle était dehors. Je crois que la femme l'a rejointe après, mais je n'en suis pas sûr, je n'ai pas regardé.

— Pourquoi vous n'avez pas regardé ?

— J'ai préféré partir.

Son visage et ces mots en disaient long.

— Choix judicieux. Beaucoup plus que votre décision de venir fouiner chez moi.

— Je voulais juste voir où vous vivez. Je n'avais aucune mauvaise intention.

— Bien sûr.

Il prit quelques profondes inspirations et, quand il fut certain de ne pas vomir, il se redressa de toute sa hauteur.

— Qui c'était ?

À mon tour de mentir :

— Une amie. Une amie et sa fille.

— La fille de votre amie a l'habitude de traîner dehors dans la neige et d'écrire sur les vitres ?

— De quoi vous parlez ?

Wallace avala péniblement sa salive. Sa main droite tremblait, la gauche était enfoncée dans la poche de son manteau.

— J'ai trouvé quelque chose d'écrit sur une vitre quand je suis retourné à ma voiture. « Laissez mon papa tranquille. »

Je dus faire appel à tout mon sang-froid pour ne pas me trahir. J'avais une envie presque irrésistible de lever les yeux vers la lucarne du grenier, car je me souvenais d'un message qu'on avait écrit sur le carreau, un avertissement laissé par une entité qui n'était pas tout à fait ma fille. Mais la maison ne me parut pas comme avant. Elle n'était plus hantée par la colère et le chagrin. Avant, je sentais leur présence dans le mouvement des ombres, les craquements des parquets, dans le grincement des portes qui se fermaient lentement alors qu'il n'y avait pas de courant d'air, dans les petits coups frappés aux fenêtres là où il n'y avait pas de branches pour toucher le carreau. Maintenant, la maison était en paix… mais, si Wallace disait la vérité, quelque chose était revenu.

Je me souvins que ma mère m'avait dit, quelques années après la mort de mon père, que la veille du jour où on avait porté son corps à l'église elle avait rêvé qu'une présence dans sa chambre l'éveillait et qu'elle avait cru sentir son mari près d'elle. Dans un coin de la pièce, il y avait un fauteuil sur lequel il s'asseyait tous les soirs pour finir de se déshabiller. Il enlevait ses chaussures et ses chaussettes, restait quelquefois un moment immobile, les pieds nus fermement plantés sur la moquette, le menton reposant sur les paumes de ses mains, et réfléchissait à la journée sur le point de s'achever. Dans le rêve de ma mère, il était de nouveau dans son fauteuil, pourtant elle ne le voyait pas vraiment. Quand elle braquait son attention sur la forme assise dans le coin, elle ne distinguait qu'un fauteuil mais, quand elle détournait les yeux, une forme changeait de position à la limite de son champ de vision. Elle aurait dû être effrayée, elle ne l'était pas. Dans son rêve, ses paupières devenaient lourdes. Comment mes paupières peuvent-elles être lourdes alors que je dors encore ? se demandait-elle. Elle avait beau lutter, le besoin de sommeil était trop fort.

Juste avant de perdre conscience, une main avait touché son front, des lèvres avaient effleuré sa joue, et elle avait éprouvé le chagrin et le sentiment de culpabilité de mon père. Je crois qu'elle avait peut-être commencé alors à lui pardonner ce qu'il avait fait. Pendant le reste de la nuit, elle avait dormi d'un sommeil paisible et profond et, le lendemain, elle n'avait pas pleuré quand on avait récité pour lui les dernières prières, quand on avait mis son corps en terre. Le drapeau replié posé sur ses mains, elle avait souri tristement pour son homme perdu et une seule larme s'était écrasée dans la poussière, telle une étoile tombée du ciel.

— La fille de mon amie vous a joué un tour, expliquai-je.

— Vraiment ? répliqua Wallace sans chercher à cacher son scepticisme. Elles sont encore là ?

— Non. Elles sont parties.

Il n'insista pas.

— C'est moche, ce que vous avez fait, me reprocha-t-il. Vous frappez toujours sans prévenir ?

— L'influence du boulot. Si j'avais prévenu certains types que j'allais leur taper dessus, ils m'auraient frappé avant. Un avertissement a tendance à affaiblir l'impact du coup.

— Vous savez quoi ? En ce moment, je regrette que personne n'ait réussi à vous descendre.

— Au moins, vous êtes franc.

— C'est pour ça que vous m'avez fait venir ? Pour m'enjoindre une fois de plus de vous laisser tranquille ?

— Il fallait que vous l'entendiez de vive voix et ailleurs que dans un bar. Je ne vous aiderai pas pour votre bouquin. En fait, je ferai tout ce qui est en mon pouvoir pour qu'il ne dépasse jamais le stade de griffonnages dans votre carnet.

— Vous me menacez ?

— Monsieur Wallace, vous vous souvenez du client du Bear qui discutait des mobiles possibles des extraterrestres kidnappeurs ?

— Absolument. Je l'ai même rencontré de nouveau hier. Il m'attendait sur le parking de mon motel. Vous l'aviez envoyé, je suppose.

Jackie. J'aurais dû me douter qu'il prendrait une initiative mal inspirée pour m'aider. Je me demandai combien de temps il avait rôdé dans les parkings des motels de la ville à la recherche de la voiture de Wallace.

— Non, répondis-je. Mais c'est le genre de gars difficilement contrôlable et il a deux potes à côté de qui il fait figure d'agnelet. Deux frères. Il y a des prisons où on ne veut pas les revoir parce qu'ils font peur aux autres détenus.

— Et alors ? Vous allez lâcher vos copains sur moi ? Tu parles d'un dur.

— Si je tenais vraiment à vous arranger le portrait, je le ferais moi-même. Il y a d'autres moyens pour régler le genre de problème que vous posez.

— Je ne suis pas un problème, je veux seulement raconter votre histoire. Je m'intéresse à la vérité.

— La vérité, je ne la connais pas. Si je ne l'ai pas trouvée après tant d'années, vous n'y réussirez pas non plus.

Il plissa les yeux d'un air rusé et son visage reprit des couleurs. J'avais commis une erreur en engageant la discussion avec lui. Il était comme un évangéliste qui fait du porte-à-porte pour dénicher un malheureux disposé à débattre de théologie avec lui.

— Mais je peux vous aider, affirma-t-il. Je suis extérieur à tout ça, je peux apprendre des choses qu'on ne vous confierait pas. Et elles ne figureraient pas nécessairement toutes dans le livre. Vous aurez un contrôle total de votre image.

— De mon image ?

Se rendant compte qu'il avait pris une mauvaise direction, il s'empressa de faire machine arrière.

— Juste une façon de parler. Je voulais dire que c'est *votre* histoire. Pour qu'elle soit bien racontée, elle doit l'être avec vos mots.

— C'est là que vous faites erreur. Mon histoire n'a pas besoin d'être racontée. Ne remettez plus les pieds chez moi, ni là où je travaille. Vous savez sûrement que j'ai un enfant. Sa mère refusera de vous parler, je peux vous l'assurer. Si vous essayez de les joindre, si vous les croisez simplement dans la rue et que vous tentez d'attirer leur attention, je vous tue et je balance votre dépouille dans le désert.

Le visage de Wallace se durcit et je vis se révéler la force intérieure de cet homme. Instantanément, j'éprouvai une grande lassitude. Il n'allait pas disparaître dans la nuit d'un coup de baguette magique.

— Laissez-moi vous raconter quelque chose, monsieur Parker.

Il prononça le nom d'un acteur célèbre dont la vie privée – principalement ses pratiques sexuelles supposées – avait fait l'objet de nombreuses rumeurs.

— Il y a deux ans, poursuivit-il, j'ai accepté d'écrire une biographie non autorisée de cet homme. Toutes ces conneries hollywoodiennes ne sont pas mon rayon, mais l'éditeur avait entendu parler de mes talents et c'était bien payé étant donné le sujet. Ce type était l'un des hommes les plus influents de Hollywood. Ses sbires ont menacé de me ruiner, de me faire perdre ma réputation, voire l'usage de mes membres, mais ce livre doit sortir dans six mois et je n'ai pas un mot à en retirer. Peu importe qu'il ait refusé de coopérer. J'ai trouvé des gens prêts à jurer que sa vie entière est un mensonge. Vous avez commis une erreur en me frappant. C'est le geste d'un homme qui a peur. Ne serait-ce que pour cette raison, je fouillerai dans tous les sales petits coins de votre vie, je trouverai des choses dont vous ne connaissez même pas l'existence. Je les mettrai dans mon livre et vous apprendrez peut-être quelque chose sur vous en le lisant ; en tout cas, vous apprendrez qui est Mickey Wallace. Et si vous levez encore la main sur moi, on se retrouvera au tribunal, pauvre con.

Là-dessus, Wallace fit volte-face et retourna péniblement à sa voiture.

Et merde, me dis-je.

Aimee Price passa plus tard dans la soirée, après que j'eus laissé pour elle à son bureau un message relatant l'essentiel de ce qui était arrivé depuis que Wallace avait fait son apparition au Bear. Elle refusa le café que je lui proposai, me demanda si j'avais une bouteille de vin débouchée. Je n'en avais pas, mais je me fis un plaisir d'en ouvrir une pour elle. C'était le moins que je pouvais faire.

— Bon, dit-elle après avoir goûté le vin avec précaution et décidé qu'il ne lui donnerait pas de convulsions, comme ce n'est pas trop mon domaine, je me suis renseignée et voici où nous en sommes en termes juridiques pour ce bouquin. En tant que sujet d'une biographie non autorisée, vous pourriez engager des poursuites pour diverses raisons – diffamation, détournement du droit à l'information, abus de confiance –, mais le motif le plus évident dans votre cas serait violation de vie privée. Vous n'êtes pas un personnage public, comme un acteur ou un homme politique, vous avez droit à une vie privée. Droit à ce que ne soient pas amenés au jour des faits qui pourraient se révéler embarrassants pour vous – à condition qu'ils ne relèvent pas de la sphère publique –, droit à ce qu'on ne répande pas sur vous des déclarations ou des allusions fallacieuses, à ce qu'on ne fasse pas intrusion dans votre vie, y compris sur le plan physique, en pénétrant chez vous.

— Ce qu'a fait Wallace.

— Oui, mais il pourrait arguer que, la première fois, il est venu pour discuter et qu'il a laissé sa carte, et que la seconde fois, d'après ce que vous m'avez dit, c'était sur votre invitation.

Je haussai les épaules : elle avait raison.

— Comment ça s'est passé, la deuxième fois ? demanda-t-elle.

— Ça aurait pu aller mieux.

— C'est-à-dire ?

— Je dirais, après réflexion, que j'ai eu tort de lui mettre mon poing dans le ventre.

— Charlie… soupira-t-elle.

Elle avait l'air sincèrement déçue et j'eus encore plus honte de moi. Dans un effort pour me racheter, je rapportai ma conversation avec Wallace de manière aussi détaillée que je pus, sans faire toutefois mention de la femme et de l'enfant qu'il prétendait avoir aperçus.

— Vous êtes en train de me dire que votre ami Jackie l'a menacé, lui aussi ?

— Je ne le lui ai pas demandé. Il a probablement cru qu'il me rendait service.

— Au moins, il a fait montre de plus de maîtrise de soi que vous. Wallace pourrait vous accuser de voies de fait, mais je pense qu'il n'en fera rien. Manifestement, il veut écrire son livre et ce désir prendra le pas sur toute autre préoccupation, si vous ne l'avez pas trop amoché.

— Il est reparti sur ses jambes.

— Vous connaissant, il peut s'estimer heureux.

J'encaissai. Je n'étais pas en position de discuter.

— Où ça nous mène ? demandai-je.

— Vous ne pouvez pas l'empêcher d'écrire ce livre. Comme il l'a lui-même souligné, une bonne partie de son contenu est déjà du domaine public. Ce que nous pouvons faire, c'est demander, ou nous procurer par d'autres moyens, un exemplaire du manuscrit et le passer au peigne fin pour y chercher des propos diffamatoires, des violations flagrantes de votre vie privée.

Nous pourrons alors essayer d'obtenir d'un tribunal une interdiction de publication, mais je dois vous prévenir que les juges rechignent généralement à ce genre de décision, par respect pour le Premier Amendement. Le mieux que nous puissions espérer, ce seraient des dommages et intérêts. L'éditeur a probablement fait insérer une clause « Indemnités » dans le contrat de Wallace, à supposer qu'un contrat ait officiellement été signé. De plus, si tout a été fait dans les règles, une police d'assurance couvre sans doute ce type de risques. Autrement dit, non seulement nous n'empêcherons pas le cheval de filer, mais nous n'arriverons vraisemblablement même pas à refermer à moitié la porte de l'écurie derrière lui.

Je me renversai en arrière et fermai les yeux.

— Vous êtes sûr que vous ne voulez pas boire un peu de vin, vous aussi ?

— Certain, dis-je. Si je commence, je ne pourrai pas m'arrêter.

— Désolée. Je vais encore me renseigner pour voir si d'autres possibilités s'offrent à nous, mais je n'ai pas beaucoup d'espoir. Et, Charlie…

J'ouvris les yeux.

— Ne le menacez plus. Gardez simplement vos distances. S'il revient à la charge, dérobez-vous. Ne vous laissez pas entraîner dans une confrontation. Le conseil vaut aussi pour vos amis, indépendamment de leurs bonnes intentions.

— Ça pourrait quand même poser un sacré problème.

— Comment ça ?

— Angel et Louis.

J'avais suffisamment parlé d'eux à Aimee pour qu'elle se fasse une idée, même approximative, dudit problème.

— Si Wallace se met à fouiner, il pourrait tomber sur leurs noms. Et là, je ne garantis plus rien.

— Ils ne sont pas du genre à laisser des traces, objecta-t-elle.

— Peu importe. Ça ne leur plaira pas. À Louis, surtout.

— Alors, prévenez-les.

Je réfléchis.

— Non. On verra bien.

— Vous êtes sûr que c'est une bonne idée ?

— Pas vraiment, mais Louis croit aux mesures préventives. Si je lui dis que Wallace pourrait poser des questions dérangeantes à son sujet, il va conclure à tous les coups qu'il vaudrait mieux que Wallace ne pose pas de questions du tout.

— Je vais faire comme si je n'avais rien entendu, dit Aimee.

Elle vida son vin d'un trait, parut se demander si un verre de plus suffirait à effacer le souvenir de ce que je venais de dire.

— Seigneur Dieu, comment vous avez fait pour vous retrouver avec des amis pareils ?

— Je ne sais pas, répondis-je, mais je doute que Dieu y soit pour grand-chose.

16

Mickey Wallace quitta Portland tôt le lendemain matin. Il bouillonnait d'une rage à peine contrôlable qui ne lui était pas familière, car il se mettait rarement en colère, mais sa rencontre avec Parker, conjuguée aux efforts de son ami néandertalien pour l'effrayer, l'avait totalement transformé. Il avait l'habitude que des avocats cherchent à l'intimider ; on l'avait poussé contre un mur et menacé de représailles plus graves à au moins deux reprises, mais cela faisait des années que personne ne l'avait frappé. La dernière fois qu'il avait été mêlé à quelque chose ressemblant à une vraie bagarre, Wallace était encore au lycée et il avait placé un coup heureux qui avait fait sauter une des dents de son adversaire. Il regrettait de ne pas avoir réussi à infliger à Parker le même traitement et, en prenant la navette à Logan, il faisait défiler dans son esprit des scénarios où c'était lui qui mettait à genoux l'ancien détective et l'humiliait. Il s'en délecta quelques minutes puis les chassa de sa tête. Il y aurait d'autres moyens de faire payer à Parker ce qu'il avait fait, en premier lieu en achevant ce livre, dans lequel il allait mettre tout son cœur et, pensait-il, sa réputation.

Il était encore bouleversé par ses mésaventures chez Parker. Contrairement à ce qu'il espérait, ses réactions – sa peur, sa confusion – n'avaient rien perdu de leur intensité. Il continuait à mal dormir et, la première nuit après la rencontre, il s'était réveillé à quatre heures et trois minutes précisément, persuadé qu'il n'était pas seul dans sa chambre de motel. Il avait appuyé sur l'interrupteur de la lampe de chevet, dont l'ampoule, à basse consommation, s'était lentement allumée, éclairant une bonne partie de la pièce mais laissant les coins dans l'ombre, ce qui lui avait donné l'impression perturbante que l'obscurité n'avait fait place à la lumière qu'à contrecœur et dissimulait la présence qu'il avait sentie quelque part à l'extérieur du cercle lumineux. Il se rappela la femme accroupie derrière la porte de la cuisine, l'enfant traçant du doigt un message sur la vitre de sa voiture. Il aurait dû distinguer leurs visages, mais il ne l'avait pas pu, et quelque chose lui disait qu'il devait en être reconnaissant. Il y avait une raison à cela.

Parce que le Voyageur les avait ravagés, voilà pourquoi, parce qu'il n'avait laissé que du sang, des os et des orbites vides. Et tu n'as pas besoin de voir ça, ah non, parce que cette image resterait dans ta tête jusqu'à ce que tes yeux se ferment pour la dernière fois et qu'on recouvre d'un drap ton propre visage. Personne ne peut contempler une telle sauvagerie sans en être marqué à jamais.

Si en plus cette sauvagerie s'est exercée sur des êtres chers, ta femme, ton enfant...

Une amie et sa fille, en visite : c'était l'explication que Parker avait fournie, mais Mickey Wallace n'y avait pas cru une seconde. Oh, c'étaient bien des visiteuses, mais pas de celles qui dorment dans la chambre d'amis et jouent au Monopoly pendant les longues soirées d'hiver. Il ne saisissait pas encore leur nature, il n'avait pas décidé de les inclure ou non dans le manuscrit qu'il rendrait à son éditeur. Probablement pas. En insérant dans son texte une histoire de fantômes, il risquerait de saper la base factuelle de son travail. Pourtant, ce qu'avaient subi cette femme et cette enfant constituait le cœur même du livre. Wallace avait toujours considéré Parker comme un homme hanté par ce qui était arrivé à sa femme et à sa fille, mais pas au sens littéral du terme. Était-ce la réponse ? Les formes qu'il avait cru voir hantaient-elles véritablement Parker ?

Il ajouta ces réflexions à ses notes.

Wallace descendit dans un hôtel proche de Penn Station, le piège à touristes typique, composé d'un dédale de chambres minuscules occupées par des Asiatiques bruyants mais polis et des familles de ploucs déterminés à visiter New York pour pas cher.

En fin d'après-midi, il pénétra dans ce qui était – selon ses critères et ceux de la plupart des gens qui n'étaient pas des clodos – un véritable bouge et il se demanda ce qu'il pouvait commander sans mettre sa santé en péril. Il avait envie d'un café mais, dans ce genre d'endroit, boire du café pour toute autre raison qu'une gueule de bois à faire passer en urgence ferait froncer les sourcils, voire soupçonner des penchants homosexuels. D'ailleurs, pensait Wallace, le simple fait de se laver les mains après être allé aux toilettes devait paraître suspect dans ce bar.

Il y avait un menu à côté de lui, et les plats du jour écrits à la craie sur un tableau noir auraient aussi bien pu l'être en araméen, tant ils semblaient là depuis longtemps. De toute façon, personne ne mangeait. Personne ne faisait quoi que ce soit, en réalité, parce que Wallace était seul dans la salle, exception faite pour le barman, qui avait dû se nourrir exclusivement d'hormones de croissance ces dix dernières années. Son corps présentait des renflements là où il n'y en a pas normalement. Il en avait même sur sa tête chauve, comme si le sommet de son crâne avait lui aussi développé des muscles pour ne pas se sentir exclu.

— Qu'est-ce que je vous sers ? s'enquit-il d'une voix plus aiguë que ce à quoi Wallace s'attendait.

Il se demanda si c'était à cause des stéroïdes. Il y avait des bosses bizarres sur la poitrine du barman, comme si de nouveaux seins lui avaient poussé. Il était si bronzé qu'il se fondait presque dans les boiseries et la crasse du lieu. Pour Wallace, il ressemblait à un bas fourré de ballons de rugby.

— J'attends quelqu'un.

— Ben, consommez en attendant. Voyez ça comme le loyer du tabouret.

— Endroit sympathique, commenta Wallace.

— Si c'est de la sympathie que vous cherchez, appelez SOS Amitié. Ici, c'est la vraie vie.

Wallace commanda une bière light. Il buvait rarement avant la fin de la journée, et même le soir il se limitait à une bière ou deux, la nuit de la visite chez Parker ayant été exceptionnelle, à ce titre et à beaucoup d'autres. Il n'avait pas envie d'une bière et la simple idée d'en prendre une lui soulevait le cœur, mais il n'allait pas offenser un type capable de le retourner comme un gant et de le remettre à l'endroit avant même qu'il se rende compte de ce qui se passait. La bière arriva. Wallace la fixa et elle soutint son regard.

Sa mousse retomba, comme en réaction au manque d'enthousiasme du client.

La porte s'ouvrit, un homme entra. Il était grand, avec la musculature naturelle d'un type qui n'a jamais éprouvé le besoin d'utiliser des stimulants de croissance plus puissants que la viande et le lait. Il portait un long manteau bleu qu'il avait laissé ouvert, révélant une panse rebondie. Ses cheveux étaient courts, très blancs, son nez rougi et pas seulement par le vent froid. Wallace pensa qu'il avait fait le bon choix en commandant une bière.

— Hé, voilà le capitaine ! s'exclama le barman. Ça fait une paye…

Il tendit une main que le nouveau venu serra avec chaleur tout en assenant une tape au biceps proéminent du barman.

— Salut, Hector. Je vois que tu prends toujours cette merde.

— Pour rester mince et costaud, capitaine.

— Ouais, mais tu as des nichons, maintenant, et tu dois te raser les poils du dos deux fois par jour, j'imagine.

— Je vais peut-être les laisser pousser, pour donner à toutes les meufs qui sont après moi de quoi s'accrocher.

— Tu es un obsédé, Hector.

— Et fier de l'être. Qu'est-ce que je vous sers ? Le premier est offert par la maison.

— C'est sympa de ta part, Hector. Un Redbreast, si ça ne te dérange pas, pour chasser le froid de mes os.

L'homme longea le comptoir jusqu'à l'endroit où l'écrivain était assis.

— Vous êtes Wallace ?

L'ancien journaliste se leva. Avec son mètre soixante-dix-huit, il faisait une bonne tête de moins que le nouveau venu.

— Capitaine Tyrrell, je vous remercie d'avoir accepté de me voir.

— Après le verre de notre ami Hector, les tournées seront pour vous, prévint l'ancien policier.

— Pas de problème.

Hector plaça un grand verre de whisky que n'édulcoraient ni eau ni glace à côté de la main gauche de Tyrrell. Le capitaine indiqua un box contre le mur du fond.

— On porte nos verres là-bas. Z'avez mangé ?

— Non.

— Ils font de bons hamburgers, ici. Vous aimez les hamburgers ?

Wallace doutait qu'on fasse quoi que ce soit de bon dans ce bar, mais il eut la sagesse d'accepter.

— Oui. Un hamburger, très bien.

Tyrrell leva une main et cria la commande à Hector : deux hamburgers, à point, avec les garnitures. À point, pensa Wallace, affolé. Il l'aurait préféré calciné, pour détruire toutes les bactéries qui auraient pu y élire domicile. Il ne pensait pas être immunisé contre la bidoche qu'on s'apprêtait à leur servir.

Hector tapa la commande sur une caisse enregistreuse étonnamment moderne dont il se servait avec la maladresse d'un singe.

— Wallace : un nom irlandais, hein ? dit Tyrrell.

— Je suis moitié irlandais, moitié belge.

— Quel mélange !

— L'Europe. La guerre.

Le visage du capitaine se plissa, dégoulinant de sentimentalité.

— Mon grand-père a servi en Europe. Dans les Royal Irish Fusiliers. Il a chopé une balle pour sa peine.

— C'est triste.

— Oh, il n'est pas mort. Mais on a dû lui amputer la jambe au-dessous du genou. On n'avait pas de prothèses à l'époque, ou pas comme maintenant. Il attachait sa jambe de pantalon tous les matins avec une épingle. Je crois qu'il en était fier.

Tyrrell leva son verre en direction de Wallace.

— *Sláinte.*

— Santé, répondit l'écrivain.

Il but une gorgée de bière. Par bonheur, elle était si froide qu'il en sentit à peine le goût. Il plongea une main dans sa serviette, y prit un carnet et un stylo.

— Droit aux choses sérieuses, fit observer Tyrrell.

— Si vous préférez attendre…

— Non, c'est bon.

Wallace tira de la poche de son blouson un petit magnétophone numérique et le montra à Tyrrell.

— Cela vous dérange si…

— Oui, cela me dérange. Rangez votre truc. Ou mieux, enlevez les piles et laissez-le là où je peux le voir.

Wallace s'exécuta. Cela lui compliquerait la tâche, mais il avait une assez bonne pratique de la sténo et une excellente mémoire. De toute façon, il ne citerait pas directement Tyrrell. L'entretien porterait sur des informations d'ordre général, Tyrrell avait été clair sur ce point quand il avait accepté de le rencontrer. Si son nom venait à apparaître quelque part dans le livre, il avait très simplement détaillé ce qui se passerait ensuite : il écraserait les doigts de l'ancien journaliste à coups de talon jusqu'à ce qu'ils ressemblent à des tire-bouchons.

— Parlez-moi un peu de ce bouquin que vous écrivez.

Wallace répondit en laissant de côté les aspects artistiques et philosophiques du projet et s'efforça de garder un ton aussi neutre que possible en décrivant son intérêt pour Parker. Bien qu'il n'eût pas encore estimé l'opinion de Tyrrell sur le sujet, il la supposait en grande partie négative, ne serait-ce que parce que, jusque-là, tous ceux qui avaient de la sympathie ou du respect pour Parker avaient catégoriquement refusé de lui parler.

— Vous l'avez rencontré, Parker ? voulut savoir Tyrrell.

— Oui. Pour l'interviewer.

— Qu'est-ce qui s'est passé ?

— Il m'a frappé dans le ventre, sans prévenir.

— C'est tout lui, ça. C'est un fils de pute, un voyou. Et ce n'est pas le pire.

Tyrrell but une gorgée de son whisky, dont il avait déjà englouti la moitié.

— Un autre ? proposa Wallace.

— Bien sûr.

Wallace se tourna vers le comptoir et n'eut même pas à commander. Hector hocha la tête, tendit la main vers la bouteille.

— Qu'est-ce que vous voulez que je vous dise sur Parker ? demanda Tyrrell.

— Tout ce que vous savez.

Et le capitaine de s'y atteler. Il parla d'abord du père de Parker, qui avait tué deux jeunes gens dans une voiture et s'était suicidé. Faute de point de vue intéressant sur l'affaire, il suggéra simplement qu'il y avait chez le père quelque chose qui n'allait pas et qui s'était transmis au fils. Un gène défectueux, peut-être. Un penchant pour la violence.

Les hamburgers arrivèrent avec le deuxième verre de l'ancien flic. Tyrrell mangea, pas Wallace. Il était trop occupé à prendre des notes, du moins serait-ce son excuse si on lui posait la question.

— Nous pensons que le premier homme qu'il a tué s'appelait Johnny Friday, dit Tyrrell. Un proxo, battu à mort dans les toilettes d'une gare routière. Pas une grande perte, mais là n'est pas la question.

— Pourquoi soupçonnez-vous Parker ?

— Parce qu'il était là. Les caméras de surveillance l'ont filmé quand il est entré et ressorti de la gare à l'heure estimée du meurtre.

— Il y avait une caméra sur la porte des toilettes ?

— Il y en avait partout, mais on ne voit pas Parker sur cette bande. On l'a juste quand il entre et quand il sort de la gare.

Wallace était intrigué.

— Comment ça se fait ?

Pour la première fois, Tyrrell parut hésitant.

— Je ne sais pas. À l'époque, les caméras n'étaient pas fixes, sauf celles des portes. Pour réduire les frais. Elles pivotaient d'un côté à l'autre. Je suppose qu'il a observé leurs mouvements et qu'il s'est faufilé entre deux passages…

— Difficile à réaliser.

— Difficile. Pas impossible. Quand même, c'était bizarre.

— On l'a interrogé ?

— On avait un témoin qui l'avait vu sur les lieux. Le préposé aux toilettes. Un Coréen. Il ne parlait pas trois mots d'anglais, mais il a reconnu Parker sur la bande.

Enfin, il a reconnu Parker comme étant l'un des cinq hommes possibles. Le problème, c'est qu'on était tous pareils, pour lui. Sur les cinq personnes, quatre étaient aussi différentes l'une de l'autre que je le suis de vous. Bref, on a emmené Parker, il a accepté l'interrogatoire. Il n'a même pas réclamé d'avocat. Il a admis qu'il était à la gare routière, mais rien de plus. En rapport avec une jeune fugueuse qu'un client lui avait demandé de retrouver. Ça collait : il bossait sur une affaire de ce genre à l'époque.

— Ça n'a pas été plus loin ?

— Nous n'avions pas assez d'éléments pour l'inculper, et pas envie de le faire, de toute façon. Parker était un ex-flic qui avait perdu sa femme et sa gosse quelques mois plus tôt. Ses collègues ne l'appréciaient peut-être pas, mais les flics se serrent les coudes en cas de problème. Et aux yeux des gens, ç'aurait été encore pire que d'accuser Boucle d'Or de zoophilie[1]. Je vous l'ai dit, Johnny Friday n'était pas un boy-scout. Beaucoup pensaient que quelqu'un avait rendu service à l'humanité en l'éliminant définitivement.

— Pourquoi Parker n'était pas apprécié de ses collègues ?

— Je n'en sais rien. Il n'aurait jamais dû être flic, il n'était pas fait pour ça.

— Alors pourquoi il l'est devenu ?

— Par fidélité envers la mémoire de son vieux, j'imagine. Il pensait peut-être racheter la mort de ces jeunes en étant un meilleur policier que son père. À

1. Allusion au conte pour enfants *Boucle d'Or et les trois ours.* *(N.d.T.)*

mon avis, c'est sûrement la seule chose de bien qu'il ait faite.

Wallace ne releva pas, mais il était étonné de la profondeur de la haine de Tyrrell. Il n'arrivait pas à imaginer ce que Parker avait pu faire pour la mériter, à part mettre le feu à la maison de Tyrrell et baiser ensuite sa femme sur les cendres encore chaudes.

— Vous dites que ce Johnny Friday était son premier meurtre. Il y en a eu d'autres ?

— Je suppose.

— Vous supposez ?

Le capitaine réclama d'un geste un troisième whisky. Il ralentissait un peu son débit, mais il était devenu irritable.

— Écoutez, la plupart sont de notoriété publique : ici, en Louisiane, dans le Maine, en Virginie, en Caroline du Sud. Il est comme la Faucheuse ou comme le cancer. Si on connaît ces victimes-là, vous ne pensez pas qu'il y en a d'autres dont on n'a jamais entendu parler ? Vous vous imaginez qu'il appelait les flics chaque fois que lui ou un de ses potes dessoudaient quelqu'un ?

— Ses potes ? Vous parlez des individus connus sous les noms d'Angel et Louis ?

— Des ombres, murmura Tyrrell. Des ombres avec des crocs.

— Qu'est-ce que vous pouvez me dire d'eux ?

— Des rumeurs, pour l'essentiel. Angel a fait de la taule pour vol. D'après ce que je sais, Parker l'aurait utilisé comme source d'infos et lui aurait proposé sa protection en échange.

— Ça a commencé sur une base professionnelle ?

— On peut dire ça. L'autre, Louis, est plus difficile à situer. Pas d'arrestation, pas de casier. Un vrai spectre. Il y a eu quelque chose, l'année dernière. Un garage qu'il détenait en sous-main s'est fait braquer. Un des voleurs s'est retrouvé à l'hôpital, et il est mort une semaine plus tard de ses blessures. Après ça…

Hector apparut, remplaça le verre vide par un plein. Tyrrell s'interrompit pour boire une gorgée.

— C'est là que ça devient bizarre. L'un des copains de Louis, ou associés, allez savoir, est mort, lui aussi. D'une crise cardiaque, à ce qu'on a raconté, mais moi j'ai entendu une autre histoire. Un des employés des pompes funèbres a dit qu'il avait fallu lui recoudre la gorge, rapport à la balle qui l'avait traversée.

— Une balle tirée par qui ? Louis ?

— Non, il ne s'en prend pas à ceux qui lui sont proches, ce n'est pas ce genre de tueur. D'après les rumeurs, ce serait un raid de représailles qui aurait mal tourné.

— Voilà ce qu'il faisait à Massena, dit Wallace à voix basse, plus pour lui-même que pour Tyrrell, qui ne parut pas avoir entendu.

— Ils sont comme lui, grogna le capitaine. Il y a toujours quelqu'un qui les protège.

— Qui les protège ?

— Un homme ne peut pas faire ce que Parker a fait, tuer impunément, sans avoir quelqu'un pour protéger ses arrières.

— Pour les affaires connues, il s'agissait de légitime défense, d'après ce que je sais.

— Légitime défense ! Vous ne trouvez pas bizarre que ça ne se soit jamais terminé au tribunal, que toutes les enquêtes l'aient disculpé ou aient abouti à une impasse ?

— Vous parlez comme si c'était une conspiration.

— Je parle de *protection*. Je parle de gens qui ont intérêt à ce que Parker reste libre.

— Pourquoi ?

— Je ne sais pas. Ils approuvent peut-être ce qu'il a fait.

— Mais il a perdu sa licence de privé. Il n'a même plus le droit de posséder une arme à feu…

— Il ne peut pas *légalement* porter une arme dans l'État du Maine. Vous pouvez être sûr qu'il a des flingues planqués quelque part.

— Ce que je veux dire, c'est que s'il y avait une conspiration pour le protéger, les choses ont changé, apparemment.

— Pas assez pour qu'il se retrouve derrière des barreaux. Là où est sa place, affirma Tyrrell en tapotant la table de l'index pour appuyer ses dires.

Wallace se renversa en arrière. Il avait noirci tant de pages de son carnet qu'il avait mal à la main. Il observa Tyrrell, dont le regard plongeait dans son troisième verre. Des doses massives, à chaque fois. S'il avait lui-même bu autant, il serait déjà en train de dormir. Tyrrell se tenait encore droit, mais il était dans les cordes, Wallace n'en tirerait plus grand-chose.

— Pourquoi vous le haïssez autant ?

— Parce que c'est un tueur.

— Seulement pour ça ?

L'ancien flic cligna lentement des yeux.

— Non. Parce qu'il n'est pas normal. C'est comme si… comme s'il n'avait pas d'ombre, ou pas de reflet quand il se regarde dans un miroir. Il paraît normal, mais si on l'examine de plus près, il ne l'est pas. Parker est une aberration, une abomination.

Bon Dieu, pensa Wallace.

— Vous allez à la messe ? lui demanda Tyrrell.

— Non.

— Vous devriez. Un homme doit aller à la messe, ça l'aide à savoir ce qu'il vaut.

— Je m'en souviendrai.

Le visage de Tyrrell changea totalement d'expression : Wallace avait passé les bornes.

— Ne jouez pas au plus malin avec moi, mon garçon. Regardez-vous, vous remuez la vase pour vous faire quelques dollars avec la vie d'un autre. Vous êtes un parasite. Vous ne croyez en rien. *Moi* je crois. Je crois en Dieu, je crois en la loi. Je distingue le bien du mal, le juste de l'injuste. J'ai passé ma vie à être fidèle à ces convictions. J'ai nettoyé les commissariats de cette ville, l'un après l'autre, en éliminant ceux qui pensaient que faire respecter la loi les plaçait au-dessus d'elle. Je leur ai montré leur erreur. Personne ne doit être au-dessus de la loi, surtout pas les flics, qu'ils portent un insigne ou qu'ils en aient porté un il y a dix ans, ou vingt ans. J'ai démasqué ceux qui volaient, ceux qui rackettaient les dealers et les prostituées, qui rendaient leur version de la justice dans des ruelles ou des appartements vides, et je leur ai demandé des comptes.

« Parce qu'il y a une procédure à suivre. Il y a un système judiciaire. Il n'est pas parfait et ne marche pas toujours comme il devrait, mais c'est le meilleur que nous ayons. Et quiconque – *quiconque* – se met en dehors de ce système pour s'ériger en juge, jury et bourreau est un ennemi de ce système. Parker est un ennemi de ce système. Ses amis sont des ennemis de ce système. Par leurs actes, ils en incitent d'autres à agir de même. La violence engendre la violence. On ne peut pas faire le mal au nom d'un plus grand bien, parce que le bien en pâtit. Il est corrompu et pollué par ce qui a été fait en son nom. Vous comprenez, monsieur Wallace ? Ce sont des *hommes gris*. Ils reculent les limites de la morale à leur convenance, ils justifient les moyens par la fin. Je ne peux pas l'accepter, et si vous aviez une once de décence, vous ne devriez pas l'accepter non plus.

Il repoussa son verre et conclut :

— Nous en avons terminé.

— Mais si les autres ne veulent pas ou ne peuvent pas réagir ? argua Wallace. Il vaut mieux laisser le mal proliférer que sacrifier un peu du bien pour l'empêcher ?

— Et qui décide de ça ? rétorqua Tyrrell, qui titubait en cherchant à enfiler les manches de son manteau. Vous ? Parker ? Qui décide quelle quantité acceptable de bien on peut sacrifier ? Quelle quantité de mal peut-on commettre au nom du bien avant qu'il devienne un mal en soi ?

Il palpa ses poches, entendit un tintement de clés rassurant. Wallace espérait que ce n'étaient pas des clés de voiture.

— Allez écrire votre livre, monsieur Wallace. Je ne le lirai pas. Je ne crois pas que vous ayez quelque chose à m'apprendre. Je vous donne quand même un conseil, gratis. Si ses copains sont de sales types, Parker est encore pire. À votre place, je marcherais sur des œufs en me renseignant sur eux et je les laisserais peut-être en dehors du bouquin. Parker est un danger mortel, parce qu'il s'imagine mener une croisade. J'espère que vous révélerez la crapule qu'il est, mais si j'étais vous, je surveillerais tout le temps mes arrières.

De ses doigts, il fit un pistolet qu'il braqua sur Wallace, et son pouce retomba comme le chien d'une arme à feu. Puis il s'éloigna, vacillant un peu, serra de nouveau la main du barman avant de sortir. Wallace rangea son carnet et son stylo, alla régler l'addition.

— Vous êtes un ami du capitaine ? demanda le barman tandis que Wallace laissait un pourboire et l'ajoutait à la facture pour ses notes de frais.

— Non, je ne crois pas.

— Le capitaine a pas beaucoup d'amis, déclara Hector, avec une trace de commisération, peut-être, dans la voix.

— Qu'est-ce que vous voulez dire ?

— Je veux dire que des flics, on en a tout le temps, ici, mais y a que lui qui boit seul.

— Il était de la police des polices, expliqua Wallace. L'inspection des services.

— Je sais, répondit Hector. Mais c'est pas pour ça. C'est parce qu'il est…

Il chercha le mot juste.

— Parce qu'il est con, conclut-il avant de retourner à la lecture de son magazine de culturisme.

17

De retour dans sa chambre, Wallace recopia ses notes sur l'interview de Tyrrell pendant que les détails étaient encore frais dans son esprit. L'histoire du mac était intéressante. Il tapa « Johnny Friday » sur Google, obtint plusieurs dépêches contemporaines des faits ainsi qu'un papier plus long intitulé « La vie de violence et la vilaine fin du maquereau Johnny Friday ». Deux photos du souteneur illustraient l'article. La première le montrait comme il était dans la vie, un Noir grand et maigre aux joues creuses et aux yeux qui lui mangeaient le visage. Il tenait par la taille deux jeunes femmes en dessous de dentelle dont on avait masqué les yeux par une bande noire pour préserver leur anonymat. Wallace se demanda ce qu'elles étaient devenues. À en croire l'article, les jeunes femmes qui entretenaient des relations professionnelles avec Johnny Friday n'étaient pas destinées à mener des existences heureuses.

La seconde photo, prise à la morgue, révélait l'étendue des dégâts infligés au proxénète pendant la correction qui lui avait coûté la vie. Wallace présuma que la famille de Friday avait demandé que cette photo soit publiée. Ou alors, les flics l'avaient communiquée à la presse pour envoyer un message. Friday n'était même pas reconnaissable. Il avait le visage tuméfié et couvert de sang, la mâchoire, les pommettes et le nez fracturés, plusieurs dents cassées au ras des gencives. Et aussi des lésions internes, poumon perforé par une côte et rate éclatée, qui évidemment n'apparaissaient pas sur la photo.

Le nom de Parker n'était pas mentionné, ce qui n'avait rien d'étonnant. Une « source policière » avait cependant indiqué à l'auteur de l'article que la police détenait un suspect, mais pas encore assez de preuves pour l'inculper. Wallace évalua les chances pour que Tyrrell soit cette source, estima que c'était du cinquante-cinquante. Si c'était lui, cela signifiait que, dix ans plus tôt, il avait déjà des doutes sur Parker et qu'ils étaient peut-être justifiés. Wallace n'aimait pas trop Tyrrell, mais on ne pouvait nier que le meurtrier de Johnny Friday ait été un individu dangereux, capable de graves violences, rempli de colère et de haine. Wallace compara cet homme à celui qu'il avait rencontré dans le Maine et à ce qu'on disait de lui. Il toucha son ventre encore douloureux du coup que lui avait donné Parker sur sa véranda et se rappela la lueur qui avait brièvement brillé dans le regard de l'ancien flic. Pourtant, d'autres coups n'avaient pas suivi et la rage dans les yeux de Parker avait aussitôt disparu, remplacée par ce que Wallace pensait être de la honte et du regret. Il n'y avait pas alors attaché d'importance – il était trop occupé à s'empêcher de vomir ses tripes –, mais avec le recul il apparaissait clairement que si Parker ne maîtrisait pas encore totalement sa colère, il avait appris à la contrôler dans une certaine mesure, quoique pas assez rapidement pour épargner à son visiteur un ventre contusionné. Cependant, si Tyrrell avait raison, cet homme avait le sang de Johnny Friday sur les mains et Wallace se demandait s'il avait vraiment changé depuis la mort du maquereau.

Lorsqu'il eut terminé de recopier l'interview de l'ancien capitaine, il ouvrit sur son bureau un classeur contenant d'autres notes, une trentaine de pages couvertes de son écriture minuscule, illisible pour quiconque à cause de la petitesse des lettres et de l'utilisation d'une sténo personnelle. Une des feuilles portait en titre « Père/Mère » et Wallace avait l'intention de se rendre à Pearl River pour interroger des voisins, des commerçants, toute personne ayant connu la famille Parker avant le double meurtre, mais il avait pour l'heure autre chose à faire.

Il jeta un coup d'œil à sa montre : il était vingt heures passées. Il savait que Jimmy Gallagher, l'ancien coéquipier de Will Parker au 9e, vivait à Brooklyn. Tyrrell lui avait fourni cette information, ainsi que le nom de l'enquêteur des services du procureur du comté de Rockland qui avait assisté à l'interrogatoire de Will Parker après les meurtres. Tyrrell pensait que ce dernier, un ancien du NYPD nommé Kozelek, accepterait de parler à Wallace, et il avait même proposé de lui préparer le terrain, mais ça, c'était avant que leur conversation tourne au vinaigre. Wallace supposait que Tyrrell n'était plus trop disposé à donner ce coup de téléphone pour le moment. Il n'hésiterait cependant pas à solliciter de nouveau le capitaine une fois qu'il aurait dessoûlé, si l'enquêteur rechignait à parler.

Gallagher, le coéquipier, c'était une autre histoire. Wallace avait senti que Tyrrell ne l'aimait pas plus qu'il n'avait aimé Charlie Parker. L'écrivain revint aux notes prises dans l'après-midi et trouva le passage en question :

W : C'était qui, ses amis ?

T : Ceux de Parker ?

W : Non, ceux de son père.

T : Il était très apprécié, au 9e. Il avait sûrement des tas d'amis.

W : Quelqu'un en particulier ?

T : Il faisait équipe avec… comment, déjà ? Gallagher, c'est ça. Jimmy Gallagher a été son coéquipier pendant des années (rire). J'ai toujours pensé… Ah, c'est sans importance.

W : Peut-être pas.

T : Personnellement, j'ai toujours pensé qu'il était homo.

W : Il y avait des rumeurs ?

T : Uniquement ça : des rumeurs.

W : On l'a interrogé pendant l'enquête sur les meurtres de Pearl River ?

T : Oh oui. J'ai lu les transcriptions. Il était comme les trois singes à lui tout seul, vous savez : un qui ne voit rien, un qui ne dit rien, un qui n'entend rien. Il a déclaré qu'il n'était au courant de rien, qu'il n'avait même pas vu son vieux copain ce jour-là.

W : Sauf que ?

T : Sauf que ce jour-là c'était son anniversaire et qu'il est venu au 9e, même s'il avait demandé et obtenu un jour de congé. Difficile à croire qu'il soit allé là-bas – le jour de son anniversaire, en plus – sans voir son coéquipier et meilleur ami.

W : Donc, vous pensez que Gallagher est venu pour fêter son anniversaire et boire un coup avec des collègues et que Will Parker en faisait partie ?

T : Ça paraît logique, non ? Autre chose : Will Parker faisait un huit/seize ce jour-là, et un nommé

Eddie Grace le couvrait pour qu'il puisse finir plus tôt. Pourquoi Parker lui aurait demandé ce service si ce n'était pas pour rejoindre Jimmy Gallagher ?

W : Grace a dit que c'était pour ça qu'il avait remplacé Parker ?

T : Comme tous les autres, Grace ne savait rien et il n'a rien dit. Le secrétaire du 9e, DeMartini, a vu Parker filer en douce, mais il n'en a pas parlé. Il savait fermer les yeux quand il fallait. Une serveuse du Cal's a déclaré que Gallagher était avec quelqu'un le soir des meurtres, mais elle n'a pas bien vu le type et il n'est pas resté longtemps. Elle a dit que c'était peut-être Will Parker, mais le barman l'a contredite : d'après lui, c'était quelqu'un d'autre, un inconnu, et la serveuse a déclaré plus tard qu'elle s'était trompée.

W : Vous pensez qu'on l'a incitée à revenir sur son témoignage ?

T : Ils ont serré les rangs. C'est la règle, chez les flics. Ils protègent les collègues, même si c'est mal.

Wallace interrompit sa lecture à cet endroit. Le visage de Tyrrell avait changé quand il avait prononcé ces mots. C'était peut-être la réaction de l'enquêteur de la police des polices qu'il avait été, qui nourrissait une haine profonde pour les ripoux et l'omerta qui les protégeait, mais l'écrivain pensait qu'il y avait autre chose. Il soupçonnait Tyrrell d'avoir été en dehors du coup avant même le début de sa carrière. Ce n'était pas un type sympathique, comme Hector l'avait souligné, et son transfert chez les bœuf-carottes lui avait peut-être donné la possibilité de punir ceux qu'il méprisait, sous le couvert d'une croisade contre la corruption. Wallace nota cette réflexion et reprit sa lecture.

T : Ce que je n'arrivais pas à comprendre, c'était pourquoi le fait que Gallagher ait été avec Will Parker ce soir-là était si important. À moins que Gallagher n'ait su quelque chose sur ce qui allait se passer.

W : Là, ça devient meurtres avec préméditation...

Wallace se souvint que Tyrrell avait réfléchi à ce moment-là.

T : Peut-être. Ou alors Gallagher savait pourquoi Parker avait fini par tuer ces jeunes et il voulait garder ça pour lui. Quelle que soit la raison, je sais que Gallagher a menti. J'ai lu les rapports de l'inspection. Après ça, Jimmy Gallagher a été un homme marqué pour nos services pendant tout le reste de sa carrière.

Wallace trouva le numéro de Gallagher dans l'annuaire. Il envisagea de lui téléphoner avant de se rendre à Bensonhurst, décida finalement qu'il valait mieux lui faire la surprise. Il ne savait pas exactement ce qu'il espérait obtenir en parlant à Gallagher, mais si Tyrrell avait raison, il y avait au moins une faille dans l'histoire bâtie autour des meurtres de Pearl River. Dans son boulot de journaliste, Wallace avait appris à être l'eau qui se glisse dans la fissure, qui l'élargit, qui sape la construction même, jusqu'à ce qu'elle s'effondre et révèle la vérité. Les meurtres et leurs conséquences tiendraient une place importante dans son livre. Ils lui offriraient le cadre nécessaire pour consulter deux ou trois « psys à la demande » qui, références à l'appui, se répandraient sur l'impact pour un fils de l'implication de son père dans une affaire de meurtres suivis de suicide. Les lecteurs raffolaient de ce genre de sujet.

Il prit le métro pour économiser quelques dollars et trouva la rue de Gallagher, frappa à la porte de la petite maison proprette. Au bout d'une minute ou deux, un homme de haute taille vint ouvrir.

— Monsieur Gallagher ?

— Oui.

Son haleine sentait le vin, ce qui pouvait être une bonne chose si ses défenses s'en trouvaient affaiblies. Wallace avait déjà son portefeuille dans la main gauche, il en tira une carte et la tendit.

— Je m'appelle Michael Wallace, je suis journaliste. J'aimerais vous parler quelques minutes.

— Me parler de quoi ?

C'était maintenant son tour d'arranger un peu la vérité : un mensonge pour un bien supérieur. Tyrrell n'aurait sans doute pas approuvé.

— Je prépare un papier sur les changements dans le 9e au fil des années. Je sais que vous y avez travaillé, je voudrais que vous évoquiez vos souvenirs.

— Des quantités de flics sont passés par le 9e. Pourquoi moi ?

— En cherchant à qui je pourrais m'adresser, j'ai vu que vous avez participé à un grand nombre d'activités socioculturelles, ici, à Bensonhurst. J'ai pensé que cet engagement vous aura appris à mieux comprendre les gens en général, ceux du 9e…

Gallagher examinait la carte.

— Wallace, hein ?

— C'est ça.

Gallagher se pencha en avant et glissa délicatement la carte dans la poche de la chemise de Wallace en un geste curieusement intime.

— Le roi des baratineurs. Je sais qui vous êtes, je sais ce que vous essayez de pondre. Les flics communiquent. J'ai entendu parler de vous dès que vous avez commencé à renifler des histoires qui ne vous regardent pas. Suivez mon conseil : laissez tomber. Personne de valable n'acceptera de vous aider et vous risquez simplement de vous attirer une avalanche d'ennuis.

Les yeux de l'écrivain prirent un éclat dur. Il en avait assez des avertissements.

— Je suis reporter, déclara-t-il même si ce n'était plus vrai. Plus on me dit de ne pas me mêler de quelque chose, plus j'ai envie de le faire.

— C'est pas ça, être reporter, répliqua Gallagher. Ça, c'est être un taré. Et un menteur. J'apprécie pas trop, chez un homme.

— Vraiment ? Vous n'avez jamais menti ?

— J'ai pas dit ça. Mais j'apprécie le mensonge aussi peu chez moi que chez vous.

— Tant mieux, parce que je crois que vous avez menti sur ce qui s'est passé le jour où Will Parker a tué ces deux jeunes à Pearl River. Je fais tout ce que je peux pour savoir pourquoi et je reviendrai vous voir. Et on parlera.

Gallagher paraissait las, tout d'un coup. Wallace se demanda depuis combien de temps il attendait que cette histoire lui retombe dessus. Probablement depuis le jour où son coéquipier était devenu un meurtrier.

— Dégagez de mon perron, monsieur Wallace. Vous gâchez ma soirée.

Il referma la porte au nez de Wallace, qui la fixa un instant puis récupéra sa carte et la coinça dans le chambranle avant de repartir pour Manhattan.

À l'intérieur de la maison, Jimmy était assis à la table de sa cuisine. Devant un verre vide, une demi-bouteille de syrah et les restes de son repas du soir. Il aimait encore plus cuisiner pour lui que pour des invités. Quand c'était pour lui, il n'avait pas à s'inquiéter du résultat, de ce que d'autres en penseraient. Il pouvait préparer un repas à sa convenance et il savait ce qu'il appréciait. Ce jour-là, c'était une soirée tranquille, avec un bon vin et un vieux film noir à la télé. À présent, son calme intérieur, déjà lézardé, était en morceaux. Lézardé, il l'était depuis que Charlie Parker avait frappé à sa porte. Dès cet instant, Jimmy avait eu l'impression que le sol se dérobait lentement sous ses pieds. Il avait longtemps espéré que le passé resterait enterré, mais maintenant la terre bougeait, révélant des lambeaux de chair et des ossements.

Il avait toujours été tourmenté par la possibilité qu'en mentant aux enquêteurs, puis en gardant le silence pendant les années qui avaient suivi, il ait fait quelque chose de mal. Telle une écharde enfoncée dans la chair, la conscience d'avoir conspiré avec d'autres pour enfouir la vérité, ou le peu qu'il en savait, avait suppuré en lui. Le moment approchait où cette infection serait éliminée de son corps ou le détruirait.

Il remplit son verre, alla dans l'entrée. But une gorgée de vin, composa un numéro pour la seconde fois depuis la visite de Charlie Parker. On répondit au bout de cinq sonneries. En fond sonore, Jimmy distingua des bruits de vaisselle, des rires de femmes, tandis que le vieil homme disait « Allô ».

— C'est Jimmy Gallagher. Il y a un autre problème.

— Je vous écoute, répondit la voix.

— Un journaliste vient de passer chez moi, un nommé Wallace, Mickey Wallace. Il m'a posé des questions sur… sur le passé.

Après un bref silence, la voix reprit :

— Nous le connaissons. Que lui avez-vous dit ?

— Rien. Je m'en suis tenu à la version officielle, comme vous me l'avez demandé, comme je l'ai toujours fait. Mais…

— Continuez.

— Ça craque de partout. D'abord Charlie Parker, maintenant ce type…

— C'était à prévoir. Je suis seulement étonné que cela ait pris aussi longtemps.

— Qu'est-ce que vous voulez que je fasse ?

— Pour le journaliste ? Rien. Son livre ne paraîtra jamais.

— Vous en avez l'air drôlement sûr.

— Nous avons des amis. Le contrat de Wallace est sur le point d'être annulé. Sans perspective de rétribution de ses efforts, il perdra courage.

Jimmy n'en était pas certain. Il avait vu l'expression du visage de Wallace et si l'argent faisait partie de ses motivations, ce n'était pas la seule. Il est presque comme un bon flic, pensa Jimmy. Wallace voulait la vérité. Comme tous ceux qui connaissent le succès contre toute attente, il y avait une pointe de fanatisme en lui.

— Avez-vous reparlé à Charlie Parker ?

— Pas encore.

— Si vous attendez qu'il vienne à vous, vous pourriez découvrir que sa colère n'a fait que croître. Appelez-le. Dites-lui de venir et parlez-lui.

— Je lui parle aussi de vous ?

— Dites-lui tout, monsieur Gallagher. Pendant un quart de siècle, vous avez été fidèle à la mémoire de votre ami. Vous avez protégé son fils et nous. Nous vous en sommes reconnaissants, mais il est temps d'exposer à la lumière les vérités cachées.

— Merci, murmura Jimmy.

— Non, c'est nous qui vous remercions. Passez une bonne soirée.

Quand on raccrocha, Jimmy sut que c'était peut-être la dernière fois qu'il entendait cette voix.

En toute franchise, elle ne lui manquerait pas.

18

Le lendemain de ma confrontation avec Mickey Wallace, je décidai de demander à Dave Evans une semaine de congé. J'étais résolu à mettre la pression sur Jimmy Gallagher et peut-être à retourner voir Eddie Grace. Ce n'était pas possible en faisant la navette entre Portland et New York pendant mes journées libres.

En outre, un élément intéressant était apparu. Walter Cole n'avait rien trouvé de nouveau sur l'enquête des meurtres de Pearl River, sauf un détail curieux.

« Les rapports sont trop nets, m'avait-il dit au téléphone. On a passé un bon coup de badigeon. J'ai parlé à un gars des archives. D'après lui, le dossier est si mince que si on le regarde par la tranche, il est invisible.

— Pas étonnant. Ils ont enterré l'affaire. Personne n'avait intérêt à la poursuivre.

— Ouais, mais je pense qu'il y a autre chose. On a expurgé le dossier. Tu as entendu parler de l'Unité Cinq ?

— Ça ne me dit rien.

— Il y a dix ans, l'accès aux archives concernant les meurtres de Pearl River est devenu impossible. Toute demande d'information portant au-delà de ce qu'il y avait dans le dossier devait désormais passer par cette Unité Cinq, autrement dit, il fallait prendre contact avec le bureau du directeur de la police. Le gars qui m'a rencardé était mal à l'aise rien que d'en parler... »

Mais Walter n'avait pas terminé :

« Tu sais ce que l'Unité Cinq couvre également ? Les morts de Susan et Jennifer Parker. »

Il m'avait fallu quelques secondes pour me ressaisir.

« Elle s'occupe de quoi, surtout, cette Unité Cinq ?

— De toi, je pense », avait répondu Walter.

Je retrouvai Dave à l'Arabica, au coin de Free et de Cross, qui, en plus de servir le meilleur café de la ville, offrait maintenant le cadre le plus agréable, avec des œuvres d'art sur les murs, des baies panoramiques par lesquelles la lumière se déversait. Et les Pixies en fond sonore. Tout bien considéré, on aurait difficilement pu lui trouver un défaut.

Dave n'était pas transporté de joie à l'idée de devoir se passer de moi au Bear pendant une semaine et je ne pouvais pas le lui reprocher. Il allait perdre deux autres employés, l'un parce qu'il avait trouvé une copine en Californie, l'autre à cause d'une grossesse. Il estimait – je le savais – qu'il passait trop de temps à s'occuper du bar en général et trop peu sur la paperasse et les comptes. Il m'avait engagé pour que je le soulage un peu de ce fardeau et je le laissais plus enfoncé dans le pétrin qu'avant mon arrivée.

— Tu me fous dans la merde, Charlie.

— On n'est pas vraiment débordés, argumentai-je. Gary peut s'occuper de la livraison Nappi cette semaine et je serai de retour pour la prochaine. En ce qui concerne les microbrasseries, on a des stocks amplement suffisants, on peut attendre.

— Et pour demain soir ?

— Nadine réclame des heures sup. Laisse-la boucher les trous.

Il se plaqua les mains sur le visage et marmonna :

— Je te hais.

— Mais non.

— Si. Prends-la, ta semaine. Si le Bear existe encore à ton retour, tu me devras un sacré service.

La soirée ne fit rien pour arranger l'humeur de Dave. Un client tenta de faucher la tête d'ours qui ornait la salle du restaurant et, quand on s'aperçut de sa disparition, le type s'apprêtait à quitter le parking dans sa voiture avec le trophée dépassant par la vitre côté passager. Il y eut aussi des dingues de cocktails, et Gary, qui connaissait pourtant la question mieux que personne, dut faire appel aux antisèches accrochées derrière le comptoir. Des étudiants commandèrent des tournées de Cherry Bombs et de Jäger Bombs et une odeur écœurante de Red Bull imprégna bientôt l'air. Je dus mettre quinze fûts en perce, trois fois plus que la moyenne pour une soirée, encore en dessous cependant de notre record de vingt-deux.

Il y avait aussi du sexe dans l'air. Une femme d'une cinquantaine d'années installée au bout du comptoir, qui n'aurait pas ressemblé davantage à une prédatrice en chasse si elle avait eu des griffes et des canines acérées, fut bientôt rejointe par deux ou trois autres, formant ainsi une véritable meute. Les barmen les appelaient les « flossies », du nom d'une hygiéniste dentaire quasi légendaire qui aurait honoré une kyrielle d'hommes sur le parking au cours d'une seule soirée. Finalement, elles parvinrent à attirer dans leurs filets deux piliers de bar de classe internationale, des machos dont l'après-rasage livra une âpre bataille aux relents tenaces de Red Bull. À un moment, j'envisageai de les asperger tous au jet d'eau pour les calmer, et ils durent le sentir, car ils partirent presque aussitôt pour un coin plus sombre de la ville.

Lorsqu'il fut enfin une heure du matin, les quinze membres du personnel étaient exténués, mais aucun n'avait envie de rentrer immédiatement. Après avoir purgé les pompes à bière et renouvelé le stock des frigos, tout le monde s'attabla pour manger des hamburgers et des frites, avec un verre bien tassé pour se détendre. J'arrêtai le système par satellite qui fournissait la musique du bar et la remplaçai par une playlist mélodieuse d'iPod : Sun Kil Moon, Fleet Foxes, une réédition du *Pacific Ocean Blue* de Dennis Wilson. Finalement, les employés commencèrent à partir et j'aidai Dave à vérifier que tout était éteint dans la cuisine, à souffler les dernières bougies, inspecter les toilettes pour s'assurer qu'il n'y avait plus personne, mettre l'argent dans le coffre et fermer le Bear. Je lui souhaitai une bonne nuit sur le parking et, avant que chacun de nous parte de son côté, il me répéta qu'il me haïssait.

Après avoir ouvert la porte d'entrée de ma maison, je demeurai un moment sur le seuil et tendis l'oreille. Ma rencontre avec Mickey Wallace et cette histoire de formes qu'il aurait aperçues m'avaient troublé. J'avais laissé ces fantômes partir, ils n'avaient plus leur place chez moi. À la différence du jour où j'avais parcouru toute la maison après le départ de Wallace, je n'éprouvais aucune frayeur, aucun malaise. La maison était silencieuse et vide. Ce qui y avait été n'y était plus.

Le voyant de mon répondeur clignotait. Je pressai le bouton, entendis la voix de Jimmy Gallagher. Il semblait éméché, mais son message était clair, simple et tout à fait opportun.

« Viens me voir, Charlie. Je te dirai ce que tu veux savoir. »

IV

Trois personnes peuvent garder un secret si deux d'entre elles sont mortes.

Benjamin Franklin (1706-1790), *L'Almanach du pauvre Richard*

19

Jimmy Gallagher devait guetter mon arrivée, car il ouvrit la porte avant même que je frappe. Un instant je l'imaginai assis à sa fenêtre, le visage reflété dans l'obscurité naissante, tapotant des doigts l'appui de fenêtre, cherchant anxieusement du regard celui qu'il attendait, mais lorsque je sondai ses yeux, je n'y décelai ni angoisse, ni peur, ni inquiétude. Il paraissait en fait plus détendu que je ne l'avais jamais vu. Il portait un tee-shirt sous un blouson à capuche des Yankees, un pantalon beige taché de peinture et une vieille paire de mocassins. Je l'avais toujours considéré comme un homme pour qui l'apparence passait avant tout, car je ne l'avais jamais vu sans une veste, une chemise propre amidonnée, souvent agrémentée d'une cravate en soie de bon goût. Il avait maintenant renoncé à toute recherche vestimentaire et je me demandai, tandis que la soirée s'avançait et que j'écoutais les secrets tombant de sa bouche, si les contraintes qu'il imposait à sa tenue n'avaient été qu'une partie des défenses qu'il avait édifiées pour protéger non seulement lui-même et son identité mais aussi la mémoire et la vie de ceux qu'il aimait.

Il ne dit rien en me voyant, hocha simplement la tête, fit demi-tour et se dirigea vers la cuisine. Je refermai la porte derrière moi et le suivis. Deux bougies étaient allumées dans la pièce, l'une sur l'appui de fenêtre, l'autre sur la table, où elle voisinait avec une bouteille de bon – peut-être très bon – vin, une carafe et deux verres. Il toucha tendrement le goulot de la bouteille, le caressa comme il l'eût fait d'un animal de compagnie.

— J'attendais une occasion pour l'ouvrir, mais ces temps-ci je n'ai pas grand-chose à fêter, soupira-t-il. Je vais surtout à des enterrements. À mon âge, c'est ce qu'on fait. Trois déjà cette année, tous des flics. Tous morts d'un cancer. Je veux pas finir comme ça.

— Eddie Grace est en train de mourir d'un cancer.

— Il paraît. J'ai pensé à aller le voir, mais Eddie et moi…

Il secoua la tête.

— Tout ce qu'on avait en commun, c'était ton père. Quand il est parti, on n'a plus rien eu à se dire, Eddie et moi.

Je me souvins que Grace m'avait dit, juste avant que je le quitte, que la vie de Jimmy Gallagher reposait sur un mensonge. Il faisait peut-être allusion à l'homosexualité de Jimmy, mais je savais maintenant qu'il y avait d'autres mensonges à dévoiler, même s'il ne s'agissait que de mensonges par omission. Eddie Grace n'avait cependant aucun droit de juger la façon dont Jimmy menait sa vie. Nous présentons tous un visage au monde et en gardons un autre caché. Personne ne peut survivre autrement. Tandis que Jimmy se libérait de son fardeau et que les secrets de mon père m'étaient lentement révélés, j'en vins à comprendre comment Will Parker avait plié sous leur poids et je n'éprouvai que de la tristesse pour cet homme et la femme qu'il avait trahie.

Jimmy prit un tire-bouchon dans un tiroir, découpa soigneusement l'opercule d'aluminium avant d'insérer la pointe de l'ustensile dans le bouchon. Il suffit de deux tours de poignet et d'une seule traction pour que le bouchon se libère avec un *pop* satisfaisant. Jimmy l'examina pour vérifier qu'il n'était ni desséché ni moisi puis le jeta sur la table.

— Autrefois, je les reniflais, avoua-t-il, mais quelqu'un m'a expliqué que ça ne t'apprend rien sur la qualité du vin. Dommage. J'aimais bien ce rituel… avant de savoir que ça me faisait passer pour un ignare.

Il plaça la bougie derrière la bouteille quand il décanta le vin, pour voir le moment où la lie approcherait du goulot.

— Pas la peine de le laisser longtemps reposer, dit-il lorsqu'il eut terminé. C'est juste pour les vins plus jeunes, ça adoucit les tannins.

Il emplit deux verres et s'assit, tint le sien devant la flamme pour l'examiner, le porta à son nez, huma le vin, le fit tourner avant de le humer de nouveau, le réchauffa un moment dans ses mains. Enfin, il le goûta, le fit rouler dans sa bouche pour savourer son bouquet.

— Fa-bu-leux, s'extasia-t-il en levant son verre. À ton vieux.

— À mon vieux, répondis-je en écho.

Je bus une gorgée. C'était un vin riche, charpenté.

— Romanée-conti 95, précisa Jimmy. Une bonne année pour le bourgogne. C'est une bouteille à six cents dollars que tu bois.

— Qu'est-ce qu'on célèbre ?

— La fin.

— De quoi ?

— Des secrets et des mensonges.

Je reposai mon verre et demandai :

— Vous voulez commencer par quoi ?

— Par la mort du bébé, dit-il. Par la mort du premier bébé.

Aucun d'eux n'avait souhaité assurer le service vingt-quatre/huit cette semaine-là, mais la vie, c'est comme ça, pas de pot pour eux, ou quel que soit le cliché qu'on aurait pu appliquer à une situation dans laquelle il n'y avait qu'un bout du bâton à saisir et ce n'était pas l'extrémité parfumée. Ce soir-là, les flics du 9ᵉ organisaient une soirée au Foyer ukrainien de la Deuxième Avenue, qui sentait toujours le bortsch et la soupe à l'orge préparée dans le restaurant du rez-de-chaussée et où le metteur en scène Sidney Lumet répétait ses films avant de commencer à tourner, si bien qu'au fil du temps Paul Newman et Katharine Hepburn, Al Pacino et Marlon Brando avaient tous monté et descendu le même escalier que les flics du 9ᵉ. On célébrait la remise ce mois-là de la « croix de guerre » à trois policiers, nom donné aux barrettes vertes qu'ils recevraient pour avoir pris part à une fusillade. Le 9ᵉ ressemblait déjà au Far West, à l'époque : des flics y laissaient leur peau. Si le choix se réduisait à l'autre ou vous, vous tiriez le premier et ensuite vous remplissiez la paperasse.

New York était alors différent. Pendant l'été 1964, les tensions raciales avaient connu un point culminant avec la mort du jeune James Powell, quinze ans, abattu à Harlem par un policier qui n'était pas en service. Ce qui avait commencé comme des manifestations en bon ordre pour protester contre cette exécution s'était transformé en émeutes le 18 juillet, quand une foule rassemblée devant le 123, à Harlem, hurlait « Assassins ! » aux policiers se trouvant à l'intérieur. Jimmy et Will, envoyés en renfort, avaient essuyé une pluie de bouteilles, de briques et de couvercles de poubelles, tandis que les pillards se servaient en nourriture, en postes de radio et en armes dans les magasins du quartier. Jimmy se rappelait encore un capitaine qui avait engagé les émeutiers à rentrer chez eux et à qui quelqu'un avait répondu dans un rire : « On y est, chez nous, p'tit Blanc ! »

Après cinq jours d'émeutes à Harlem et Bed-Stuy, on déplorait un mort, cinq cent vingt personnes avaient été arrêtées, et la chute du maire, Wagner, était inéluctable. En réalité, ses jours étaient déjà comptés avant même les émeutes. Le taux annuel d'homicides avait doublé sous son administration, passant à six cents, et avant même que Powell soit abattu, la ville avait été bouleversée par le meurtre, dans son quartier de classes moyennes du Queens, d'une nommée Kitty Genovese, poignardée au cours de trois assauts successifs par le même homme, Winston Moseley. Douze personnes avaient été témoins du crime et la plupart d'entre elles n'étaient pas intervenues autrement qu'en appelant les flics. Les New-Yorkais avaient l'impression que leur ville s'écroulait et en attribuèrent la responsabilité à Wagner.

Ces inquiétudes concernant l'état de la ville n'avaient rien de nouveau pour les hommes du commissariat du 9e District, affectueusement surnommé « les Chiottes » par ceux qui y travaillaient, moins affectueusement par tous les autres. Ils étaient leur propre police, les hommes de ce district, et ils surveillaient bien leur territoire, gardant à l'œil non seulement les méchants mais aussi certains des bons, notamment les capitaines faisant du zèle les jours calmes. « Mouche dans les Chiottes », prévenait quelqu'un par radio, et tout le monde se redressait pendant le temps nécessaire.

Jimmy et Will étaient alors ambitieux et cherchaient tous deux à passer sergents le plus vite possible. La compétition était plus forte qu'avant, depuis le procès intenté par Felicia Spritzer en 1963 pour que les femmes policières acquièrent le droit de passer les concours internes, Spritzer et Gertrude Schimmel obtenant le grade de sergent l'année suivante. Jimmy et Will s'en foutaient, à la différence de quelques anciens qui avaient sur la place des femmes dans la société des vues précises, dont aucune ne prévoyait qu'elles arborent trois galons dans leur district. Ils avaient tous deux un exemplaire du manuel de patrouille, épais comme une bible dans son classeur à anneaux de plastique bleu, qu'ils emportaient chaque fois qu'ils faisaient une pause pour tester mutuellement leurs connaissances. À l'époque, un agent de patrouille devait faire du boulot d'enquêteur pendant cinq ans avant de devenir inspecteur et attendre de passer deuxième classe pour toucher une paie de sergent. De toute façon, ils n'avaient pas envie d'être enquêteurs. Ils étaient flics de patrouille. Ils décidèrent donc de passer l'examen de sergent, même si cela les obligeait à quitter le 9e, voire à bosser chacun dans des districts différents. Ce serait dur, mais ils savaient que leur amitié y survivrait.

À la différence d'un grand nombre d'autres flics qui travaillaient comme videurs, à empêcher les Ritals de Brooklyn d'entrer dans les boîtes de nuit, ou comme gardes du corps de célébrités, ce qui était mortellement ennuyeux, ils n'avaient pas de deuxième boulot. Jimmy était célibataire et Will voulait passer plus de temps, pas moins, avec sa femme. Le service était encore très corrompu mais généralement pour des pots-de-vin minables. La drogue viendrait tout changer et les commissions d'enquête frapperaient durement les ripoux. Pour le moment, le mieux qu'on pouvait espérer, c'était gratter quelques dollars à l'occasion : vous escortiez un gérant de cinéma déposant le soir la recette de la journée dans un coffre de nuit et vous ramassiez le pourboire laissé en échange sur la banquette arrière. Même manger « aux frais de la maison » serait bientôt mal vu et, d'ailleurs, la plupart des restaurants du 9ᵉ n'observaient pas cette pratique. Les flics payaient leurs déjeuners, leurs cafés et leurs doughnuts. La majorité d'entre eux mangeait au commissariat. Cela revenait moins cher et de toute façon le district n'offrait pas beaucoup de possibilités, du moins pas de celles que les policiers appréciaient, mis à part le McSorley's et son jambon-cheddar à la moutarde forte, ou, plus tard, le Jack the Ribber, même si, après un repas là-bas, vous passiez le reste de la journée à vous frotter l'estomac en gémissant. Plus chanceux, les gars du 7ᵉ avaient le Katz's, mais les flics du 9ᵉ n'avaient pas le droit de franchir les limites du district, même si la saucisse aux trois viandes était meilleure au bout du pâté de maisons. Le NYPD ne fonctionnait pas comme ça.

La nuit où le premier bébé mourut, Jimmy fit le « greffier » au début de leur ronde. Le greffier prenait des notes, le chauffeur prenait le volant. À la moitié du service, ils échangeaient. Jimmy faisait un meilleur greffier : il était observateur, il avait une bonne mémoire. Will était juste assez casse-cou pour être le meilleur chauffeur. Ensemble, ils formaient une bonne équipe.

Ils reçurent un appel pour une soirée tapageuse dans l'Avenue A, un « 10-50 », des voisins qui se plaignaient du bruit. En arrivant devant l'immeuble, ils virent une jeune femme qui dégueulait dans le caniveau tandis que son copain écartait ses cheveux de son visage et lui tapotait le dos. Ils étaient si défoncés qu'ils accordèrent à peine un regard aux deux flics.

Jimmy et Will entendirent de la musique provenant du dernier étage de l'immeuble sans ascenseur. Automatiquement, leurs mains se portèrent sur la crosse de leur arme. Impossible de savoir si c'était une fête normale qui dégénérait un chouïa, ou quelque chose de plus grave. Comme toujours dans ce genre de situation, Jimmy sentit sa bouche devenir sèche et son cœur s'emballer. La semaine précédente, un type s'était jeté par la fenêtre du dernier étage d'un immeuble ancien pendant une soirée qui avait commencé exactement comme celle-là. Le gusse s'était écrasé à vingt centimètres d'un des flics appelés sur les lieux, l'aspergeant de sang. Il apparut que le sauteur avait arnaqué quelques gars dont le nom se terminait par une voyelle, des Italiens appliquant leur sens du commerce au marché renaissant de l'héroïne, lequel végétait depuis les années 1910-1920, les Italiens n'ayant pas encore compris que leur temps touchait à sa fin et que leur domination serait bientôt foulée aux pieds par les Noirs et les Colombiens.

Par la porte ouverte de l'appartement, on entendait Mick Jagger beugler dans les enceintes d'une chaîne stéréo. Jimmy et Will se retrouvèrent devant un vestibule exigu précédant une salle de séjour. L'air puait le tabac, la gnôle et l'herbe. Ils échangèrent un regard.

— Annonce-nous, dit Will.

Ils s'avancèrent dans l'entrée, Jimmy ouvrant la marche.

— NYPD ! cria-t-il. Tout le monde se calme et reste à sa place.

Couvert par Will, Jimmy passa prudemment la tête dans la salle de séjour, découvrit huit personnes à divers stades d'ivresse ou de stupeur narcotique. La plupart étaient assises ou allongées par terre, quelques-unes dormaient manifestement. Une jeune Blanche avec des mèches violettes dans sa chevelure blonde était étendue sur un canapé, sous la fenêtre, une cigarette pendant au bout des doigts. Quand elle vit les policiers, elle commença à se redresser en gémissant :

— Oh, merde.

— Restez où vous êtes, lui intima Jimmy en accompagnant l'ordre d'un geste de la main gauche.

Un ou deux autres fêtards prirent conscience des ennuis qui les attendaient peut-être et parurent inquiets. Pendant que Jimmy surveillait le troupeau avachi du séjour, Will inspecta le reste de l'appartement. Il y avait une petite chambre avec un lit d'enfant vide et un grand lit couvert d'une pile de vêtements. Un gars de dix-neuf ou vingt ans à peine conscient, agenouillé dans la salle de bains, tentait vainement de faire disparaître un gramme de marijuana dans une cuvette de W-C dont le réservoir était fendu. En fouillant le gars, Will trouva trois doses d'héroïne dans les poches de son jean.

— T'es idiot ou quoi ?

— Hein ? grogna l'autre.

— T'as de l'héro sur toi, mais c'est l'herbe que tu balances dans les chiottes ? T'es étudiant ?

— Ouais.

— Ben t'auras sûrement pas un prix Nobel. Tu te rends compte des ennuis dans lesquels tu t'es fourré ?

— Mais ça vaut du fric, cette merde, répondit le jeune homme en montrant les sachets.

Will eut presque pitié de lui.

— Amène-toi, Einstein.

Il le poussa dans la salle de séjour et le fit s'asseoir par terre.

— OK, dit Jimmy. Les autres, contre le mur. Si vous avez sur vous quelque chose dont je devrais être informé, dites-le-moi maintenant, ce sera plus facile pour vous.

Ceux qui étaient capables de se lever prirent position contre le mur. Will enfonça la pointe de son pied dans les côtes d'une fille comateuse.

— Hé, la Belle au bois dormant. La sieste est terminée.

Finalement, ils réussirent à les avoir debout tous les neuf. Will les fouilla tous, excepté le garçon dont il s'était déjà occupé. Seule la fille aux mèches avait de la drogue sur elle : trois joints et une dose de poudre. Elle était à la fois bourrée et stone, et apparemment en train de redescendre.

— C'est quoi, ces trucs ? lui demanda Will.

— Je sais pas, répondit-elle, la voix légèrement pâteuse. Un ami me les a donnés pour que je les lui garde.

— C'est bien trouvé, comme histoire. Il s'appelle comment, ton copain ? Hans Christian Andersen ?

— Quoi ?

— Laisse tomber. C'est chez toi, ici ?

— Oui.

— Ton nom ?

— Sandra.

— Sandra comment ?

— Sandra Huntingdon.

— Sandra, tu es en état d'arrestation pour possession de drogue avec intention de vendre.

Il lui passa les menottes et lui donna connaissance de ses droits, fit la même chose avec le garçon qu'il avait fouillé dans la salle de bains. Jimmy prit les noms des autres, leur annonça qu'ils étaient libres de partir ou de rester, mais que s'il tombait encore sur eux dans la rue, il les bouclerait sous prétexte qu'ils rôdaient avec de mauvaises intentions, même s'ils couraient pour attraper le bus. Ils retournèrent tous s'asseoir. Ils étaient jeunes et effrayés, ils prenaient lentement conscience de la chance qu'ils avaient de n'être pas menottés comme leurs amis, mais ils n'avaient pas encore repris suffisamment leurs esprits pour sortir dans la nuit.

— Allez, on y va, dit Will aux deux jeunes menottés.

Il poussa la fille, Huntingdon, vers la porte, Jimmy suivant avec le garçon, Howard Mason, quand tout à coup quelque chose dans la tête de Huntingdon perça la brume de la drogue.

— Mon bébé, dit-elle. Je ne peux pas laisser mon bébé !

— Quel bébé ? demanda Will.

— Ma petite fille. Elle a deux ans.

— Mademoiselle, il n'y a pas d'enfant dans cet appartement. J'ai regardé partout…

— Je vous dis que mon bébé est ici ! cria-t-elle.

Il voyait bien qu'elle ne jouait pas la comédie.

L'un des gars restés dans le séjour, un Noir d'une vingtaine d'années avec une coiffure afro pour débutant, intervint :

— Elle ment pas, man. *Elle a un bébé.*

Jimmy se tourna vers son coéquipier.

— Tu as vérifié dans tout l'appart, t'es sûr ?

— C'est pas Central Park, tu sais.

— Bon Dieu, jura Jimmy.

Il remit Mason face au séjour.

— Tu vas t'asseoir sur le canapé et t'en bouges pas. OK, Sandra, tu dis que t'as une petite fille, on va la chercher. Comment elle s'appelle ?

— Melanie.

— Melanie. T'aurais pas demandé à quelqu'un de te la garder pour la soirée ?

— Non, elle est ici, je ne mens pas, se défendit Huntingdon, en larmes à présent.

— On va voir ça tout de suite.

Il n'y avait pas beaucoup d'endroits où chercher, mais ils appelèrent quand même l'enfant par son prénom. Les deux policiers regardèrent derrière le canapé, dans la baignoire et dans le placard de la cuisine.

Ce fut Will qui la trouva. Elle gisait sous le tas de vêtements qui recouvraient le lit. Il comprit qu'elle était morte dès que sa main toucha la petite jambe.

Jimmy but une gorgée de vin.

— La gosse a dû vouloir se coucher dans le lit de sa mère, avança-t-il. Elle s'est peut-être glissée sous le premier manteau pour avoir chaud et elle s'est endormie. Ensuite, les invités ont posé les autres vêtements dessus et elle est morte étouffée. Je me souviens encore de la plainte de la mère quand on a retrouvé la petite. Un cri d'animal frappé à mort. Puis elle s'est effondrée par terre, les bras toujours menottés derrière le dos. Elle s'est approchée du lit à genoux, elle a enfoncé la tête sous les manteaux pour être tout près de la gamine. On ne l'a pas empêchée, on est restés à la regarder.

« Ce n'était pas une mauvaise mère. Elle avait deux boulots, sa tante gardait la gosse pendant qu'elle travaillait. Elle dealait peut-être un peu, mais l'autopsie a montré que sa fille était en bonne santé et bien traitée. Excepté ce soir-là, personne n'avait jamais eu à se plaindre d'elle. Ce que je veux dire, c'est que ça aurait pu arriver à n'importe qui. C'était une tragédie, voilà tout. C'était la faute de personne.

« Pourtant, ton père a pris une muflée le lendemain. Il buvait pas mal, à l'époque. Quand tu l'as connu, il avait arrêté, à part une virée de temps à autre avec les collègues. Mais dans le temps il aimait picoler. On aimait tous ça.

« Ce jour-là, c'était différent. Jamais je l'avais vu boire comme après le soir où il avait découvert le corps de Melanie Huntingdon. Je crois que ça tenait à sa propre situation. Ta mère et lui voulaient un enfant à tout prix, mais ils n'y arrivaient pas. Alors, quand il a vu cette petite morte sous une pile de fringues, quelque chose s'est cassé en lui. Il croyait en Dieu. Il allait à la messe, il priait. Ce soir-là, il a dû avoir l'impression que Dieu se moquait de lui juste pour le plaisir : forcer un homme dont la femme a fait fausse couche sur fausse couche à découvrir le corps d'un enfant mort... Ou pire, il a peut-être cessé un moment de croire en un dieu, quel qu'il soit. Pour lui, c'était comme si on avait soulevé un coin du monde, révélant dessous un espace vide et noir. Je ne sais pas. En tout cas, la mort de la petite Huntingdon l'a changé. Après ça, ta mère et lui ont eu une passe vraiment difficile. Je crois qu'elle était sur le point de le quitter, ou alors c'était lui, je me rappelle plus lequel. Peu importe, le résultat aurait été le même.

Il reposa son verre et la lumière de la bougie joua sur le vin, projetant sur le dessus de la table des formes fractales rouges semblables à des fantômes de rubis.

— C'est à ce moment-là qu'il a rencontré cette fille.

Elle s'appelait Caroline Carr, ou du moins elle le prétendait. Ils avaient répondu à un appel pour une tentative de cambriolage de son appartement. C'était le plus exigu qu'ils aient jamais vu, juste assez grand pour contenir un lit d'une personne, une armoire, une table et une chaise. La cuisine consistait en un réchaud à gaz à deux brûleurs dans un coin et la salle de bains était si minuscule qu'elle n'avait pas de porte, juste un rideau de perles pour l'intimité. On voyait mal pourquoi un cambrioleur s'y serait intéressé : un simple coup d'œil leur apprit que la fille ne possédait rien qui valût la peine d'être volé.

Mais l'endroit lui convenait. Elle était petite, un peu plus d'un mètre cinquante, et mince. Elle avait de longs cheveux bruns très fins, une peau presque translucide. Jimmy eut d'abord l'impression qu'elle pouvait claquer devant eux d'une seconde à l'autre, pourtant, quand il regarda ses yeux, il y vit de la force et de la férocité. Elle avait l'air fragile, mais la soie d'araignée aussi, jusqu'à ce qu'on essaie de la casser.

Elle avait peur, cependant, il en était sûr. À l'époque, il avait mis ça sur le compte de la tentative de cambriolage. On avait clairement essayé de forcer la fenêtre depuis l'escalier de secours. Le bruit l'avait réveillée, elle s'était précipitée vers le téléphone du couloir pour appeler les flics. Sa voisine, la vieille Mme Roth, l'avait entendue crier et lui avait proposé de se réfugier chez elle en attendant l'arrivée de la police. Le hasard avait voulu que Jimmy et Will se trouvent à une rue de l'immeuble quand le central avait diffusé l'appel. L'homme qui avait tenté de pénétrer dans l'appartement se trouvait probablement encore de l'autre côté de la fenêtre quand les sirènes avaient commencé à mugir. Ils remplirent un « 61 », ils ne pouvaient pas faire grand-chose de plus. À leur arrivée, le casseur avait déguerpi et la fille n'avait rien. Will lui suggéra de demander au propriétaire de faire installer une fermeture plus sûre pour la fenêtre, ou peut-être une grille de sécurité, mais elle secoua la tête.

— Pas question que je reste ici.

— C'est New York, argua Will. Ça arrive.

— Je comprends, mais il faut que je parte, répondit-elle.

Sa peur était palpable et cependant ce n'était pas une réaction excessive, irraisonnée, à un incident perturbant quoique banal. Ce qui l'effrayait n'était qu'en partie lié aux événements de cette nuit-là.

— Ton père a dû le sentir lui aussi, dit Jimmy. Il était silencieux quand on est repartis. On s'est arrêtés pour prendre un café, et pendant qu'on le buvait, il m'a demandé : « C'est quoi, cette histoire, d'après toi ? – Un 10-31, finalement. Rien d'autre. – Mais cette fille avait peur. – Elle vit seule dans une boîte à chaussures. Quelqu'un essaie d'entrer, elle n'a pas beaucoup d'endroits où se réfugier, mets-toi à sa place… – Non, il y a autre chose. Elle nous a pas tout dit. – D'accord, t'as raison. Je l'ai senti, moi aussi. Tu veux qu'on y retourne ? – Non, pas maintenant. Plus tard, peut-être. » Mais on n'y est jamais retournés. Ensemble, je veux dire. Ton père, si. Peut-être même dès cette nuit-là, à la fin de notre service. Et c'est comme ça que ça a commencé.

Will dit à Jimmy qu'il n'avait pas couché avec Caroline avant leur troisième rencontre. Il affirma qu'il n'avait jamais eu l'intention d'en arriver là, mais qu'il y avait quelque chose en elle qui lui donnait envie de l'aider, de la protéger. Jimmy ne savait pas s'il devait le croire ou non et pensait que ça n'avait pas d'importance, de toute façon. Will Parker avait toujours eu un côté sentimental, et comme Jimmy se plaisait à le répéter, citant Oscar Wilde, « la sentimentalité est le jour férié du cynisme ». Will avait des problèmes dans son couple, il était encore perturbé par la mort de Melanie Hundington et il vit peut-être en Caroline Carr une sorte de diversion. Il l'aida à déménager. Il lui trouva dans l'Upper East Side un appartement plus spacieux et plus sûr. Il l'installa dans un motel pour deux nuits pendant qu'il négociait le loyer en son nom, puis, un matin, il vint à New York en voiture au lieu de prendre le train, il mit toutes les affaires de Caroline – pas grand-chose – à l'arrière et la conduisit à son nouvel appartement. Leur liaison ne dura pas plus de six ou sept semaines.

Pendant lesquelles elle tomba enceinte.

J'attendais. J'avais fini mon verre mais, quand Jimmy voulut le remplir de nouveau, je le couvris de ma main. J'avais déjà la tête qui tournait, même si cela n'avait rien à voir avec le vin.

— Enceinte ?

— Oui, dit-il en inclinant la bouteille au-dessus de son verre. Moi, je me ressers, si ça ne te dérange pas. Ça m'aide. Ça fait longtemps que j'attends de me libérer de ce poids.

Il se servit un demi-verre et reprit :

— Elle avait quelque chose, cette Caroline Carr. Même moi, je m'en rendais compte.

Je ne pus m'empêcher de sourire.

— Je suppose que j'ai pas besoin de t'en dire plus, dit-il en me rendant mon sourire.

J'acquiesçai.

— Mais ce n'était pas la raison principale. Ton père était bel homme, il ne manquait pas de femmes qui se seraient fait un plaisir de le soulager de ses peines, sans contrepartie. Il n'aurait rien eu d'autre à faire que leur offrir un verre. Au lieu de quoi, il se décarcassait pour trouver un appart à cette fille et il mentait à sa femme sur son emploi du temps.

— Vous croyez qu'il s'était entiché d'elle ?

— C'est ce que j'ai cru, au début. Elle était plus jeune que lui, pas de beaucoup, et comme je l'ai dit, elle avait un certain charme. Je pense que c'était lié à l'impression de fragilité qu'elle donnait, même si elle était trompeuse. Ouais, bien sûr que j'ai cru qu'il était mordu, et il l'était peut-être, au départ. Mais après, Will m'a raconté le reste, du moins ce qu'il a bien voulu me révéler. C'est là que j'ai commencé à comprendre, et à me faire du souci.

Il avait le front plissé et je me rendis compte que, même après autant d'années, cette partie de l'histoire lui était encore très pénible.

— On était au Cal's le soir où Will m'a dit que Caroline Carr était persuadée qu'on la traquait. Au début, j'ai cru qu'il blaguait, mais pas du tout. Alors, je me suis demandé si elle lui avait joué du pipeau. Tu sais, le couplet de la pauvre fille en détresse menacée par de grands méchants : un petit copain merdique, peut-être, ou un ex-mari psychopathe... Ce n'était pas ça non plus. Elle était convaincue que ceux qui la traquaient n'étaient pas vraiment humains. Elle a parlé à ton père d'un homme et d'une femme qui la pourchassaient depuis des années.

— Et il l'a crue ?

—Tu rigoles ? Il était peut-être sentimental mais pas idiot. Il s'est dit qu'elle était fêlée, qu'il avait fait la connerie de sa vie. Il l'imaginait débarquant chez lui avec des tresses d'ail et des crucifix autour du cou. Ton père avait légèrement déraillé, mais il était encore capable de conduire le train. Non, il ne l'a pas crue et je pense qu'il a commencé à vouloir se sortir de cette galère. Il s'est sans doute aussi rendu compte qu'il devait rester avec sa femme, que la quitter ne réglerait aucun de ses problèmes et lui en causerait une tapée d'autres.

« Quand Caroline lui a annoncé qu'elle était enceinte, le monde s'est effondré autour de lui. Ils ont eu une longue discussion, le lendemain, à l'appart, après qu'elle se fut fait examiner en clinique pour avoir confirmation. Elle n'a jamais parlé d'avortement et ton père, à son honneur, n'a jamais proposé non plus cette possibilité. Pas seulement parce qu'il était catholique. Je crois qu'il se rappelait la petite enfouie sous la pile de vêtements, et les fausses couches de sa femme. Même si cela devait entraîner la fin de son couple et une vie de dettes, il n'a jamais suggéré un avortement.

De son côté, Caroline prenait la chose avec beaucoup de sang-froid. Elle n'était pas particulièrement heureuse, mais calme, comme si cette grossesse n'était qu'un traitement médical, contrariant mais nécessaire.

« Ton père, lui, était sous le choc. Comme il avait besoin d'air, il a laissé Caroline pour aller faire un tour à pied. Au bout d'une demi-heure, il a senti le besoin d'en parler à quelqu'un, il est revenu à la cabine téléphonique située en face de l'appartement et il m'a appelé.

« C'est à ce moment-là qu'il les a vus.

Ils se tenaient dans une entrée d'immeuble, près d'une épicerie de quartier, la main dans la main : un homme et une femme, la trentaine tous les deux. La femme avait des cheveux châtain terne qui lui tombaient sur les épaules, pas de maquillage. Elle était mince, vêtue d'une jupe noire démodée qui lui collait aux jambes avant de s'évaser légèrement au niveau des chevilles, d'une veste noire assortie ouverte sur un chemisier blanc boutonné jusqu'au cou. L'homme portait un costume noir, une chemise blanche et une cravate noire. Ses cheveux, courts derrière et longs devant, étaient séparés par une raie à gauche et tombaient en une mèche graisseuse sur l'un de ses yeux. Tous deux fixaient la fenêtre de l'appartement de Caroline Carr.

Ce fut leur immobilité même qui attira le regard de Will. Ils étaient comme des statues disposées dans l'ombre, une installation artistique provisoire dans une rue animée. Leur aspect lui fit penser à une de ces sectes de Pennsylvanie qui réprouvent la vaine coquetterie des boutons inutiles. Leur concentration absolue sur la fenêtre de l'appartement avait quelque chose du fanatisme religieux.

Et puis ils se mirent en mouvement, traversèrent la rue. Will vit l'homme glisser une main sous sa veste et une arme apparut.

Will dégaina son 38 et s'élança. Le couple se trouvait au milieu de la chaussée quand quelque chose éveilla l'attention de l'homme. Il perçut la menace qui approchait, se tourna pour l'affronter. La femme continua à avancer, les yeux toujours fixés sur l'immeuble où la fille se cachait, mais l'homme regardait Will Parker et celui-ci sentit son intestin se contracter, comme si on venait d'y injecter de l'eau froide et qu'il éprouvait le besoin de se vider. Même à cette distance, il pouvait voir que l'homme n'avait pas des yeux normaux. Ils étaient à la fois trop sombres, tels des trous jumeaux dans la pâleur du visage, et trop petits, éclats de verre noir dans une peau empruntée tendue sur un crâne trop gros.

La femme se retourna en constatant que son compagnon n'était plus à côté d'elle, et Will Parker vit de la panique dans ses yeux.

Le camion heurta l'homme par-derrière, le souleva brièvement, les pieds décollant du sol avant qu'il passe sous les roues malgré le coup de frein du chauffeur. Son corps se désintégra sous le poids énorme du véhicule, sa vie s'acheva en une traînée rouge et noir. La violence de l'impact l'avait arraché à ses chaussures, qui restèrent derrière lui, l'une retournée, l'autre couchée sur le côté. Une spirale de sang coulait de la forme brisée jusqu'aux chaussures, comme si le corps tentait de se reconstituer, de se rebâtir à partir des pieds. Quelqu'un poussa un cri.

Le temps que Will parvienne au corps, la femme avait disparu. Il regarda sous le camion. L'homme n'avait plus de tête, elle avait été écrasée par la roue avant gauche. Will montra son insigne et demanda à un passant au visage livide de signaler l'accident. Le chauffeur descendit de sa cabine, voulut s'accrocher à Will, mais celui-ci courait déjà vers l'immeuble et il s'aperçut à peine que le chauffeur s'effondrait derrière lui. La porte du bas était fermée. Au juger, sans cesser de regarder la rue, il glissa sa clé dans la serrure et ouvrit. Il pénétra dans le couloir, claqua la porte derrière lui. Quand il arriva à l'appartement, il se tint sur le côté, haletant, frappa une seule fois.

— Caroline ?

Un silence, puis :

— Oui ?

— Ça va, chérie ?

— Je crois.

— Ouvre.

Ses yeux scrutaient l'obscurité. Il crut sentir dans l'air une odeur étrange, âcre et métallique, et il lui fallut quelques secondes pour se rendre compte que c'était celle du sang du mort. Baissant la tête, il vit qu'il en avait sur ses chaussures.

Caroline ouvrit, il entra. Quand il voulut la prendre dans ses bras, elle se déroba.

— Je les ai vus, dit-elle. Ils venaient pour moi.

— Je sais. Je les ai vus aussi.

— Celui qui s'est fait renverser…

— Il est mort.

Elle secoua la tête.

— Non.

— Je te dis qu'il est mort. Il a le crâne en bouillie.

Elle s'appuyait maintenant contre le mur et il la prit par les épaules.

— Regarde-moi.

Quand elle le fit, il vit qu'elle lui cachait quelque chose.

— Il est mort, répéta-t-il pour la troisième fois.

Elle eut un long soupir, tourna les yeux vers la fenêtre.

— D'accord, dit-elle.

Il sut dans l'instant qu'elle ne le croyait pas, même s'il ne comprenait pas pourquoi. Elle reprit :

— Et la femme ?

— Disparue.

— Elle reviendra.

— Tu iras ailleurs.

— Où ?

— Dans un endroit sûr.

— C'était censé être sûr, ici.

— Je me trompais.

— Tu ne m'as pas crue.

— Tu as raison, je ne t'ai pas crue. Je te crois, maintenant. Je sais pas comment ils t'ont trouvée, mais je me trompais. Tu as téléphoné à quelqu'un ? Tu as dit à quelqu'un – un ami, un parent – où tu vivais ?

Son regard revint sur lui. Elle semblait lasse. Ni effrayée ni furieuse, simplement lasse.

— Qui j'aurais pu appeler ? Je n'ai personne. Il n'y a que toi.

N'ayant que lui vers qui se tourner, Will appela Jimmy Gallagher, et pendant que les flics recueillaient des témoignages, ce dernier conduisit Caroline à un motel du Queens, non sans avoir longuement roulé pour déjouer une éventuelle filature. Après l'avoir installée en sécurité dans sa chambre, il resta avec elle jusqu'à ce qu'elle s'endorme et regarda la télévision toute la nuit.

Pendant ce temps, Will mentait aux flics dépêchés sur les lieux. Il déclara qu'il rendait visite à un ami dans le nord de la ville quand il avait vu un homme traverser la rue, une arme à la main. Il l'avait interpellé et l'homme se tournait vers lui en levant son pistolet lorsque le camion l'avait heurté. Aucun des témoins ne se rappelait apparemment la femme qui l'accompagnait. En fait, ils ne se rappelaient même pas avoir vu l'homme traverser. C'était comme si, pour eux, il s'était soudain matérialisé sur la chaussée. Le chauffeur lui-même affirma que, l'instant d'avant, il n'y avait personne au milieu de la rue. Il était sous le choc, bien qu'on ne pût rien lui reprocher. Il n'avait pas grillé les feux et il roulait bien au-dessous de la vitesse limite.

Une fois sa déclaration faite, Will demeura un moment dans un café, observant la porte de l'immeuble et la circulation autour de l'endroit où l'homme était mort, mais la femme au visage délavé et aux yeux sombres ne revint pas. Si elle pleurait la disparition de son compagnon, elle le faisait ailleurs. Finalement, il renonça, rejoignit Jimmy au motel et lui raconta tout pendant que Caroline dormait.

— Il m'a parlé de la grossesse, de la femme, du mort, dit Jimmy. Il n'arrêtait pas de répéter que ce type avait quelque chose de… d'anormal et il cherchait ce que ça pouvait être.

— Il a fini par trouver ? demandai-je.

— Oui. Les vêtements d'un autre.

— Quoi ?

— Tu as déjà vu quelqu'un qui porte un costume qui n'est pas le sien, ou des chaussures empruntées, trop grandes ou trop petites pour lui ? C'était ça que le mort avait d'anormal, d'après ton père. On aurait dit qu'il avait emprunté le corps d'un autre et qu'il ne lui allait pas. Ton père s'est acharné là-dessus pendant des semaines comme un chien sur un os et il n'a pas trouvé mieux : il avait l'impression que quelque chose vivait dans le corps de ce type, mais que ce n'était pas lui. Celui qui avait vécu dans ce corps autrefois n'y était plus. Cette chose l'avait rongé.

Jimmy me regarda, attendant ma réaction, et comme je gardais le silence, il enchaîna :

— J'ai envie de te demander si ça te paraît dingue, mais je sais trop de choses sur toi pour te croire si tu réponds « oui ».

— Vous avez fini par l'identifier ? dis-je, ignorant sa remarque.

— Il ne restait pas assez de lui pour le faire. Un dessinateur de la police est quand même parvenu à un portrait assez ressemblant en se fondant sur la description donnée par ton père, et on l'a diffusé. Bingo ! Une femme se présente, dit qu'il ressemble à son mari, un nommé Peter Ackerman. Il l'avait plaquée cinq ans plus tôt. Il avait rencontré une fille dans un bar et voilà. Sauf que d'après elle son mari n'était pas du tout le genre à ça. Il était comptable, il faisait toujours les choses en règle. Il aimait sa femme, ses gosses. Il avait ses habitudes, il s'y tenait.

Je haussai les épaules.

— Il n'aurait pas été le premier à décevoir sa femme sur ce point.

— Sans doute pas, convint Jimmy. Mais je n'en suis pas encore au plus bizarre. Ackerman avait fait la guerre de Corée, on a finalement eu confirmation de son identité grâce à ses empreintes digitales. Comme il n'avait plus de tête, sa femme nous avait donné un signalement détaillé pour le reste : un tatouage des marines sur le bras gauche, une cicatrice d'opération de l'appendicite, un morceau de mollet gauche en moins, là où il avait reçu une balle au Réservoir de Chosin. Le corps écrasé par le camion présentait tous ces signes particuliers, plus un : le type s'était fait faire un autre tatouage depuis qu'il avait quitté sa femme et ses enfants. Enfin, pas vraiment un tatouage. Plutôt une marque.

— Une marque ?

— Imprimée au fer rouge sur le bras droit. Difficile à décrire. Je n'avais jamais vu quelque chose comme ça, mais ton père a fait des recherches et il a trouvé ce que c'était.

— À savoir ?

— Le symbole d'un ange. Un ange déchu. « An… » quelque chose, il s'appelait. Animal. Non, c'est pas ça. Ah, ça me reviendra.

Il fallait que j'avance avec précaution, maintenant. J'ignorais ce que Jimmy savait de certains des hommes et des femmes que j'avais croisés par le passé, de leur curieuse conviction d'être des créatures déchues, des esprits errants.

Des démons.

— Cet homme était marqué par un symbole occulte ? dis-je.

— Exactement.

— Une fourche ?

C'était une marque que j'avais vue auparavant et ceux qui la portaient se donnaient le nom de « Croyants ».

— Quoi ? fit Jimmy, l'air dérouté.

Puis son expression changea et je compris qu'il en savait plus sur cet homme qu'il ne le prétendait.

— Non, pas une fourche. Ça n'avait apparemment aucun sens, mais tout a un sens si on regarde bien.

— Et la femme ?

Jimmy se leva, alla prendre une autre bouteille dans son casier à vin.

— Oh, elle est revenue. Un retour en force.

20

Will et Jimmy ne laissèrent pas Caroline Carr passer plus d'une semaine au même endroit. Ils l'installaient dans des motels, des studios loués pour quelques jours. Et, pour finir, dans une cabane au milieu d'un bois, dans le nord de l'État, non loin d'une bourgade dont un ancien flic, un cousin d'Eddie Grace, était devenu chef de la police. On s'en servait à l'occasion pour y planquer des témoins, ou des gens qui avaient besoin de se cacher en attendant que les choses se tassent. Mais Caroline avait horreur du calme et de l'isolement. Ça la rendait nerveuse, c'était une fille de la ville. À la campagne, tout bruit signalait une menace proche. Au bout de trois jours, elle eut les nerfs en lambeaux. Elle était tellement effrayée qu'elle appela même Will Parker chez lui. Heureusement, sa femme n'était pas là, mais ce coup de téléphone le secoua. Caroline et lui avaient déjà mis fin à leur liaison d'un commun accord, mais quelquefois, seul dans son jardin, il se demandait comment il avait fait pour tout gâcher. Il était constamment tenté de tout avouer à sa femme. Il rêvait même qu'il l'avait fait et se réveillait étonné de la voir encore étendue près de lui. Il était sûr qu'elle se doutait de quelque chose et qu'elle attendait le bon moment pour exprimer ses soupçons. Elle n'en parla jamais et son silence ne fit qu'aggraver la paranoïa de Will.

Il se rendait compte à présent qu'il ne savait presque rien de Caroline Carr. Elle n'avait fait qu'esquisser à grands traits sa vie avant de le rencontrer : une enfance à Modesto, en Californie, la mort de sa mère dans un incendie, et puis la conscience croissante de ces deux créatures qui la pourchassaient. Jusque-là, elle avait réussi à leur échapper mais, lasse de fuir, elle était devenue imprudente. Elle commençait presque à souhaiter qu'ils la retrouvent quand ils avaient essayé de pénétrer dans son appartement. La peur avait alors pris le pas sur son désir inconsidéré de voir sa cavale prendre fin. Elle était incapable d'expliquer à Will pourquoi ils l'avaient prise pour cible, car elle n'en savait rien, disait-elle. Elle savait seulement qu'ils étaient une menace, qu'ils voulaient mettre fin à sa vie. Lorsqu'il lui avait demandé pourquoi elle ne s'était pas adressée à la police, elle lui avait ri au nez avec une expression méprisante qui l'avait blessé.

— Tu crois que je ne l'ai pas fait ? Je suis allée voir les flics après la mort de ma mère, je leur ai dit qu'on avait mis le feu chez nous, mais ils avaient devant eux une fille bouleversée, submergée par le chagrin, et ils n'ont pas écouté un mot de ce que j'ai dit. Après ça, j'ai décidé qu'il valait mieux que je me débrouille seule. Qu'est-ce que j'aurais pu faire d'autre ? Raconter aux gens que j'étais traquée sans raison par un homme et une femme que personne à part moi n'avait jamais vus ? On m'aurait enfermée. J'ai gardé cette histoire pour moi jusqu'à ce que je te rencontre. Je te croyais différent.

Will l'avait prise dans ses bras et lui avait dit qu'il était bien différent, tout en se demandant s'il ne se laissait pas prendre dans les fantasmes complexes d'une jeune femme terrorisée. Puis il s'était rappelé l'homme au pistolet, la femme blême aux yeux morts, et il avait conclu qu'il y avait une part de vérité dans ce que Caroline Carr lui disait.

Il avait discrètement fait des recherches sur le tatouage de Peter Ackerman et on lui avait finalement recommandé un jeune rabbin de Brooklyn Heights nommé Epstein. Devant un verre de vin kasher, l'homme lui avait parlé d'anges, d'écrits obscurs qui n'avaient pas été incorporés dans la Bible parce qu'ils étaient encore plus étranges que ceux qui s'y trouvaient déjà, ce qui n'était pas peu dire. Au cours de leur conversation, Will se rendit compte que le rabbin lui posait autant de questions que lui.

— Peter Ackerman aurait donc fait partie d'une secte ? demanda-t-il.

— Peut-être, répondit le rabbin. Pourquoi vous intéressez-vous autant à cet homme ?

— Je suis flic. J'étais sur les lieux quand il est mort.

— Non, il y a autre chose.

Le rabbin se renversa en arrière, caressa sa courte barbe sans jamais quitter son visiteur des yeux. Finalement, il parut avoir pris une décision.

— Je peux vous appeler Will ?

Le père de Charlie Parker acquiesça.

— Je vais vous dire une chose, Will, et je vous serai reconnaissant de me confirmer si j'ai vu juste.

Will ne put qu'accepter. Comme il le raconta plus tard à Jimmy, l'interrogatoire se transforma en un échange d'informations.

— Cet homme n'était pas seul, il y avait une femme avec lui, avança Epstein. À peu près du même âge. Je me trompe ?

— Comment le savez-vous ?

Le rabbin lui montra une copie du symbole découvert sur le corps de Peter Ackerman.

— À cause de ça. Ils chassent toujours par deux. Après tout, ils sont amants. L'homme...

Epstein indiqua du doigt le symbole d'Ackerman avant de prendre en dessous une autre feuille de papier.

— ... et la femme.

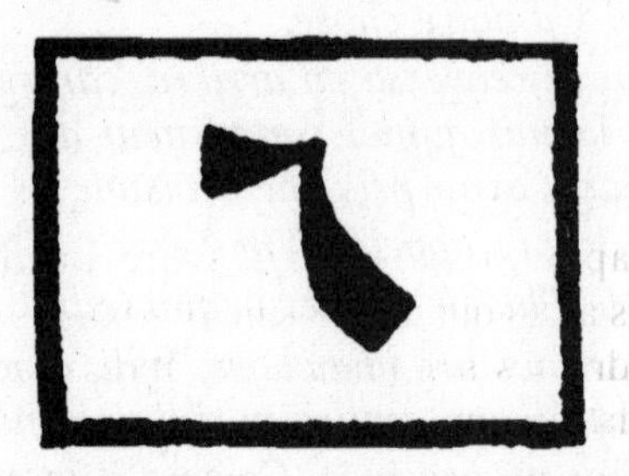

Will les examina tous deux.

— Cette femme appartiendrait à la même secte ?

— *Non, Will. Je ne crois pas que ce soit une secte. C'est bien plus grave.*

Jimmy se pressait les tempes comme s'il réfléchissait intensément. Je connaissais le rabbin Epstein. Je l'avais rencontré plusieurs fois et je l'avais aidé à traquer les assassins de son fils. Jamais il n'avait mentionné qu'il avait connu mon père.

— Leurs noms, dit Jimmy. Je ne me souviens plus de leurs noms.

— Quels noms ?

— Les noms que le rabbin a révélés à Will. L'homme, c'était « An… » quelque chose, comme je te l'ai dit. Celui de la femme, je n'arrive pas à m'en souvenir, on dirait qu'ils ont été effacés de ma mémoire…

Jimmy devenait irrité, distrait.

— Peu importe pour le moment, dis-je. Nous y reviendrons plus tard.

— Ils avaient tous des noms, bredouilla Jimmy, l'air perdu.

— Quoi ?

— C'est ce que le rabbin a dit aussi à Will. Qu'ils avaient tous des noms.

Me regardant avec ce qui ressemblait à du désespoir, il ajouta :

— Qu'est-ce que ça veut dire ?

Je me rappelai mon grand-père prononçant les mêmes mots alors que la maladie d'Alzheimer commençait à éteindre ses souvenirs l'un après l'autre comme on souffle la flamme d'une bougie. « Ils ont tous des noms, Charlie, m'avait-il dit, le visage empreint d'une terrible tension. Ils ont tous des *noms*. » Je n'avais pas su alors ce qu'il voulait dire. Ce ne fut que plus tard, confronté à des créatures telles que Kittim et Brightwell, que je commençai à l'apprendre.

— Cela veut dire que même les pires choses ont un nom, répondis-je à Jimmy. Et il est important de le connaître.

Parce qu'en nommant une chose on commence à la comprendre.

Et qu'avec la compréhension vient la possibilité de détruire cette chose.

La nécessité de protéger Caroline Carr représentait pour Will et Jimmy une pression supplémentaire alors que New York était en effervescence et que les exigences de leur métier d'officier de police ne cessaient de croître. En janvier 1966, les travailleurs des transports en commun s'étaient mis en grève – tous, les trente-quatre mille –, paralysant le réseau et dévastant l'économie de la ville. Lindsay, qui avait succédé à Wagner en 1966 dans le fauteuil de maire, avait finalement cédé face aux plaintes des usagers et aux quolibets de Michael Quill, le dirigeant syndical qui, derrière les barreaux, le traitait de « demi-portion » et de « galopin en culotte courte ». En capitulant devant les travailleurs des transports, Lindsay – un bon maire à de nombreux égards, que personne ne s'avise de prétendre le contraire – avait ouvert les vannes à une série de grèves municipales qui déferleraient pendant toute la durée de son mandat. En outre, le mouvement contre la conscription commençait à frémir et menaçait d'entrer en ébullition depuis que quatre cents militants avaient fait le siège du centre d'appel sous les drapeaux dans Whitehall Street, deux ou trois brûlant même leur ordre d'incorporation. Au demeurant, c'était encore la pleine saison pour la chasse aux dissidents, puisque la majorité du pays soutenait LBJ, même si les effectifs des troupes des États-Unis au Vietnam étaient passés cette année-là de cent quatre-vingt mille à trois cent quatre-vingt-cinq mille, même si les pertes avaient triplé et que l'on compterait cinq mille soldats américains morts à la fin de cette seule année. Il faudrait un an de plus pour que l'opinion publique commence vraiment à basculer et, pour le moment, les actions concernaient plus les droits civiques que le Vietnam, alors que certains prenaient peu à peu conscience que la conscription était injuste parce que la plupart des jeunes gens convoqués devant des conseils de révision blancs étaient des Noirs qui ne pouvaient pas invoquer leurs études pour obtenir un sursis, puisqu'ils n'avaient au départ aucune chance d'aller à l'université. Dans l'East Village, on parlait des « nouveaux bohèmes » et la marijuana et le LSD devenaient les drogues à la mode.

Will Parker et Jimmy Gallagher, jeunes eux aussi et non dépourvus d'intelligence, endossaient leurs uniformes chaque matin et se demandaient quand ils recevraient l'ordre d'aller casser la tête de jeunes de leur âge, des jeunes avec qui, au moins dans le cas de Will, ils étaient en grande partie d'accord. Tout changeait. Ils le sentaient dans l'air.

Jimmy aurait voulu qu'ils n'aient jamais rencontré Caroline Carr. Après le coup de téléphone qu'elle avait donné chez Will, il était allé la chercher dans la cabane et l'avait ramenée à Brooklyn, l'avait installée cette fois chez sa mère, à Gerritsen Beach, près de la rivière Shell Bank Creek. Mme Gallagher possédait une petite maison de plain-pied avec un toit pointu et sans jardin dans Melba Court, une des rues rangées par ordre alphabétique qui avaient autrefois servi de résidence d'été aux Américains d'origine irlandaise, jusqu'à ce que Gerritsen devienne si appréciée que ces maisons avaient été aménagées pour l'hiver afin que les gens puissent y vivre toute l'année. En cachant Caroline à Gerritsen, Jimmy et aussi Will, à l'occasion, avaient une excuse pour venir la voir, car Jimmy rendait visite à sa mère au moins une fois par semaine. De plus, cette partie de Gerritsen était petite et très soudée. La présence d'un intrus y sautait immédiatement aux yeux et Jimmy avait prévenu sa mère que des gens mal intentionnés traquaient Caroline. Mme Gallagher devint encore plus vigilante qu'elle ne l'était d'ordinaire : même parfaitement détendue, elle aurait fait la pige aux gardes du corps présidentiels. Quand les voisins posaient des questions sur la jeune femme qui logeait chez elle, Mme Gallagher répondait que c'était l'amie d'une amie et qu'elle avait récemment perdu son mari. Une tragédie, vu que la pauvre fille attendait un enfant. Elle donna à Caroline une mince alliance en or et lui recommanda de la porter à l'annulaire. Son « deuil » tenait éloignés même les plus fouineurs et, les rares fois où Caroline accompagna Mme Gallagher à des soirées à l'Ordre ancien des Irlandais de Gerritsen Avenue, elle fut traitée avec une gentillesse, un respect qui la firent se sentir à la fois reconnaissante et coupable.

À Gerritsen, Caroline était contente : elle vivait près de la mer et de Kiddie Beach, plage réservée aux habitants. Elle se voyait peut-être déjà y jouer sur le sable avec son enfant, passant les journées d'été à manger à la buvette, à écouter les fanfares pendant le grand défilé de Memorial Day. Mais si elle imaginait cet avenir pour elle et son bébé à naître, elle n'en parlait jamais. C'était peut-être pour ne pas attirer la poisse sur son rêve en le révélant à quelqu'un, ou peut-être parce qu'elle ne se voyait aucun avenir, comme Mme Gallagher l'expliqua un jour à son fils quand il téléphona pour avoir des nouvelles de Caroline :

— C'est une gentille fille. Elle est calme et respectueuse. Elle ne fume pas, elle ne boit pas et c'est bien. Mais quand je lui demande ce qu'elle compte faire après la naissance du bébé, elle se contente de sourire et change de sujet. Et ce n'est pas un sourire heureux, tu sais. Elle est profondément triste. Plus que ça : elle a peur. Je l'entends crier dans son sommeil. Pour l'amour de Dieu, Jimmy, pourquoi ces gens la recherchent-ils ? Elle ne ferait pas de mal à une mouche.

Jimmy Gallagher n'avait pas la réponse à cette question, et Will Parker non plus. Mais Will avait alors d'autres problèmes.

Sa femme était de nouveau enceinte.

Il la regardait s'épanouir à mesure que le terme approchait. Malgré ses nombreuses fausses couches, elle lui assurait que cette fois c'était différent. Chez eux, il la surprenait en train de fredonner doucement dans le fauteuil près de la fenêtre de la cuisine, la main droite posée sur son ventre. Elle pouvait rester là des heures à regarder les nuages filer dans le ciel et les dernières feuilles tomber des arbres du jardin en tourbillonnant lentement à l'approche de l'hiver. C'était presque drôle : il avait couché trois ou quatre fois avec Caroline Carr, il l'avait mise enceinte. Et sa femme, après une série de fausses couches, avait réussi à porter leur enfant pendant sept mois. Elle semblait rayonner de l'intérieur. Il ne l'avait jamais vue plus heureuse, plus contente d'elle. Il connaissait le sentiment de culpabilité que ces fausses couches avaient fait naître en elle. Son corps l'avait trahie, il n'avait pas rempli son office. Il n'était pas assez robuste. Maintenant, enfin, elle avait ce qu'elle voulait, ce qu'ils voulaient tous deux depuis si longtemps.

Will se tourmentait. Il allait avoir un autre enfant avec une autre femme et cette trahison le déchirait. Caroline lui avait dit qu'elle n'attendait rien de lui, hormis qu'il la garde en sécurité jusqu'à la naissance du bébé.

« Et après ? »

Mais, comme avec la mère de Jimmy, Caroline esquivait la question.

« On verra », disait-elle, et elle se détournait.

L'enfant de Caroline devait naître un mois avant que la femme de Will accouche. Les deux bébés seraient à lui, mais il savait qu'il devrait renoncer à l'un d'eux s'il voulait que son couple survive – et il le voulait plus que tout au monde – et qu'il ne pourrait pas faire partie de la vie de son premier enfant. Il n'était même pas sûr de pouvoir lui offrir un soutien matériel minimal, pas avec un salaire de flic, et d'ailleurs Caroline protestait qu'elle ne voulait pas de son argent.

Il ne souhaitait pourtant pas laisser simplement cet enfant disparaître. Will était, malgré ses défauts, un homme honorable. Il n'avait jamais trompé sa femme auparavant et il se sentait terriblement coupable d'avoir couché avec Caroline. Plus que jamais, il éprouvait le besoin de tout avouer, mais ce fut Jimmy qui le dissuada de le faire, un soir qu'ils prenaient une bière au Cal's après leur service.

— T'es cinglé ? Ta femme est enceinte, elle porte l'enfant que vous désirez depuis des années. Après tout

ce qu'elle a subi, vous n'aurez peut-être jamais une autre chance comme celle-là. Sans parler du choc que ça pourrait lui faire. Ça la détruirait, ça détruirait ton couple. Vis avec ce que tu as fait. Caroline dit qu'elle ne veut pas de toi dans la vie de son enfant. Elle ne veut ni de ton argent ni de ton temps. Dans ta situation, la plupart des hommes seraient ravis. Si tu ne l'es pas, perdre ce gosse est le prix à payer pour tes péchés et pour le maintien de ton couple. Tu m'entends ?

Sachant que son ami avait raison, Will acquiesça.

— Il faut que tu comprennes une chose, dit Jimmy. Ton père était un type bien, loyal et courageux, mais il était humain, aussi. Il avait fait une erreur, il cherchait un moyen de vivre avec, et de bien traiter toutes les personnes concernées, mais ça, c'était impossible, et le savoir l'anéantissait.

Une des bougies crachota avant de s'éteindre. Jimmy se leva pour la remplacer, s'arrêta et proposa :

— Je peux allumer la lumière, si tu veux.

Je secouai la tête et répondis que les bougies m'allaient parfaitement.

— C'est ce que je pensais. Ça n'irait pas, raconter une histoire pareille dans une pièce brillamment éclairée.

Il alluma une bougie neuve, se rassit à la table de la cuisine et reprit son récit.

À l'initiative d'Epstein, une rencontre avec Caroline eut lieu dans l'arrière-boutique d'une boulangerie juive de Midwood. Jimmy et Will l'y conduisirent en voiture à la faveur de la nuit. La jeune femme à présent lourdement enceinte était allongée sous des manteaux à l'arrière de l'Eldorado de la mère de Jimmy. Les deux hommes ne furent pas admis à l'entretien entre le rabbin et Caroline, qui dura plus d'une heure. Lorsqu'ils eurent terminé, Epstein demanda à Will ce qui était prévu pour les couches de Caroline. Jimmy n'avait jamais entendu ce mot utilisé dans ce sens et fut embarrassé quand il fallut le lui expliquer. Will donna au rabbin le nom de l'obstétricien et de l'hôpital, Epstein répondit qu'on s'arrangerait autrement.

Grâce aux réseaux d'Epstein, Caroline obtint une place dans une petite clinique privée de Gerritsen Beach même, non loin du poste de police 277, de l'autre côté de la rivière. Jimmy avait toujours connu cette clinique et savait qu'on y soignait ceux pour qui l'argent ne posait pas de problème, mais il ignorait qu'on pouvait aussi y accoucher. Plus tard, il apprit que c'était plutôt rare et qu'on avait fait une exception à la demande d'Epstein. Jimmy avait proposé à Will de lui prêter de l'argent pour couvrir les frais et celui-ci avait accepté à condition qu'ils se mettent d'accord sur un strict calendrier de remboursements, avec intérêts.

L'après-midi où Caroline perdit les eaux, Jimmy et Will faisaient tous deux un huit/seize, et ils foncèrent à la clinique après que Mme Gallagher eut laissé au poste un message demandant à son fils de la rappeler dès qu'il pourrait. Will, de son côté, téléphona chez lui dans l'intention de raconter à sa femme qu'il aidait Jimmy à faire quelque chose pour sa mère – un grain de vérité incrusté dans la masse du mensonge –, mais elle n'était pas à la maison.

Lorsqu'ils arrivèrent à la clinique, la réceptionniste leur annonça :

— Elle est dans la 8, mais vous ne pouvez pas la voir. Il y a une salle d'attente au bout du couloir à gauche, avec du café et des cookies. Qui est le père ?

— Moi, répondit Will.

— On viendra vous chercher quand ce sera fini. Les contractions ont commencé, mais elle n'accouchera pas avant deux ou trois heures. Je demanderai au docteur de venir vous parler, il vous accordera peut-être quelques minutes avec votre femme. Allez, ouste.

Elle eut pour les chasser un geste qu'elle avait probablement adressé à des milliers d'hommes inutiles qui voulaient à tout prix encombrer ses salles de travail alors qu'ils n'avaient rien à y faire.

— Ne vous inquiétez pas, ajouta-t-elle tandis que Will et Jimmy se résignaient à une longue attente. Elle a de la compagnie. Son amie, la vieille dame, est venue avec elle, et sa sœur est arrivée il y a quelques minutes.

Les deux hommes se figèrent.

— Sa sœur ? dit Will.

— Oui, sa sœur, répondit la réceptionniste.

Devant l'expression de Will, elle fut instantanément sur la défensive :

— Elle a montré un permis de conduire au même nom. Carr.

Will et Jimmy prenaient déjà le couloir et tournaient à droite, pas à gauche.

— Hé, je vous ai dit que vous ne pouvez pas la voir ! cria-t-elle.

Comme ils l'ignoraient, elle appela le service de sécurité.

La porte de la chambre 8 était fermée, le couloir, désert. Will frappa, n'obtint pas de réponse. Au moment où Jimmy tendait la main vers la poignée, sa mère apparut au coin du couloir.

— Qu'est-ce que vous faites ?

Elle vit alors les armes qu'ils avaient dégainées.

— Non ! Je suis juste sortie une minute pour aller aux toilettes. Je...

La porte était fermée de l'intérieur. Jimmy recula et la frappa deux fois du pied ; la serrure céda, la porte s'ouvrit brusquement, libérant une lame d'air frais. Caroline Carr était étendue sur un chariot, la tête et le dos soutenus par des oreillers. Le devant de sa blouse d'hôpital était trempé de sang, mais elle vivait encore. La pièce était froide à cause de la fenêtre ouverte.

— Fais venir un médecin ! s'écria Will.

Jimmy appelait déjà à l'aide.

Will s'approcha de Caroline, qui commençait à avoir des spasmes. Il vit les blessures qu'elle avait au ventre et à la poitrine. Un couteau, pensa-t-il. Quelqu'un a enfoncé un couteau dans son corps, et dans celui de l'enfant. Non, pas « quelqu'un » : la femme, celle qui avait vu son amant mourir sous les roues d'un camion. Caroline tourna les yeux vers Will, agrippa sa chemise, la tacha de son sang.

Puis les médecins et les infirmières accoururent, l'arrachèrent à elle, le forcèrent à quitter la pièce et, tandis que la porte se refermait, il la vit retomber sur les oreillers et ne plus bouger. Il comprit qu'elle était en train de mourir.

L'enfant survécut. La lame était passée à un demi-centimètre de sa tête. Pendant que les médecins le sortaient de sa mère agonisante, Will et Jimmy se lancèrent à la poursuite de la femme qui avait poignardé Caroline Carr.

Ils entendirent le bruit du démarreur dès qu'ils furent dehors et, quelques secondes après, une Buick noire surgit du parking à leur gauche et s'apprêta à tourner dans Gerritsen Avenue. Un réverbère éclaira le visage de la femme quand elle pivota et les découvrit. Will fut le plus prompt et tira trois coups de feu, tandis que la femme, réagissant à leur présence, tournait à gauche et non à droite pour ne pas passer devant eux. La première balle fracassa la vitre du conducteur, la deuxième et la troisième traversèrent la portière. Will tira une quatrième fois sur la Buick qui s'éloignait, s'élança derrière elle tandis que Jimmy courait vers leur voiture. La Buick parut osciller sur ses essieux et dévia vers la droite. Devant le temple luthérien, elle heurta le bord du trottoir, monta dessus et s'immobilisa contre la grille.

Will continua à courir, accompagné à présent de Jimmy, qui avait abandonné toute idée d'une poursuite en voiture dès que la Buick s'était arrêtée. Comme ils s'approchaient, la portière s'ouvrit et la femme descendit en titubant, manifestement blessée. Elle les regarda, son couteau à la main. Will n'hésita pas, il la voulait morte. Il fit feu. La balle toucha la portière, mais la femme s'enfuyait déjà en traînant le pied gauche. Elle s'engouffra à gauche dans Bartlett, ses poursuivants réduisant rapidement la distance qui les séparait d'elle. Au moment où elle tournait le coin de la rue, elle parut figée dans la lumière d'un réverbère, la tête de côté, la bouche ouverte. Will tira, mais elle fut encore trop rapide et prit à droite, dans une ruelle appelée Canton Court.

— On la tient, dit Jimmy. C'est un cul-de-sac. Il n'y a que la rivière, là, au fond.

Ils firent halte au coin de Canton Street, échangèrent un regard et un signe de tête. Leur arme braquée devant eux, ils pénétrèrent dans l'espace sombre entre deux maisons menant au cours d'eau.

La femme se tenait le dos à la rive, prise dans le clair de lune. Elle avait encore le couteau à la main. Les manches de son manteau, trop grand pour elle, tombaient sur les deuxièmes jointures de ses doigts mais pas assez pour dissimuler la lame.

— Baisse ton arme, dit Jimmy.

Ce n'était pas à elle qu'il parlait, pas encore. Les yeux fixés sur la femme, il posa la paume de sa main sur le canon chaud du revolver de son coéquipier et l'abaissa doucement.

— Fais pas ça, Will.

La femme faisait tourner le couteau et Jimmy crut déceler sur la lame des traces du sang de Caroline Carr.

— C'est fini, dit-elle.

Sa voix était étonnamment douce, mais ses yeux brillaient tels des éclats d'obsidienne dans la pâleur de son visage.

— Exact, répondit Jimmy. Lâche ce couteau.

— Je me moque de ce que vous pouvez me faire. Je suis au-delà de votre loi.

Elle laissa tomber le couteau mais leva en même temps la main gauche, et la manche du manteau remonta, révélant le petit pistolet caché dans ses plis.

Ce fut Jimmy qui la tua. Il la toucha deux fois avant qu'elle puisse tirer. Elle demeura une seconde sur ses jambes et bascula en arrière dans les eaux froides de la Shell Bank Creek.

On ne l'identifia jamais. La réceptionniste de la clinique confirma que c'était bien la femme qui s'était fait passer pour la sœur de Caroline Carr. Les policiers trouvèrent dans une poche du manteau un faux permis de conduire au nom d'Anna Carr et une petite quantité d'argent. Ses empreintes ne figuraient dans aucun fichier et personne ne se présenta pour l'identifier, même après que les bulletins télévisés et les journaux eurent montré son visage.

Pour l'heure, il y avait des questions à poser et des réponses à donner. D'autres flics envahirent la clinique, isolèrent Bartlett. Ils s'occupèrent des journalistes, des curieux, des patients angoissés et de leurs familles.

Pendant ce temps, un groupe se forma dans une salle au fond du couloir. Il comprenait le directeur de la clinique, le médecin et la sage-femme qui s'étaient occupés de Caroline Carr, le directeur adjoint aux affaires juridiques du NYPD et un petit homme tranquille d'une quarantaine d'années : le rabbin Epstein. Will Parker et Jimmy Gallagher avaient reçu pour instruction d'attendre dehors et ils le firent en silence, assis sur des chaises en plastique. Une seule personne en dehors de Jimmy exprima sa tristesse à Will de ce qui s'était passé. Ce fut la réceptionniste. Elle s'agenouilla devant lui et lui prit la main.

— Je suis désolée, dit-elle. Nous le sommes tous.

Il hocha faiblement la tête.

— Je ne sais pas... commença-t-elle. Non, je sais que ça ne vous aidera pas, mais vous voulez peut-être voir votre fils ?

Elle le conduisit devant la vitre d'une grande salle, indiqua un bébé dormant entre deux autres.

— C'est lui, dit-elle. C'est votre fils.

Ils furent convoqués dans la salle de réunion quelques minutes plus tard. On leur présenta toutes les personnes qui s'y trouvaient, à l'exception d'un homme en costume qui les avait suivis dans la pièce et observait maintenant Will Parker attentivement. Epstein se pencha vers Will et lui murmura :

— Je suis désolé.

Il ne répondit pas. Ce fut le directeur adjoint, Frank Mancuso, qui rompit officiellement le silence :

— On me dit que vous êtes le père.

— Oui, c'est moi.

— Sale histoire, soupira-t-il. Il va falloir mettre de l'ordre. Vous m'écoutez, vous deux ?

Will et Jimmy acquiescèrent ensemble.

— L'enfant est mort.

— Quoi ? fit Will.

— L'enfant est mort. Il a vécu quelques heures, mais les coups de couteau ont causé des blessures graves. Il est mort…

Il consulta sa montre.

— … il y a deux minutes.

— Qu'est-ce que vous racontez ? répliqua Will. Je viens de le voir.

— Maintenant, il est mort.

Will voulut sortir, Epstein le retint par le bras.

— Attendez, monsieur Parker. Votre enfant est vivant, mais pour le moment seules les personnes présentes dans cette salle le savent. On est déjà en train de l'emmener.

— Où ?

— En lieu sûr.

— Pourquoi ? C'est mon fils. Je veux savoir où il est.

— Réfléchissez, monsieur Parker. Réfléchissez, s'il vous plaît.

Après un silence, Will répondit :

— Vous pensez que quelqu'un viendra s'en prendre à lui.

— C'est une possibilité. Il ne faut pas qu'ils sachent qu'il a survécu.

— Mais ils sont morts. L'homme et la femme. Je les ai vus mourir tous les deux.

— Il y en a peut-être d'autres, argua Epstein en détournant les yeux.

Malgré son chagrin et son désarroi, le flic qui était en Will se demanda ce que le rabbin essayait de cacher.

— Quels autres ? Qui sont ces gens ?

— C'est ce que nous tâchons de savoir. Cela prendra du temps.

— D'accord. En attendant, qu'est-ce que devient mon fils ?

— Il sera finalement placé dans une famille, répondit Mancuso. C'est tout ce que vous avez besoin de savoir.

— Non, rétorqua Will. C'est mon fils.

Mancuso montra les dents.

— Vous ne m'écoutez pas, agent Parker. Vous n'avez pas de fils. Et si vous ne vous tenez pas tranquille, vous n'aurez pas de carrière non plus.

— Vous devez le laisser partir, Will, plaida Epstein avec douceur. Si vous l'aimez comme un fils, vous devez le laisser partir.

Will se tourna vers l'inconnu qui se tenait contre le mur.

— Vous êtes qui, vous ? Qu'est-ce que vous venez faire dans cette histoire ?

L'homme ne répondit pas et ne broncha pas sous le regard furieux de Will.

— C'est un ami, intervint Epstein. Vous n'avez pas besoin d'en savoir plus pour le moment.

— Nous sommes tous sur la même longueur d'onde, Parker ? reprit Mancuso. Il vaut mieux nous le dire maintenant. Je serai moins bien disposé si le problème resurgit en dehors de ces quatre murs.

Will avala sa salive et répondit :

— Oui. Je comprends.

— Oui, monsieur le directeur.

— Oui, monsieur le directeur, répéta Will.

— Et vous ? demanda Mancuso à Jimmy Gallagher.

— Je fais comme lui. Quoi qu'il décide, je fais comme lui.

Des regards furent échangés. C'était fini.

— Rentrez chez vous, dit Mancuso à Will. Retournez auprès de votre femme.

Quand ils passèrent de nouveau devant la salle à la baie vitrée, le berceau était déjà vide et, dans le hall, la réceptionniste avait les traits tirés par l'affliction. Ne sachant comment exprimer sa sympathie à un homme qui avait perdu en une nuit son enfant et la mère de cet enfant, elle ne put que secouer la tête en le regardant disparaître dans la nuit.

Lorsque Will rentra enfin chez lui, Elaine l'attendait.

— Où tu étais ? lui demanda-t-elle, les yeux gonflés, probablement d'avoir pleuré.

— Il est arrivé un truc au boulot. Une fille est morte.

— Je m'en fiche ! cria-t-elle d'une voix aiguë.

Ces quatre mots contenaient plus de douleur et d'angoisse qu'il n'en avait jamais vu chez la femme qu'il aimait. Elle les répéta, crachant cette fois chacun d'eux comme des glaires.

— Je m'en fiche. Tu n'étais pas là. Tu n'étais pas là alors que j'avais besoin de toi.

Il s'agenouilla près d'elle, lui prit la main.

— Quoi ? Qu'est-ce qu'il y a ?

— J'ai dû aller à l'hôpital, aujourd'hui. Quelque chose qui n'allait pas. Je le sentais, en moi.

Il pressa plus fort la main de sa femme, mais elle ne voulut pas, elle ne put pas le regarder.

— Notre bébé est mort, murmura-t-elle. Je porte un bébé mort.

Il la serra contre lui, attendit qu'elle se mette à pleurer, cependant elle n'avait plus de larmes à verser. Elle demeurait simplement contre lui, silencieuse, perdue dans son chagrin. Will pouvait voir son propre reflet dans le miroir accroché au mur derrière elle et il ferma les yeux pour ne pas avoir à se regarder.

Il la conduisit à la chambre, l'aida à se glisser entre les draps. À l'hôpital, les médecins lui avaient donné des pilules et Will lui en fit prendre deux.

— Ils voulaient me faire une piqûre pour provoquer l'accouchement, dit-elle tandis que le somnifère commençait à agir. Ils voulaient me prendre mon bébé, mais je ne les ai pas laissés faire. Je veux le garder le plus longtemps possible.

Incapable de parler, il hocha la tête. Il se mit à pleurer et elle tendit le bras pour essuyer ses larmes de son pouce.

Il resta à son chevet jusqu'à ce qu'elle s'endorme, fixa le mur pendant longtemps, la main de sa femme dans la sienne, puis la lâcha lentement, avec précaution, et la reposa sur le drap. Elle remua mais ne se réveilla pas.

Will descendit, composa le numéro qu'Epstein lui avait donné à leur première rencontre. Une femme à la voix ensommeillée dit « Allô », et quand il demanda le rabbin, elle répondit qu'il était au lit.

— Il a eu une longue nuit, expliqua-t-elle.

— Je sais, j'étais avec lui. Réveillez-le. Dites-lui que c'est Parker.

Le nom la fit aussitôt réagir. Elle posa le téléphone et il l'entendit s'éloigner. Au bout de cinq minutes, Epstein vint en ligne :

— Monsieur Parker, j'aurais dû vous le dire à la clinique : il n'est pas prudent que nous restions en contact.

— J'ai besoin de vous voir.

— Impossible. Ce qui est fait est fait. Nous devons laisser reposer ceux qui nous ont quittés.

— Ma femme porte un bébé mort, déclara Will, vomissant presque les mots.

— Quoi ?

— Vous avez bien entendu. Notre enfant est mort dans son ventre. Les médecins pensent que le cordon ombilical l'a étranglé. Il est mort, ils l'ont dit à ma femme hier. Ils vont provoquer le travail pour le faire sortir.

— Je suis désolé.

— Je ne veux pas de votre pitié. Je veux mon fils.

Après un silence, le rabbin commença :

— Ce que vous suggérez n'est pas...

— Pas de ça ! le coupa Will. Vous êtes responsable. Allez trouver votre copain, Monsieur Motus avec son beau costume, et dites-lui ce que je veux. Sinon, je ferai tant de raffut que vos oreilles en saigneront, je vous le promets.

Soudain, son corps se vida de toute son énergie. Il eut envie de rejoindre sa femme dans le lit et de la tenir contre lui, elle et leur bébé mort.

— Écoutez, vous m'avez dit qu'il serait confié à une famille qui s'occuperait de lui. Je peux m'occuper de lui. Le cacher chez moi. Le cacher à la vue de tous. Je vous en supplie.

Epstein soupira.

— Je vais en parler à nos amis, répondit-il enfin. Donnez-moi le nom du médecin qui suit votre femme.

Will trouva le numéro dans le carnet d'adresses posé près du téléphone.

— Où est votre femme, en ce moment ?

— En haut. Elle dort. Elle a pris des pilules.

— Je vous rappelle dans une heure, promit Epstein avant de raccrocher.

Une heure et cinq minutes plus tard, le téléphone sonna. Will, assis par terre près de l'appareil, décrocha avant qu'il ait une chance de sonner une seconde fois.

— Quand votre femme se réveillera, monsieur Parker, vous devrez lui dire la vérité. Demandez-lui de vous pardonner, puis expliquez-lui ce que vous proposez.

Will ne dormit pas cette nuit-là, il pleura Caroline Carr. Quand vint l'aube, il mit son chagrin de côté et se prépara à la mort certaine de son couple.

— Le lendemain matin, il a téléphoné pour m'expliquer ce qu'il avait l'intention de faire, dit Jimmy. Il était prêt à tout risquer pour garder l'enfant : sa carrière, son couple, le bonheur et même la santé mentale de sa femme.

Il tendit le bras vers la bouteille pour se resservir, arrêta son geste.

— Je peux plus boire, gémit-il. Le vin ressemble à du sang. On en a presque terminé, de toute façon. Je finis cette partie de l'histoire, ensuite il faut que je dorme. On reparlera demain. Tu peux passer la nuit ici, si tu veux. Il y a une chambre d'amis.

J'ouvris la bouche pour protester, mais il leva le bras.

— Crois-moi, quand j'aurai fini pour ce soir, tu auras de quoi réfléchir. Tu seras content que je me sois arrêté.

Il se pencha en avant, les mains en coupe devant lui, tremblantes.

— Donc, ton père était au chevet de ta mère quand elle s'est réveillée…

Je pense parfois à ce que mes parents ont enduré ce jour-là. Je me demande s'il n'y eut pas dans les actes de mon père une sorte de folie provoquée par sa peur de perdre deux enfants, l'un ravi par la mort, l'autre par une existence anonyme, entouré de gens qui ne lui étaient pas liés par le sang. Mon père avait dû savoir, alors qu'il se tenait auprès de ma mère, se demandant s'il allait la réveiller ou la laisser dormir, retardant le moment des aveux, que cet instant briserait pour toujours leurs relations. Il s'apprêtait à lui infliger une double blessure : la douleur de se savoir trahie et la souffrance, peut-être plus grande encore, d'apprendre qu'il avait réussi avec une autre ce qu'elle avait été incapable de faire pour lui. Elle portait en son sein un enfant mort alors que son mari, quelques heures plus tôt, avait contemplé son fils, né d'une mère à présent morte. Il aimait sa femme, elle l'aimait et il allait lui porter un coup si douloureux qu'elle ne s'en remettrait jamais tout à fait.

Il ne révéla à personne ce qui se passa entre eux, pas même à Jimmy Gallagher. Tout ce que je sais, c'est qu'elle le quitta pour un temps et qu'elle se réfugia dans le Maine, sorte de signe avant-coureur de la fuite plus longue qui suivit la mort de mon père, et dont ma réaction après que ma femme et ma fille m'eurent été enlevées constitue un écho lointain. Elle n'était pas ma mère biologique et je comprends maintenant la distance qu'il y eut entre nous, même jusqu'à sa mort, pourtant nous nous ressemblions plus qu'aucun de nous ne pouvait l'imaginer. Elle m'emmena dans le Nord après les meurtres de Pearl River et son père, mon grand-père adoré, devint une force directrice dans ma vie, mais ma mère joua également un rôle plus important à mesure que je grandissais. Il m'arrive de penser que c'est seulement après la mort de mon père qu'elle trouva dans son cœur la force de lui pardonner et peut-être de me pardonner aussi les circonstances de ma venue au monde. Lentement, nous devînmes plus proches. Elle m'apprit les noms des arbres, des plantes et des oiseaux, car ce pays était le sien, cet État du Nord, et même si je n'appréciais pas alors pleinement le savoir qu'elle tentait de me transmettre, je crois que je compris les raisons qu'elle avait de vouloir me le léguer. Nous étions tous deux dans la peine, mais elle refusait de me laisser m'y perdre. Aussi faisions-nous chaque jour une promenade, quel que soit le temps. Parfois nous parlions, parfois non, mais il nous suffisait d'être ensemble et d'être en vie. Pendant ces années, je devins à elle et aujourd'hui, chaque fois que je nomme un arbre, une fleur ou une minuscule créature rampante, c'est un acte à sa mémoire que j'accomplis.

Elaine Parker téléphona à son mari une semaine après son départ et ils parlèrent pendant une heure. Au grand étonnement de ses collègues du 9ᵉ, Will avait obtenu un congé sans solde avec l'autorisation du directeur adjoint aux affaires juridiques, Frank Mancuso. Il alla dans le Nord rejoindre sa femme, et quand ils revinrent à New York, ce fut avec un enfant et l'histoire d'une naissance prématurée, difficile. Ils appelèrent l'enfant Charlie, en souvenir de l'oncle de son père, Charles Edward Parker, mort au mont Cassin. Les amis secrets demeurèrent à distance et de nombreuses années s'écoulèrent avant que Will entende à nouveau parler d'eux. Lorsqu'ils reprirent contact, ce fut par l'intermédiaire d'Epstein, qui lui annonça que la chose qu'ils avaient longtemps redoutée avait refait surface.

Les amants étaient de retour.

21

Mickey Wallace avait l'impression que la brume l'avait suivi depuis le Maine. Ses vrilles flottaient devant son visage, réagissant à chaque mouvement de son corps telle une chose vivante, prenant lentement de nouvelles formes avant de disparaître totalement, comme si l'obscurité se tissait autour de lui et l'enveloppait dans son étreinte devant la petite maison de Hobart Street, à Bay Ridge.

Bay Ridge était presque une banlieue de Brooklyn, un quartier en soi. À l'origine, il avait surtout accueilli des Norvégiens qui y vécurent quand il portait le nom de Yellow Hook, au XIXe siècle, ainsi que des Grecs et quelques Irlandais en prime, comme toujours. L'ouverture du pont du détroit de Verrazano dans les années 1960 avait changé cette composition quand les gens avaient commencé à partir pour Staten Island, et, au début des années 1990, Bay Ridge était devenu progressivement plus moyen-oriental. Le pont dominait la partie sud de la zone et Wallace l'avait toujours trouvé plus réel la nuit que le jour. Ses lumières semblaient lui donner de la substance. Dans la journée, au contraire, il ressemblait à une toile de fond peinte, une masse grise trop grande pour les rues et les bâtiments situés en contrebas.

Hobart Street s'étendait entre Marine Avenue et Shore Road, où une série de bancs surplombait Shore Road Park, pente raide bordée d'arbres descendant vers la Belt Parkway et les eaux du détroit. À première vue, Hobart Street semblait constituée uniquement d'immeubles d'appartements, mais l'un de ses côtés était en fait une rangée de maisons de pierre brune logeant une seule famille, chacune séparée de sa voisine par une allée. Seul le numéro 1219 portait les marques de la négligence et de l'abandon.

La brume rappelait à Wallace ce qu'il avait éprouvé à Scarborough. Cette fois encore, il se trouvait devant une maison qu'il pensait être vide. Ce n'était pas son quartier, pas même sa ville, et cependant il ne s'y sentait pas déplacé. C'était après tout un élément essentiel de l'histoire qu'il suivait depuis si longtemps, l'histoire qu'il allait maintenant publier. Il s'était déjà tenu à cet endroit par le passé. La première fois, c'était après qu'on avait retrouvé morts la femme et l'enfant de Charlie Parker, leur sang encore frais tachant le sol et les murs. La seconde fois, c'était quand Parker avait retrouvé le Voyageur et que les journalistes, tenant la fin de leur histoire, avaient voulu en rappeler le début aux lecteurs et téléspectateurs. Des projecteurs éclairaient les murs et les fenêtres et les voisins étaient descendus dans la rue pour regarder, leur proximité par rapport au lieu constituant un bon indice de leur disposition à parler de ce qu'ils avaient vu. Même ceux qui n'habitaient pas le quartier à l'époque avaient une opinion, car l'ignorance n'a jamais empêché une petite phrase bien sentie.

Mais c'était des années plus tôt. Wallace se demanda combien de gens se rappelaient aujourd'hui ce qui s'était passé derrière ces murs, puis supposa que toute personne ayant vécu là au moment des meurtres et continuant à y vivre aurait beaucoup de mal à les effacer de sa mémoire. D'une certaine façon, la maison les défiait d'oublier son passé. C'était la seule habitation inoccupée de la rue et son aspect extérieur parlait avec éloquence du vide qu'elle cachait. Pour ceux qui connaissaient son histoire, sa vue seule devait suffire à évoquer des souvenirs. Pour eux, il y aurait toujours du sang sur ses murs.

Les recherches de Wallace au cadastre lui avaient appris que trois propriétaires différents s'étaient succédé au fil des ans depuis les meurtres et que la maison appartenait maintenant à la banque qui en avait pris possession après que le dernier de ses occupants n'avait plus été capable de payer les traites. Il imaginait mal qu'on puisse vouloir vivre dans un lieu qui avait été le théâtre d'une telle violence. Certes, la maison avait sans doute été vendue au départ à un prix bien inférieur à sa valeur sur le marché et les personnes chargées de nettoyer les pièces, d'effacer toute trace visible des meurtres, avaient probablement bien fait leur travail, mais Wallace était sûr qu'il devait rester quelque chose, un vestige des souffrances qui y avaient été endurées. Il y avait sans doute encore du sang séché entre les lattes du plancher. Il avait appris qu'on n'avait pas retrouvé l'un des ongles de Susan Parker. Les policiers avaient d'abord cru que le meurtrier l'avait emporté comme souvenir, mais ils pensaient à présent qu'il s'était brisé quand elle avait griffé le sol et qu'il avait glissé dans une fente. Malgré des recherches poussées, ils ne l'avaient pas retrouvé. Il était probablement encore là-bas, quelque part dans la poussière, parmi les échardes et les pièces de monnaie égarées.

Ce n'était pas le côté matériel qui intéressait Wallace. Il avait visité de nombreux lieux de crime, il s'était accoutumé à leur atmosphère. Certains d'entre eux, si l'on ignorait ce qui s'y était passé, pouvaient paraître tout à fait normaux et tranquilles. Des fleurs poussaient dans des jardins où des enfants avaient été enterrés. La salle de jeux d'une petite fille, aux murs orange et jaune vif, bannissait tout souvenir de la vieille femme qui y était morte, étouffée au cours d'un cambriolage salopé quand c'était encore sa chambre. Des couples faisaient l'amour là où un mari avait battu sa femme à mort, où une femme avait poignardé un amant infidèle dans son sommeil.

Mais il y avait d'autres jardins, d'autres maisons qui ne seraient jamais plus les mêmes après que le sang y avait été versé. Les gens sentaient quelque chose d'anormal dès qu'ils y pénétraient. Même si la maison était propre, le jardin bien entretenu, la porte fraîchement repeinte. Il restait un écho, le lent affaiblissement d'un dernier cri, quelque chose qui provoquait une réaction atavique. Écho si persistant quelquefois que la démolition du bâtiment et la construction d'une autre maison nettement différente de la précédente ne suffisaient pas à neutraliser les influences malignes qui demeuraient. Wallace avait visité à Long Island un immeuble bâti sur l'emplacement d'une maison qui avait brûlé avec à l'intérieur cinq enfants et leur mère, le feu ayant été mis par le père de deux des gosses. La vieille dame qui habitait au bout de la rue avait raconté à Wallace que, la nuit où ils étaient morts, les pompiers avaient entendu les enfants appeler à l'aide, mais la chaleur du brasier était si forte qu'ils n'avaient pas pu les secourir. Wallace se souvenait que l'immeuble récemment construit sentait la fumée. La fumée et la chair calcinée. Aucun de ses habitants n'y restait plus de six mois et, le jour où il l'avait inspecté, tous les appartements étaient à louer.

C'était peut-être pour cette raison que la maison de Parker était encore debout. La raser n'aurait rien changé. Le sang avait traversé le sol et s'était infiltré dans la terre ; l'air résonnait encore de cris étouffés sous un bâillon.

Wallace n'avait jamais mis les pieds au 1219 Hobart Street. Il avait vu des photos de l'intérieur, cependant. Il en avait un tirage sur lui. Elles lui avaient été fournies par Tyrrell, qui les avait déposées à son hôtel plus tôt dans la journée, avec un mot laconique dans lequel il s'excusait de certains des propos qu'il avait tenus pendant leur rencontre. Wallace ignorait comment il se les était procurées. Il supposait que l'ancien policier avait gardé son propre dossier personnel sur Charlie Parker après avoir quitté le service. C'était probablement illégal, mais Wallace n'irait pas s'en plaindre. Il avait regardé les photos dans sa chambre d'hôtel et, malgré tout ce qu'il avait vu pendant sa carrière de journaliste, elles l'avaient durablement secoué.

Tout ce sang…

Il avait contacté par téléphone l'agence chargée par la banque de la vente de la maison et avait raconté à la femme qui s'en occupait qu'il envisageait de l'acheter et de la remettre à neuf. Elle n'avait pas dit un mot de ce qui s'y était passé, ce qui n'avait rien d'étonnant, et avait sauté sur cette occasion de la faire visiter. Elle lui avait demandé son nom, et quand il le lui avait donné, elle avait changé de ton :

« Je ne crois pas qu'il soit opportun que je vous montre cette maison, monsieur.

— Allons bon… Et puis-je savoir pourquoi ?

— Je pense que vous le savez. Vous n'avez pas l'intention de l'acheter.

— Qu'est-ce que cela signifie ?

— Cela signifie que nous savons qui vous êtes et ce que vous faites. Vous laisser entrer dans la maison de Hobart Street n'aiderait pas à la vendre ultérieurement. »

Wallace avait raccroché. Il n'aurait jamais dû donner son vrai nom, mais il ne s'attendait pas à ce que Parker lui mette ainsi des bâtons dans les roues, à supposer que ce soit lui qui ait prévenu l'agence. Il se rappela que Tyrrell s'était dit convaincu que quelqu'un protégeait l'ancien privé. Si c'était vrai, une personne ou des personnes encore inconnues avaient peut-être mis l'agence en garde contre son projet. Aucune importance. Il n'hésitait pas à enfreindre un peu la loi pour atteindre ses objectifs, et pénétrer par effraction dans l'ancienne maison de Parker ne lui semblait pas être un délit, quoi qu'un juge puisse en dire.

Il était quasi sûr qu'on n'y avait pas installé de système d'alarme. Elle était vide depuis trop longtemps et aucun agent immobilier n'avait envie d'être dérangé en pleine nuit parce qu'une alarme sonnait dans un bâtiment inoccupé. Il inspecta la rue pour s'assurer qu'elle était déserte, remonta l'allée jusqu'à la grille entourant un jardin sans herbe. Il essaya d'ouvrir. N'y parvint pas. Il abaissa de nouveau la poignée en faisant porter le poids de son corps sur la grille et la sentit céder, le métal grinçant contre le ciment, puis s'ouvrir. Wallace entra, referma derrière lui et tourna le coin du bâtiment pour ne pas être vu de la rue.

La porte de derrière avait deux serrures, mais le bois était humide et à moitié pourri. Il en éprouva la solidité avec ses ongles et des morceaux tombèrent par terre. Il empoigna le pied-de-biche dissimulé sous son manteau et se mit au travail. En quelques minutes, il avait creusé au niveau du verrou du haut un trou assez large pour y insérer l'extrémité du pied-de-biche. Il appuya, le bois craqua, libéra le pêne. Il répéta l'opération avec le verrou du bas.

Wallace se tint sur le seuil et regarda dans la cuisine. C'était là que les choses s'étaient passées. C'était l'endroit où Parker – Parker le vengeur, Parker le chasseur, Parker le bourreau – était né. Avant la mort de sa femme et de sa fille, il n'était qu'un visage parmi d'autres dans cette rue : un flic, mais pas très bon ; un mari, un père, pas très bon non plus dans ces deux rôles ; un homme qui buvait un peu, pas assez pour qu'on puisse le traiter d'alcoolique, pas encore, mais suffisamment pour que, dans les années à venir, il se surprenne à commencer à picoler un peu plus tôt chaque jour, jusqu'à ce qu'enfin cela devienne une façon d'entamer la journée au lieu de la finir ; un homme sans but dans la vie. Puis, une nuit de décembre, la créature qu'on appelait le Voyageur pénétra dans cette maison et prit les vies de la femme et de l'enfant qui s'y trouvaient, tandis que l'homme qui aurait dû les protéger s'apitoyait sur son sort dans un bar.

Ces morts lui avaient donné un but. Ce fut d'abord la vengeance, puis quelque chose de plus profond, de plus curieux. Le seul désir de vengeance l'aurait détruit, le rongeant comme un cancer, et lorsqu'il aurait trouvé la libération qu'il cherchait, la maladie aurait colonisé son âme et lentement noirci son humanité jusqu'à ce que, ratatinée et pourrie, elle soit perdue à jamais. Non, Parker s'était assigné un objectif plus élevé. Il ne se détournait pas facilement de la souffrance des autres, car il éprouvait toujours en lui sa sœur jumelle. Il était tourmenté par l'empathie. Plus que cela, il était devenu un aimant pour le mal, ou peut-être serait-il plus juste de dire qu'un fragment de mal profondément incrusté en lui vibrait en présence d'une infamie plus grande, l'attirait à lui et le poussait vers elle.

Tout cela né dans le sang.

Wallace referma la porte, alluma sa torche électrique et traversa la cuisine sans regarder ni à droite ni à gauche, se forçant à ne rien remarquer. Il conclurait sa visite par cette pièce, comme le Voyageur l'avait fait. Il voulait suivre la piste du tueur, voir cette maison comme le tueur l'avait vue, et comme Parker l'avait vue le soir où, rentrant chez lui, il avait découvert ce qu'il restait de sa femme et de son enfant.

Le Voyageur était entré par la porte de devant, qui n'avait pas de traces d'effraction. Wallace compara l'entrée vide à la première des photos qu'il avait emportées. Il les avait soigneusement classées par ordre et numérotées au dos. La première montrait le vestibule comme il était autrefois : des étagères de livres à droite et un portemanteau. Une sellette en acajou et, à côté, un pot de fleurs cassé, une plante aux racines exposées. Derrière la plante, la première des marches conduisant à l'étage. Là-haut, les chambres, dont une pas plus grande qu'un débarras, et une seule petite salle de bains. Wallace ne voulait pas encore y monter. Jennifer Parker, trois ans, dormait sur le canapé du séjour quand le tueur y avait pénétré. Elle avait le cœur faible, ce qui lui avait épargné les souffrances de ce qui allait suivre. Entre le moment de l'irruption du meurtrier et la disposition finale des corps, son organisme avait sécrété une dose massive d'adrénaline qui avait provoqué une fibrillation ventriculaire. En d'autres termes, Jennifer Parker était morte de peur.

Sa mère n'avait pas eu cette chance. Il y avait eu lutte, probablement dans la cuisine. Elle avait réussi à échapper à son agresseur, mais pour un instant seulement. Il l'avait rattrapée dans le vestibule, l'avait assommée en lui cognant le visage contre le mur. Wallace passa à la photo suivante : une tache de sang sur le mur gauche. Il trouva l'endroit où elle avait dû être, promena les doigts dessus. Puis il s'agenouilla et examina le plancher, laissa sa main balayer le bois, comme celle de Susan Parker quand le Voyageur l'avait ramenée dans la cuisine en la traînant. Le couloir n'était qu'en partie moquetté, avec une bande de plancher nu de chaque côté. C'était là, quelque part, que Susan avait perdu son ongle.

Sa fille était-elle alors déjà morte ou était-ce en voyant sa mère hébétée et couverte de sang qu'elle avait eu l'attaque qui l'avait tuée ? Jennifer avait peut-être lutté pour sauver sa mère. Oui, c'est sûrement ça, pensa Wallace, qui confectionnait déjà le récit lui convenant le mieux, la version la plus palpitante possible. On avait relevé des traces de corde sur les poignets et les chevilles de l'enfant, ce qui prouvait qu'elle avait été entravée à un moment donné. Elle se réveille, elle se rend compte de ce qui se passe, elle tente de crier, de se débattre. Un coup l'expédie par terre (contusion relevée à l'autopsie). Une fois la mère maîtrisée, le tueur avait ligoté l'enfant, mais celle-ci était déjà en train de mourir. Wallace regarda dans le séjour, où il n'y avait plus que de la poussière, de vieux papiers et des cadavres d'insectes. Une autre photo, cette fois du canapé. Une poupée y était allongée, à moitié cachée par une couverture.

Wallace avança en s'efforçant d'imaginer la scène telle que Parker l'avait vue. Du sang sur les murs et le sol. La porte de la cuisine presque fermée, la maison froide. Il prit une inspiration et passa à la dernière photo : Susan Parker, assise sur une chaise en pin, les bras attachés derrière le dos, les chevilles liées aux pieds de devant du siège, la tête en arrière, le visage occulté par ses cheveux, en sorte que les ravages causés à la figure et aux yeux n'étaient pas visibles, pas sous cet angle. Sa fille était posée en travers de ses cuisses. L'enfant avait moins de sang sur elle. Le Voyageur lui avait tranché la gorge comme à sa mère, mais Jennifer était alors déjà morte. La lumière brillait à travers ce qu'à première vue on pouvait prendre pour une mince cape jetée sur les bras de Susan Parker, mais Wallace savait que c'était la peau de cette femme, relevée pour compléter la macabre *pietà*.

C'est avec cette image dans la tête que Wallace ouvrit la porte de la cuisine, prêt à superposer cette vision de l'enfer à la pièce vide.

Sauf qu'elle n'était plus vide. La porte donnant sur l'extérieur était à moitié ouverte et une silhouette se tenait derrière dans l'obscurité et l'observait.

Stupéfait, Wallace recula, porta instinctivement une main à son cœur.

— Mon Dieu, dit-il. Qu'est-ce que…

La silhouette s'avança dans le clair de lune.

— Attendez, murmura-t-il alors qu'à son insu les derniers grains de sable de sa vie glissaient entre ses doigts. Je vous *connais*…

22

Jimmy était passé au café, relevé par un verre de cognac. Je m'en tins au café seul et j'y touchai à peine. Je m'efforçais d'identifier ce que je ressentais, mais ce ne fut d'abord qu'une sorte d'engourdissement qui fit progressivement place à de la tristesse et à un sentiment de solitude. Je songeai à ce que mes parents avaient enduré, aux mensonges et à la trahison de mon père, au chagrin de ma mère. Je regrettais seulement qu'ils ne soient plus là, que je ne puisse plus leur dire que je comprenais. S'ils avaient vécu, m'auraient-ils révélé les circonstances de ma naissance, et quand l'auraient-ils fait ? me demandai-je. Je devais reconnaître que, venant d'eux, les détails auraient été plus difficiles à supporter et ma réaction plus violente. Assis dans la cuisine éclairée à la bougie de Jimmy Gallagher, regardant remuer ses lèvres tachées de vin, j'avais l'impression d'écouter l'histoire de la vie d'un autre, un homme avec qui je partageais certaines qualités mais dont j'étais finalement très éloigné.

Avec chaque mot prononcé, Jimmy paraissait se détendre un peu plus mais aussi vieillir, même si je savais que c'était un effet de la lumière. Il avait vécu en dépositaire de secrets. Maintenant qu'ils sortaient enfin de lui, une partie de sa force vitale s'échappait avec eux. Après une gorgée de son café arrosé, il commenta :

— Comme je te l'ai dit, je n'ai plus grand-chose à dire.

Plus grand-chose à dire… Seulement l'histoire du dernier jour de mon père, du sang qu'il avait versé. Et l'explication de tout cela.

Plus grand-chose à dire. Mais à peu près tout.

Jimmy et mon père continuèrent à peu se voir après que mes parents furent rentrés du Maine avec leur bébé et ils ne parlèrent à personne d'autre de ce qu'ils savaient. Puis, un soir de décembre, Jimmy et Will se soûlèrent ensemble au Chimley's et au White Horse, Will remercia Jimmy de tout ce qu'il avait fait, de sa loyauté, de son amitié, et d'avoir abattu la femme qui avait tué Caroline.

— Tu penses à elle ? demanda Jimmy.

— À Caroline ?

— Oui.

— Quelquefois. Plus que quelquefois.

— Tu l'aimais ?

— Je ne sais pas. En tout cas, je l'aime maintenant. C'est logique ?

— Autant que le reste. Tu t'es rendu sur sa tombe ?

— Seulement deux fois depuis l'enterrement.

Caroline avait été enterrée dans un coin tranquille du cimetière de Bayside. Elle avait un jour confié à Will qu'elle n'avait pas beaucoup de temps pour la pratique religieuse. Comme ses parents appartenaient à une Église protestante, Jimmy et Will trouvèrent un pasteur qui prononça les mots qu'il fallait tandis qu'on mettait en terre la mère et l'enfant. Les deux policiers et le rabbin furent les seules autres personnes présentes. Epstein leur révéla que l'enfant provenait d'un des hôpitaux de la ville. Sa vraie mère était une toxico et le gosse n'avait pas survécu plus de deux heures à l'accouchement. Elle se fichait apparemment que son bébé soit mort ou non. En tout cas, si cela comptait pour elle, elle ne l'avait pas montré. Elle réagirait plus tard, pensait Jimmy. Il ne pouvait supporter l'idée qu'une femme, si malade ou défoncée fût-elle, puisse être indifférente à la mort de son enfant. L'accouchement d'Elaine Parker avait été discrètement provoqué alors qu'elle était encore dans le Maine. Il n'y avait pas eu d'enterrement officiel. Après qu'elle avait pris la décision de rester avec Will et de protéger l'enfant sorti du corps de Caroline Carr, Epstein lui avait parlé au téléphone et lui avait fait comprendre qu'il fallait absolument que tout le monde soit convaincu que l'enfant était le sien. On lui avait donné le temps de pleurer son propre bébé, de tenir dans ses bras le petit cadavre, puis on le lui avait pris.

— J'irais bien plus souvent, mais ça perturbe Elaine, dit Will.

Tu m'étonnes, pensa Jimmy. Il ne savait pas comment leur couple avait survécu, et d'après les quelques allusions que Will avait faites à ce sujet, il n'était pas encore définitivement sauvé. Le respect de Jimmy pour Elaine avait cependant grandi après ce qui s'était passé. Il n'arrivait pas à imaginer ce qu'elle éprouvait lorsqu'elle regardait son mari et l'enfant qu'elle élevait comme le sien. Il se demandait si elle pouvait encore distinguer la haine de l'amour.

— J'apporte toujours deux bouquets, poursuivit Will. Un pour Caroline, un pour l'enfant qu'on a enterré

avec elle. Epstein dit que c'est important. Je dois faire comme si je les pleurais tous les deux, au cas où.

— Au cas où quoi ?

— Au cas où quelqu'un m'observerait.

— Ils sont morts, rappela Jimmy. Tu les as vus mourir tous les deux.

— Epstein pense qu'il pourrait y en avoir d'autres. Ou pire…

Will s'interrompit.

— Qu'est-ce qui pourrait être pire ? demanda Jimmy.

— Qu'ils reviennent, d'une façon ou d'une autre.

— Ça veut dire quoi, ça ?

— Rien. Des foutaises de rabbin.

— Bon Dieu. Des foutaises, c'est le mot.

Jimmy leva le bras pour commander une autre tournée.

— Et la femme, celle que j'ai descendue ? Qu'est-ce qu'ils en ont fait ?

— Ils ont incinéré le corps et dispersé les cendres. Tu sais, maintenant, je regrette de ne pas avoir pu passer une minute avec elle avant qu'elle meure.

— Pour lui demander pourquoi, dit Jimmy.

— Oui, confirma Will.

— Elle ne t'aurait rien dit. Je l'ai vu dans ses yeux et…

— Continue.

— Ça va te paraître bizarre.

Will s'esclaffa.

— Après tout ce qu'on a connu, y a encore quelque chose qui peut paraître bizarre ?

— Non, je crois pas.

— Alors ?

— Elle n'avait pas peur de mourir.

— C'était une fanatique. Les fanatiques sont trop cinglés pour avoir peur.

— Non, c'était autre chose. Avant de tirer, j'ai eu l'impression qu'elle me souriait, comme si c'était sans importance que je la tue ou pas. Et quand elle a dit « Je suis au-delà de votre loi »... Merde, ça m'a foutu la trouille.

— Elle était sûre d'avoir fait son travail. Pour elle, Caroline et le bébé étaient morts.

Jimmy plissa le front.

— Peut-être, dit-il.

Il ne paraissait pas convaincu, cependant. Il repensait à ce qu'Epstein avait dit à Will, qu'ils reviendraient peut-être, mais il n'arrivait pas à comprendre ce que cela pouvait signifier.

Dans les années qui suivirent, Jimmy et Will en parlèrent rarement. Epstein n'entra en contact avec aucun d'eux, même si Will pensait l'avoir vu une ou deux fois quand il emmenait sa famille en ville faire des courses ou voir un film. Le rabbin ne manifesta jamais sa présence et Will ne tenta pas de l'aborder, mais il avait le sentiment qu'Epstein, personnellement ou à travers d'autres, veillait sur lui, sur sa femme et tout particulièrement sur son fils.

Will parlait rarement à Jimmy de ses rapports avec sa femme. Leur couple ne s'était pas remis de sa trahison et il savait qu'il ne s'en remettrait jamais, et pourtant ils restaient ensemble. Parfois, sa femme le fuyait pendant des semaines, sur le plan physique comme sur le plan sentimental. Elle avait aussi des relations difficiles avec leur fils ou, comme elle le jetait à Will quand sa rage et son chagrin prenaient le dessus, « ton fils ». Lentement, toutefois, les choses changèrent, car l'enfant ne connaissait pas d'autre mère qu'elle.

Pour Will, le tournant, ce fut quand Charlie, âgé de huit ans, fut renversé par un pick-up alors qu'il apprenait à rouler sur son vélo neuf dans le quartier. Elaine se trouvait dans le jardin, elle vit la voiture percuter le vélo et l'enfant voler en l'air, retomber durement sur la chaussée. En se précipitant dans la rue, elle l'entendit l'appeler : pas son père, vers qui il se tournait naturellement pour tant de choses, mais elle. Il avait le bras gauche cassé – elle s'en rendit compte dès qu'elle fut près de lui – et du sang coulait d'une plaie au cuir chevelu. Il luttait pour ne pas perdre connaissance et elle comprit que c'était important pour lui de rester avec elle, de ne pas fermer les yeux. Elle répéta sans cesse son prénom en glissant doucement sous sa tête le blouson du conducteur de la voiture. Elle pleurait et il s'en rendit compte.

— Maman, dit-il, maman, je te demande pardon.

— Non, répondit-elle. C'est moi qui te demande pardon. Ce n'était pas ta faute. Ça n'a jamais été ta faute.

Elle demeura agenouillée près de lui, murmurant son prénom, caressant sa joue. Elle monta dans l'ambulance pour être avec lui, attendit à l'hôpital pendant qu'on recousait sa blessure et qu'on plâtrait son bras, et ce fut son visage qu'il découvrit en reprenant conscience.

Après quoi, tout alla mieux entre eux.

— C'est mon père qui t'a raconté ça ?

— Non, répondit Jimmy. C'est elle, après sa mort. Elle m'a dit que tu étais tout ce qui lui restait de Will, mais que ce n'était pas pour ça qu'elle t'aimait. Elle t'aimait parce que tu étais son enfant. Elle était la seule mère que tu connaissais, tu étais le seul fils qu'elle avait. Elle a reconnu qu'il lui était arrivé de l'oublier ou de ne pas vouloir y croire, mais, avec le temps, elle avait fini par se rendre compte que c'était vrai.

Quand Jimmy se leva pour aller aux toilettes, je pensai à ma mère peu avant sa mort, gisant sur son lit d'hôpital, si changée par la maladie que je ne l'avais pas reconnue en entrant dans la chambre et que j'avais cru que l'infirmière s'était trompée en m'indiquant le chemin. Mais ma mère eut un petit geste dans son sommeil, elle leva sa main droite avec une grâce familière, malgré la maladie, et je sus à cet instant que c'était elle. Dans les jours qui suivirent, elle n'eut que quelques heures de lucidité. Elle n'avait presque plus de voix et, comme parler semblait la faire souffrir, je lui lus des poèmes, de courtes nouvelles, de brefs articles de journal qui l'intéresseraient, je le savais. Son père était venu du Maine et nous parlions tandis qu'elle sommeillait entre nous.

Eut-elle l'intention, alors qu'elle sentait l'obscurité envelopper sa conscience telle de l'encre s'étendant dans l'eau, de me révéler tout ce qu'elle m'avait caché ? Je suis sûr qu'elle en eut envie, mais je comprends maintenant pourquoi elle ne le fit pas. Je pense qu'elle recommanda peut-être aussi à mon grand-père de ne rien dire, parce qu'elle pensait que si j'apprenais la vérité, je me mettrais à fouiner.

Et qu'à fouiner je les attirerais.

Quand Jimmy revint des toilettes, je vis qu'il s'était aspergé le visage et qu'il ne l'avait pas bien essuyé. Les gouttes ressemblaient à des larmes.

— Le dernier soir… commença-t-il.

Ils étaient ensemble au Cal's et fêtaient l'anniversaire de Jimmy. Le 9e avait changé, mais à de nombreux égards il était resté le même. Il y avait à présent des galeries d'art là où il y avait eu des bars louches et des bâtiments abandonnés, et on projetait des films underground tremblotants dans des boutiques transformées en salles de cinéma d'avant-garde. Beaucoup de vieux établissements avaient survécu, même si leur temps serait bientôt révolu et, pour certains, oublié. Au coin de la Deuxième et de la Cinquième, le Binibon servait encore de la salade au poulet graisseuse, mais les gens qui le fréquentaient se rappelaient encore qu'en 1981 il comptait dans sa clientèle Jack Henry Abbott, écrivain et ancien repris de justice dont Norman Mailer avait défendu la cause et demandé la libération. Un soir, Abbott se querella avec un serveur, lui demanda de sortir et le tua d'un coup de couteau. Jimmy et Will avaient fait partie de ceux qui avaient remis de l'ordre après l'événement. Les deux hommes, comme le 9e, avaient changé et étaient cependant restés les mêmes, plus vieux d'aspect mais toujours en uniforme. Ils n'avaient pas obtenu les galons de sergent et ne les obtiendraient jamais. C'était le prix à payer pour ce qui s'était passé le soir où Caroline Carr était morte.

Ils étaient toujours de bons flics et appartenaient à ce petit groupe de policiers de la ville, des gares et des cités pauvres qui faisaient plus que le minimum, qui se battaient contre la tendance générale à l'apathie infectant le service, conséquence, en partie, de la conviction largement répandue que le Puzzle Palace – surnom que les flics de la base donnaient au 1 Police Plaza – cherchait à les entuber. Ce n'était d'ailleurs pas entièrement faux. Agrafez trop de dealers et vous attirez l'attention de vos supérieurs pour de mauvaises raisons. Faites trop d'arrestations et, du fait des heures supplémentaires requises pour suivre la procédure et veiller à ce que ces affaires passent en jugement, vous êtes accusé de piquer de l'argent dans la poche des collègues. Il vaut mieux garder la tête baissée jusqu'à ce que vous puissiez toucher les dividendes de vos vingt ans de service. Résultat : il y avait de moins en moins de flics mûrs pour servir de mentors aux nouvelles recrues. Avec toutes leurs années passées dans la police, Jimmy et Will faisaient quasiment figure d'anciens. Ils avaient été intégrés à la brigade anticrime, policiers en civil dont les missions, dangereuses, consistaient notamment à patrouiller dans les zones à forte criminalité en guettant un signe que quelque chose allait éclater, généralement un coup de feu. Pour la première fois, ils parlaient tous deux sérieusement de prendre leur retraite.

Ce soir-là, ils avaient réussi à trouver un coin tranquille dans le bar, loin d'une bande braillarde d'hommes en costume sombre et de femmes en tailleur strict qui fêtaient une promotion. Après cette soirée, Will serait mort et Jimmy Gallagher ne remettrait plus les pieds au Cal's. Après le décès de son ami, il s'aperçut qu'il n'arrivait plus à se rappeler les bons moments qu'il y avait passés. Ils avaient disparu, excisés de sa mémoire. Il ne lui restait que l'image de Will avec une mousse près du coude, la main levée pour appuyer un argument qui ne serait jamais avancé, l'expression changeant brutalement quand, par-dessus l'épaule de Jimmy, il découvrit qui venait d'entrer dans le bar. Jimmy commençait à se retourner pour voir ce qui avait troublé son ami, mais Epstein les avait déjà rejoints et Jimmy sut qu'il se passait quelque chose de grave.

— Vous devez rentrer chez vous, annonça le rabbin à Will.

Il souriait, mais ses propos démentaient son sourire et il ne regardait pas Will en parlant. Pour un observateur peu attentif, il semblait examiner les bouteilles alignées derrière le comptoir pour choisir son poison avant de se joindre aux autres. Il portait un imperméable blanc boutonné jusqu'au cou et un chapeau marron orné d'une plume rouge. Il avait beaucoup vieilli depuis la dernière fois que Jimmy l'avait vu, à l'enterrement de Caroline Carr.

— Qu'est-ce qui se passe ? demanda Will.

— Pas ici, répondit Epstein au moment où il se faisait bousculer par Perrson, le costaud suédois qui était la cheville ouvrière de la Cabaret Unit.

C'était un jeudi soir, le bar était bondé. Perrson, plus grand que tout le monde, passait les verres de gnôle par-dessus les têtes de ceux qui se trouvaient derrière lui, les aspergeant parfois au passage.

— Dieu te bénisse, mon fils, psalmodia-t-il quand quelqu'un protesta.

Il rit de sa plaisanterie puis reconnut Jimmy.

— Hé, c'est le gars dont on fête l'anniversaire !

Mais Jimmy Gallagher le contournait déjà pour suivre un autre homme, dont Perrson pensa que c'était peut-être Will Parker. Plus tard, cependant, quand on l'interrogerait, il prétendrait s'être trompé de type ou d'heure. C'était peut-être plus tard qu'il avait vu Jimmy, et Will ne pouvait pas être avec lui puisqu'il devait être en train de rentrer à Pearl River à ce moment-là.

Il faisait froid dehors. Les trois hommes avaient les mains enfoncées dans leurs poches en s'éloignant du Cal's, du 9e, des visages familiers et des regards son-

geurs. Ils ne s'arrêtèrent pas avant le coin de Saint Mark's Place.

— Vous vous souvenez du directeur de la clinique de Gerritsen ? dit Epstein. Il a pris sa retraite il y a deux ans.

Will hocha la tête. Il se rappelait l'homme à l'expression préoccupée dans le petit bureau, impliqué dans une conspiration du silence qu'il ne comprenait pas encore pleinement.

— Il a été assassiné chez lui, hier soir. Quelqu'un l'a torturé au couteau pour le faire parler, avant de l'achever.

— Qu'est-ce qui vous fait penser qu'il y a un rapport avec nous ? demanda Will.

— Un voisin a vu un couple sortir de la maison peu après vingt-trois heures. Jeunes tous les deux, des adolescents. Ils conduisaient une Ford rouge. Ce matin, le cabinet du Dr Anton Bergman, à Pearl River, a été cambriolé. C'est votre médecin de famille, je crois. Un témoin a remarqué une Ford rouge garée à proximité. Immatriculée dans un autre État : l'Alabama. Le Dr Bergman et sa secrétaire s'efforcent encore d'établir ce que le cambrioleur a emporté, mais l'armoire à pharmacie est intacte. On a seulement volé des dossiers, notamment ceux de votre famille… Ils ont réussi à faire le lien. Nous n'avons pas effacé nos traces aussi bien que nous le pensions.

Will était pâle, mais il tenta encore de discuter :

— Ça ne tient pas debout. C'est qui, ces jeunes ?

Il fallut un moment à Epstein pour répondre :

— Les mêmes que ceux qui s'en sont pris à Caroline Carr il y a seize ans.

— Non, intervint Jimmy. Ils sont morts. L'un s'est fait écraser par un camion, l'autre, je l'ai descendue. J'ai

vu son corps quand on l'a retirée de la rivière. Et même s'ils avaient vécu, ils auraient plus de quarante ans maintenant, ce ne seraient plus des gamins.

Epstein se tourna vers lui.

— Ce ne sont pas des gamins. Ce sont...

Il hésita, poursuivit :

— Il y a en chacun d'eux un être beaucoup plus vieux. Qui ne meurt pas, qui ne peut pas mourir. Il passe d'hôte en hôte. Si l'hôte meurt, il en trouve un autre. Il renaît sans cesse.

— Vous êtes fou, dit Jimmy. Vous délirez.

Il se tourna vers son coéquipier pour obtenir son soutien, n'en obtint pas. Will avait l'air effrayé.

— Ah, tu vas pas avaler ça, quand même ! protesta Jimmy. Ça ne peut pas être les mêmes, c'est impossible.

— Peu importe, répondit Will. Ils sont là. Franklin leur a sans doute expliqué comment on a fait croire à la mort du bébé de Caroline. J'ai un enfant de l'âge de celui qui est censé être mort. Ils ont fait le rapport et les dossiers médicaux ont confirmé. Epstein a raison : il faut que je rentre.

— Nous enverrons aussi des hommes pour protéger votre famille, promit le rabbin. J'ai donné des coups de téléphone. Nous faisons aussi vite que possible, mais...

— Je t'accompagne, dit Jimmy à Will.

— Non, retourne au Cal's.

— Pourquoi ?

Will pressa le bras de son ami et le regarda en face.

— Parce que c'est moi qui dois mettre le point final à cette histoire. Tu comprends ? Je ne veux pas que tu y sois mêlé. Je veux que tu restes en dehors, j'en ai besoin.

Il parut se rappeler quelque chose.

— Ton neveu, le fils de Marie, il est toujours dans la police d'Orangetown ?

— Ouais. Mais je crois qu'il ne prend son service que plus tard.

— Tu peux l'appeler ? Demande-lui d'aller chez moi et de rester auprès d'Elaine et de Charlie. Ne lui dis pas pourquoi. Trouve une excuse : une vieille affaire, un ancien taulard qui m'en veut. Tu peux faire ça ? Il peut faire ça ?

— Il le fera, assura Jimmy.

Epstein tendit à Will un trousseau de clés.

— Prenez ma voiture, dit-il en montrant une vieille Chrysler garée un peu plus loin.

Will le remercia, fit un pas vers la voiture, mais Epstein le retint par le bras.

— N'essayez pas de les tuer. Sauf si vous n'avez pas le choix.

Will acquiesça, cependant il avait le regard lointain. Jimmy comprit ce qu'il avait l'intention de faire.

Epstein prit la direction de la station de métro ; Jimmy appela son neveu d'une cabine. Il retourna ensuite au Cal's, but et bavarda, l'esprit détaché des gestes que faisait son corps, les lèvres remuant d'elles-mêmes. Il y resta jusqu'à ce que la nouvelle lui parvienne que Will Parker avait abattu deux jeunes gens à Pearl River et qu'on l'avait retrouvé dans le vestiaire du 9e, le visage ruisselant de larmes, attendant qu'on vienne l'arrêter.

Lorsqu'on lui demanda pourquoi il avait fait tout ce chemin pour retourner à New York, Will ne put que répondre qu'il voulait être parmi les siens.

23

Il aurait pu demander l'aide de ses collègues flics, bien sûr, mais que leur aurait-il dit ? Que deux jeunes étaient venus pour tuer son fils, qu'ils abritaient peut-être d'autres créatures, des esprits malfaisants qui avaient déjà assassiné la mère et revenaient maintenant pour supprimer l'enfant ? Il aurait peut-être pu concocter un mensonge – ces jeunes menaçaient sa famille – ou raconter qu'une voiture ressemblant à la leur avait été repérée près de la maison du directeur de la clinique après sa mort, qu'on avait vu un jeune couple sortir de chez lui le soir de son assassinat. Tout cela aurait peut-être suffi pour qu'on puisse les arrêter, à supposer qu'on les retrouve, mais Will ne voulait pas seulement qu'on les arrête. Il voulait qu'ils disparaissent pour toujours.

La recommandation du rabbin – « N'essayez pas de les tuer » –, il l'avait entendue, mais elle avait lézardé quelque chose en lui. Il avait cru jusque-là qu'il pouvait tout supporter – meurtre, perte, corps d'un enfant étouffé sous une pile de manteaux –, mais il n'était plus sûr maintenant que ce soit vrai. Il refusait de croire ce que le rabbin lui avait dit, parce que l'accepter, c'était rejeter toutes les certitudes qu'il avait sur le monde. Il pouvait accepter que quelqu'un, un réseau encore inconnu, soit déterminé à tuer son fils. C'était un objectif aberrant, qu'il ne pouvait comprendre, mais il était capable d'y faire face si ses membres étaient humains. Après tout, rien ne prouvait que ce que le rabbin croyait fût vrai. L'homme et la femme qui avaient pourchassé Caroline étaient morts. Il les avait vus mourir, il avait contemplé leurs cadavres.

Mais ils étaient alors différents, non ? Les morts sont toujours différents : plus petits, d'une certaine façon, ratatinés sur eux-mêmes. Le visage change, le corps s'effondre. Au fil des ans, Will s'était convaincu de l'existence d'une âme humaine, ne serait-ce qu'à cause de l'absence qu'il constatait dans le corps des morts. Quelque chose quittait ce corps au moment du décès et la dépouille s'en trouvait changée.

Et cependant, cependant…

Il repensa à la femme. Elle avait subi moins de dommages que l'homme en mourant. Les roues du camion avaient rendu le type impossible à identifier, mais le corps de la femme était indemne, mis à part les trous que les balles de Jimmy y avaient percés, tous dans la poitrine. Quand on l'avait retirée de l'eau, Will avait regardé son visage et avait été stupéfait du changement qu'il avait subi. Difficile à croire que c'était la même femme. La cruauté qui animait ses traits avait disparu mais, en outre, elle avait un air plus doux, comme si on avait raboté les contours durs du nez, du menton et des joues. Le masque imparfait qui avait longtemps recouvert son visage était tombé, il s'était dissous dans les eaux froides de la rivière. Will s'était tourné vers Jimmy et avait lu dans son regard la même réaction. Sauf que Jimmy, contrairement à lui, l'avait exprimée à voix haute :

« On dirait que c'est pas elle. Je vois les blessures, mais... »

Les techniciens de l'unité scientifique l'avaient regardé avec étonnement, sans toutefois faire de remarque. Ils savaient que chaque flic réagit différemment à son implication dans une fusillade fatale. Il ne leur appartenait pas d'émettre un commentaire.

Oh, oui, quelque chose avait bien quitté le corps de cette femme quand elle était morte, mais Will ne croyait pas, il ne voulait pas croire que cette chose était revenue.

Aussi, pendant que le neveu de Jimmy Gallagher veillait sur son fils, Will sillonna Pearl River, s'arrêtant aux croisements pour inspecter les rues latérales, braquant sa lampe électrique à l'intérieur des voitures garées sur les parkings, fixant les jeunes couples, les incitant à lever les yeux vers lui, car il était sûr de pouvoir identifier à leur regard ceux qui étaient venus pour tuer son fils.

Peut-être était-il destiné depuis toujours à les retrouver. Dans les heures qui suivirent, il se demanda s'ils l'avaient attendu, sachant qu'il viendrait et certains néanmoins qu'il serait incapable de s'en prendre à eux. Ils étaient des inconnus pour lui, et même si le rabbin l'avait averti de leur véritable nature, qui pouvait croire une chose pareille ?

Quelqu'un d'autre s'occuperait aussi d'Epstein, le moment venu. Le rabbin pouvait attendre...

Ils n'avaient donc pas bougé quand le faisceau de la torche s'était posé sur eux dans le terrain vague proche de la maison. Ils avaient vu l'autre arriver, le grand costaud roux, ils avaient aperçu l'arme qu'il tenait à la main. Ils savaient maintenant où se trouvait le garçon, ils étaient sûrs de ses origines, ils étaient impatients de le supprimer, d'achever la tâche qui leur avait été assignée tant de temps auparavant. Mais s'ils se précipitaient et commettaient une erreur, ils le perdraient de nouveau. Le grand roux était armé et ils ne voulaient pas mourir, ni l'un ni l'autre. Ils avaient été séparés trop longtemps, ils s'aimaient. Cette fois, leur combat pour être réunis avait été plus court, mais leur séparation n'en avait pas moins été douloureuse. Le garçon avait été retrouvé par un autre, celui qu'on appelait Kittim, qui avait murmuré des horreurs à son oreille et le garçon avait su qu'elles étaient vraies. Aidé par Kittim, il avait fini par trouver la fille. À présent, ils brûlaient l'un pour l'autre et se réjouissaient de leur corporéité. Une fois le garçon mort, ils disparaîtraient et seraient ensemble à jamais. Ils devaient simplement être prudents, ne prendre aucun risque.

Et voilà que le père du garçon approchait. Ils le reconnurent immédiatement. Curieux, pensa la fille, la dernière fois que je l'ai vu, c'était au moment de ma mort. À présent il était là, plus âgé, grisonnant, faible et fatigué. Elle sourit, se pencha et pressa la main de son compagnon. Quand il se tourna vers elle, elle vit une éternité de désir dans ses yeux.

— Je t'aime, murmura-t-elle.

— Je t'aime.

Will descendit de voiture, l'arme au poing, plaquée contre sa cuisse droite. Il dirigea sa torche vers eux et l'adolescent leva une main pour se protéger les yeux.

— Hé, qu'est-ce que vous foutez avec cette lampe ?

Will trouva son visage vaguement familier. Il était du comté de Rockland, ça, il en était sûr, peut-être un jeune délinquant qu'il avait vu un jour à Orangetown quand il patrouillait avec les flics locaux.

— Laissez vos mains où je peux les voir, tous les deux.

Ils firent ce qu'il leur avait ordonné, le garçon appuyant les paumes sur le volant, la fille plaçant ses ongles vernis sur le tableau de bord.

— Permis de conduire et papiers du véhicule, réclama Will.

— Z'êtes flic ?

Le garçon avait une voix traînante et souriait en parlant, pour montrer que tout ça n'était qu'une comédie, une farce.

— Faudrait peut-être que je voie votre insigne, d'abord.

— La ferme. Permis de conduire et papiers du véhicule.

— Derrière le pare-soleil.

— Prends-les lentement, avec la main gauche.

L'adolescent haussa les épaules mais s'exécuta, tint le permis de conduire pour que le policier puisse le voir.

— Alabama, lut Will. T'es loin de chez toi.

— J'ai toujours été loin de chez moi.

— Tu as quel âge ?

— Seize ans. Et un peu plus...

Will le regarda et décela de l'obscurité dans ses yeux.

— Qu'est-ce que tu fais ici ?

— Je suis assis dans ma caisse. Je passe un moment avec ma copine.

La fille eut un petit rire déplaisant. Will trouva que ça ressemblait au bouillonnement d'une mixture dans une marmite sur une vieille cuisinière, un truc qui vous décaperait la peau si vous y touchiez.

Il recula.

— Descendez de voiture.

— Pourquoi ? On n'a rien fait de mal.

Le ton de l'adolescent avait changé et Will Parker entendit l'adulte qui perçait à travers lui.

— Et vous nous avez toujours pas montré votre insigne. Si ça se trouve, vous êtes même pas flic. Vous êtes peut-être un braqueur, ou un violeur. On bouge pas si y a pas d'insigne.

Le garçon vit le faisceau de la torche osciller brièvement et il sut que le flic hésitait, à présent. Ce dernier avait des soupçons, mais pas suffisamment pour passer aux actes. L'adolescent prenait du plaisir à se moquer de lui, pas autant toutefois qu'il en aurait éprouvé en démontrant à cet homme qu'il n'était pas capable de sauver son fils de la mort.

Ce fut la fille qui intervint, et qui les condamna :

— Alors, qu'est-ce que vous allez faire, agent Parker ? le taquina-t-elle en gloussant.

Il y eut un moment de silence. Puis :

— Comment vous savez mon nom ?

La fille ne gloussait plus. Son compagnon se passa la langue sur les lèvres : on pouvait peut-être encore sauver la situation.

— Un type nous l'a dit en vous montrant. C'est plein de flics dans le coin, il nous a donné leurs noms.

— Quel type ?

— Un mec qu'on a rencontré. Les gens sont accueillants, ici. Voilà, c'est comme ça qu'on sait qui vous êtes, conclut-il en s'humectant de nouveau les lèvres.

— Moi aussi, je sais qui vous êtes, rétorqua Will.

Le garçon le toisa et changea brusquement. Il avait en lui une rage d'adolescent, une incapacité à se maîtriser dans des situations d'adulte. Défié par ce flic, il laissa la créature qui l'habitait se révéler un instant, un être de cendres, de feu et de chair brûlée, d'une beauté transcendante et d'une laideur absolue.

— Va chier, toi et ton gosse. T'as aucune idée de ce qu'on est.

Il tourna légèrement son poignet gauche et le symbole gravé sur son bras apparut à Will dans le faisceau de la torche.

À cet instant, ce qui s'était lézardé en Will se brisa totalement et il sut qu'il ne pouvait en supporter davantage. La première balle tua le garçon ; elle pénétra juste au-dessus de l'œil droit et ressortit par l'arrière du crâne, s'enfonça dans le siège arrière aspergé de sang et de matière grise. Bien que ce ne fût pas nécessaire, Will tira une deuxième balle. La fille hurla. Elle se pencha et prit dans ses mains la tête de son amant, puis fixa longuement celui qui l'avait de nouveau arraché à elle.

— Nous reviendrons, murmura-t-elle. Nous reviendrons jusqu'à ce que ce soit fini.

Will ne répondit pas. Il baissa simplement son arme et lui tira dans la poitrine.

Quand la fille fut morte, il retourna à sa voiture et posa son revolver sur le capot. Des lampes s'allumèrent dans les vérandas et les entrées proches ; un homme, de son jardin, observait les deux voitures. Sentant un goût de sel sur ses lèvres, Will crut qu'il avait pleuré, puis la douleur lui fit comprendre qu'il s'était mordu la langue.

Hébété, il monta dans sa voiture et démarra. En passant devant le jardin, il vit que l'homme le regardait, mais il s'en fichait. Will roula sans même savoir où il allait, jusqu'à ce que les lumières de New York apparaissent devant lui et alors il comprit.

Il rentrait chez lui.

Ils l'interrogèrent une bonne partie de la nuit, une fois qu'ils l'eurent ramené à Orangetown. Ils le prévinrent qu'il était dans de sales draps parce qu'il s'était enfui après les coups de feu, et il leur donna en réponse le mensonge le moins élaboré qu'il pût trouver : il avait repéré le véhicule sur un terrain vague en rentrant chez lui, informé de la présence de la voiture par quelqu'un qui l'avait reconnu à un croisement mais dont il ignorait le nom. Le conducteur avait fait des appels de phares, il avait peut-être même klaxonné. Will s'était arrêté pour vérifier que tout allait bien. Le jeune l'avait provoqué en faisant mine de saisir quelque chose sous son blouson, une arme peut-être. Will avait fait les sommations requises avant de tirer, tuant le garçon et la fille. Après qu'il eut raconté son histoire pour la troisième fois, Kozelek, enquêteur pour les services du procureur du comté de Rockland, avait demandé à rester seul un moment avec lui, et les autres flics, ceux de la police des polices comme ceux d'Orangetown, y avaient consenti. Quand ils eurent quitté la pièce, Kozelek arrêta l'enregistrement et alluma une cigarette. Il n'en offrit pas à Will.

— Vous ne conduisiez pas votre propre voiture, fit-il observer.

— Non, j'avais emprunté celle d'un ami.

— Quel ami ?

— Juste un ami. Il n'a rien à voir dans cette histoire. Je ne me sentais pas bien, je voulais rentrer chez moi le plus vite possible.

— Donc, cet ami vous prête sa voiture.

— Il n'en avait pas besoin. Je devais la lui rapporter le lendemain.

— Elle est où, maintenant ?

— Qu'est-ce que ça peut faire ?

— Elle a été utilisée dans le cadre d'un double homicide.

— Je me souviens pas. Je me souviens pas de grand-chose après avoir tiré. J'ai roulé. Je voulais juste quitter cet endroit.

— Vous étiez traumatisé, c'est ce que vous voulez dire ?

— Oui, sûrement. C'était la première fois que je tirais sur quelqu'un.

— Ils n'avaient pas d'arme, dit Kozelek. Ni l'un ni l'autre.

Il aspira une bouffée de sa cigarette et examina l'homme assis en face de lui. Will Parker paraissait ailleurs, depuis le moment où on l'avait emmené pour interrogatoire. C'était peut-être le choc. Les bœuf-carottes étaient venus de New York avec une copie du dossier de Parker. Apparemment, il n'avait jamais tiré sur personne, ni officiellement ni autrement. (Kozelek avait lui-même appartenu au NYPD pendant vingt ans, il savait que cela ne signifiait pas grand-chose.) Mais ce qui étonnait Kozelek, ce n'était pas l'état de choc de Parker, c'était qu'il semblât vouloir en finir au plus vite, comme un condamné impatient d'être conduit sur le lieu de son exécution. Même sa description des événements, que Kozelek savait être fausse, manquait de conviction : Parker se fichait d'être cru ou pas. Ils voulaient une histoire, il leur en servait une. S'ils voulaient y relever des incohérences, qu'ils le fassent. Il s'en foutait.

C'est ça, pensa Kozelek, ce type s'en fout. Sa réputation et sa carrière étaient en jeu, il avait du sang sur les mains. Quand les circonstances de la fusillade seraient connues, la presse réclamerait sa tête et il s'en trouverait dans le service pour vouloir le sacrifier, façon de montrer que la police ne voulait pas de tueur dans ses rangs. Le débat avait déjà commencé, Kozelek le savait. Des hommes ayant une réputation à protéger se demandaient s'il fallait laisser passer l'orage et soutenir leur agent ou s'ils ne risquaient pas en le défendant de ternir encore un peu plus l'image d'un service qui était déjà mal aimé et se remettait tout juste d'une série d'enquêtes internes.

— Vous dites que vous ne connaissiez pas ces deux jeunes ?

On avait posé la question plusieurs fois à Parker dans cette même pièce et Kozelek avait senti une trace d'hésitation dans la voix du policier chaque fois qu'il y avait répondu.

— La tête du gars me disait quelque chose, mais je ne crois pas que je le connaissais.

— Il s'appelait Joe Dryden. Né à Birmingham, Alabama. Arrivé ici il y a deux, trois mois. Il avait déjà un casier : des broutilles, essentiellement, mais il allait passer la vitesse supérieure.

— Je vous l'ai dit, je ne le connaissais pas personnellement.

— Et la fille ?

— Jamais vue.

— Missy Gaines. D'une bonne famille de Jersey. Ses parents avaient signalé sa disparition il y a une

semaine. Vous avez une idée de ce qu'elle faisait à Pearl River avec Dryden ?

— Vous me l'avez déjà demandé, je vous ai répondu : je n'en sais rien.

— Qui s'est rendu chez vous hier soir ?

— Aucune idée, je n'y étais pas.

— Un témoin déclare avoir vu un homme entrer chez vous hier soir. Il y est resté un bon moment. Et le témoin pense qu'il tenait une arme à la main.

— Je sais pas de quoi vous parlez, mais votre témoin doit se tromper.

— C'est un témoin sûr.

— Alors pourquoi il n'a pas appelé les flics ?

— Parce que votre femme a ouvert à cet homme et l'a fait entrer. Apparemment, elle le connaissait.

Will haussa les épaules.

— Je n'en sais rien.

Kozelek tira une dernière bouffée de sa cigarette, l'écrasa dans le cendrier fendillé.

— Pourquoi vous avez arrêté l'enregistrement ? demanda Will.

— Parce que les gars de la police des polices ne sont pas au courant de la visite de cet homme armé. J'espérais que vous me diriez pourquoi vous pensiez votre famille suffisamment en danger pour envoyer quelqu'un la protéger, et quel rapport ça pourrait avoir avec les deux jeunes que vous avez descendus.

Will ne répondit pas et l'enquêteur, se rendant compte que la situation demeurait bloquée, n'insista pas.

— Essaie au moins de mettre de l'ordre dans ton histoire, Will. Bon Dieu, tu ne pouvais pas simplement laisser un flingue dans la voiture ? Un flingue dans la voiture et on aurait pu se passer de tout ça.

— Je me balade pas avec des pièces à conviction, répliqua Will Parker, montrant pour la première fois un peu d'animation. Je ne suis pas ce genre de flic.

— Ben, j'ai une nouvelle pour toi : il y a deux jeunes gens morts dans une voiture, tous les deux sans arme. Alors, maintenant, tu es ce genre de flic.

24

Nous approchions de la fin.

— Je suis venu prendre ton père au poste d'Orangetown avant midi, dit Jimmy. Comme il y avait des journalistes dehors, les autres ont mis un collègue qui venait juste de finir son service à l'arrière d'une voiture banalisée, un blouson sur la tête, et ils ont démarré sous les flashs tandis que j'attendais ton père derrière. On est allés au Creeley's, à Orangetown. Ça n'existe plus, maintenant. À la place, il y a une station-service. À l'époque, c'était le genre de bar où on servait de bons hamburgers, où les lumières étaient tamisées et où on ne vous demandait rien à part « Un autre ? » ou « Des frites avec ça ? ». J'y allais quelquefois, avec ma sœur et mon neveu. On ne se parle plus beaucoup, ma sœur et moi. Elle vit à Chicago, maintenant. Elle pensait que j'avais mis son fils en danger en lui demandant de vous protéger, ta mère et toi, mais de toute façon on se voyait déjà moins avant ça.

Je ne l'interrompis pas. Il tournait autour de l'horreur à venir, comme un chien rechignant à prendre le morceau de viande avariée que lui tend un inconnu.

— Ça s'est trouvé qu'il n'y avait personne à part le barman quand on est arrivés. Je le connaissais, il me connaissait. Il a peut-être reconnu ton père, mais si c'est le cas, il n'en a rien montré. On a pris un café, on a parlé, ton père et moi.

— Qu'est-ce qu'il a dit ?

Jimmy haussa les épaules, comme si c'était sans importance.

— Il a répété ce qu'Epstein avait dit : que c'étaient les mêmes. Ils avaient l'air différents, mais il l'avait vu dans leurs yeux, et la marque sur le bras du garçon, la fille qui l'appelait « agent Parker » lui en avaient donné confirmation. Cette menace d'un retour… J'y pense tout le temps.

Il frissonna légèrement.

— En plus, juste avant qu'il tire la première balle, il aurait juré que leurs visages avaient changé.

— Changé ?

— Ouais, changé, comme la femme que j'ai tuée à Gerritsen Beach. Sa meilleure explication, c'était que les masques qu'ils portaient étaient devenus un instant transparents et qu'il avait vu les créatures qui se cachaient derrière. Alors, il a tiré sur le gars. Il ne se souvenait même pas d'avoir tué la fille. Il savait qu'il l'avait fait, il n'arrivait pas à se rappeler comment.

« Au bout d'une heure, il m'a demandé de le ramener chez lui, mais quand on est sortis du Creeley's, deux types de la police des polices nous attendaient dehors. Ils m'ont dit qu'ils ramèneraient Will, qu'ils se faisaient du souci à cause des journalistes, mais je pense qu'ils voulaient juste passer quelques minutes de plus avec lui dans l'espoir que je l'avais convaincu de tout déballer. Ils savaient que ce qu'il leur avait raconté ne tenait pas debout. Je ne pense pas qu'il ait ajouté quelque chose. Plus tard, après sa mort, ils ont essayé de me faire parler, mais je ne leur ai rien dit non plus. À partir de ce jour-là, j'étais fini comme flic. J'ai juste tiré au 9e le temps qu'il me restait à faire pour pouvoir prendre ma retraite.

« C'est la dernière fois que j'ai vu Will, quand les bœuf-carottes l'ont emmené. Il m'a remercié de tout ce que j'avais fait et il m'a serré la main. J'aurais dû deviner ce qui allait suivre, mais je ne m'y attendais pas. On ne se serrait jamais la main, c'était pas dans nos habitudes. Je l'ai regardé partir et je suis revenu ici. Le téléphone a sonné avant même que j'aie eu le temps d'enlever mes chaussures. C'est mon neveu qui m'a prévenu. Si tu m'avais demandé à ce moment-là si j'étais surpris, j'aurais répondu non. Vingt-quatre heures plus tôt, je t'aurais dit que jamais Will Parker ne se flinguerait, impossible, mais rétrospectivement je me rendais compte qu'au Creeley's il n'était plus le même homme. Il paraissait vieux, abattu. Je pense qu'il n'arrivait pas à croire à ce qu'il avait vu et à ce qu'il avait fait. C'était trop pour lui.

« L'enterrement a été plutôt bizarre. Je ne sais pas si tu t'en souviens, mais des gens qui auraient dû y assister n'y étaient pas. Le directeur de la police ne s'est pas montré. Ça n'avait rien d'étonnant dans le cadre de ce qu'on commençait à qualifier de meurtres suivis de suicide. Mais il y avait d'autres absents – des huiles, les types en costard du Puzzle Palace – qui normalement auraient fait une apparition. Il flottait une sale odeur autour de cette affaire, ils le savaient. La presse ne les lâchait pas et ils n'aimaient pas ça. D'une certaine façon – pardonne-moi de te dire ça –, la mort de ton père était ce qui pouvait leur arriver de mieux. Si une enquête l'avait mis hors de cause, les journaux leur seraient tombés dessus ; si les coups de feu s'étaient révélés injustifiés, il y aurait eu un procès et les simples flics, le syndicat auraient craché des flammes. Après le suicide de Will, ils ont pu enterrer l'affaire avec lui. Une fois ton père mort, l'enquête était condamnée à ne pas aboutir. Les seuls qui savaient ce qui s'était vraiment passé sur le terrain vague étaient tous morts.

« On lui a quand même fait des funérailles de commissaire, avec tout le tremblement. La fanfare, les gants blancs et les brassards noirs, le drapeau plié en quatre pour ta mère. À cause de la façon dont il était mort, les indemnités à percevoir étaient remises en cause. Tu ne le sais peut-être pas, mais un commissaire du 1 Police Plaza, un nommé Jack Stepp, a discrètement touché un mot à ta mère quand elle retournait à la voiture. Stepp était le type qui réglait en coulisse les problèmes du directeur. Il lui a promis qu'on s'occuperait d'elle et on s'en est occupé. Ils lui ont versé les indemnités en douce. Quelqu'un a veillé à ce que vous ne manquiez de rien, elle et toi.

« Epstein m'a contacté après l'enterrement. Il n'y avait pas assisté, c'était trop médiatisé, il n'aime pas ça. Il est venu ici, dans cette maison, il s'est assis sur la chaise où tu es en ce moment et je lui ai dit exactement ce que je viens de te dire. Puis il est parti et je ne l'ai jamais revu. Je ne l'ai appelé que le jour où tu as commencé à me poser des questions et quand Wallace s'y est mis lui aussi. Pour Wallace, je m'en faisais pas trop : il y a des moyens pour régler ce genre de chose et je me disais qu'on pourrait lui flanquer la trouille au besoin. Mais toi, je savais que tu reviendrais, qu'une fois que tu te serais mis en tête de fouiller dans le sol, tu n'arrêterais pas avant de trouver des os. Epstein m'a dit que ses gars s'occupaient déjà de Wallace et que je devais te révéler ce que je savais.

Il se renversa en arrière, épuisé.

— Maintenant, tu sais tout.

— Vous avez gardé le secret pendant toutes ces années ?

— Je n'en ai même pas parlé à ta mère et, pour être franc, j'ai été content, d'une certaine façon, quand elle m'a annoncé qu'elle t'emmenait dans le Maine. Je ne me sentais plus obligé d'être responsable de toi. Je pouvais faire semblant d'avoir tout oublié.

— Vous m'auriez dit un jour la vérité si je n'étais pas venu vous poser des questions ?

— Non, répondit-il. À quoi bon ?

Il réfléchit un instant et reprit :

— Écoute, je ne sais pas. J'ai lu des articles sur toi, j'ai entendu les histoires qu'on raconte sur ceux que tu as retrouvés, sur les hommes et les femmes que tu as tués. Toutes ces affaires ont un côté étrange. Ces deux dernières années, j'ai pensé que je devrais peut-être te parler pour que…

Il peinait à trouver les mots justes.

— Pour que quoi ?

Il finit par les trouver, malheureusement :

— Pour que tu sois prêt quand ils reviendraient.

25

Je reçus l'appel sur mon portable peu après minuit. Jimmy était allé préparer le lit dans la chambre d'amis tandis que, assis à la table de la cuisine, je m'efforçais encore d'accepter ce qu'il m'avait dit. Le sol ne me semblait plus stable sous mes pieds et je n'osais pas me lever. J'aurais peut-être dû douter de son histoire, ou tout au moins rester sceptique devant certains détails jusqu'à ce que je puisse les vérifier, mais au fond de moi je savais qu'il m'avait dit la vérité.

Je lus les chiffres inscrits sur le cadran de mon portable avant de répondre, ne reconnus pas le numéro.

— Allô ?

— Monsieur Parker ? Charlie Parker ?

— Oui ?

— Inspecteur Doug Santos, du Six-huit. Pourriez-vous me dire où vous vous trouvez en ce moment ?

Le 68e couvrait Bay Ridge, où j'avais vécu autrefois avec ma famille. Des flics de ce district et Walter Cole avaient été les premiers sur les lieux, la nuit où Susan et Jennifer étaient mortes.

— Pourquoi ? demandai-je. Qu'est-ce qui se passe ?

— Répondez à ma question, s'il vous plaît.

— Je suis à Brooklyn. Bensonhurst.

Le ton de Santos avait changé. D'abord simplement direct et efficace, il s'était fait pressant. En l'espace de quelques secondes, j'étais devenu un suspect en puissance.

— Vous pouvez me donner une adresse ? J'aimerais vous parler.

— De quoi s'agit-il, inspecteur ? Il est tard et j'ai eu une longue journée.

— Je préfère vous parler de vive voix. Alors, cette adresse ?

— Un instant.

De retour de la chambre d'amis, Jimmy me lança un regard interrogateur quand je couvris le téléphone de ma paume.

— C'est un flic du Six-huit, il veut me parler. Je peux le faire venir ici ? J'ai l'impression que j'aurai peut-être besoin d'un alibi.

— D'accord. Il t'a dit son nom ?

— Santos.

Jimmy secoua la tête.

— Connais pas. Il est tard, mais si tu veux, je peux donner quelques coups de fil, me renseigner sur ce qui se passe.

Je communiquai l'adresse à Santos, qui promit d'être là en moins d'une heure. Jimmy avait déjà commencé à joindre ses contacts et il me restait Walter Cole en réserve s'il n'arrivait à rien. Il débarrassa la bouteille vide pendant le premier coup de téléphone, qui lui suffit pour trouver quelque chose.

— Il y a eu un meurtre, m'annonça-t-il, l'air secoué.

— Où ?

— Ça ne va pas te plaire. Au 1219, Hobart Street. Un type mort dans la cuisine de ton ancienne maison.

Tu vas avoir une réaction mitigée quand je te dirai qui c'est. Mickey Wallace.

Santos arriva une demi-heure plus tard. Il était grand et basané, la trentaine probablement, avec l'air impatient d'un homme déterminé à gravir les échelons aussi vite que possible, au besoin en écrasant quelques doigts au passage. Il parut déçu quand il apparut que j'avais un alibi pour toute la soirée, et que cet alibi était un flic, en plus. Il accepta cependant une tasse de café et, sans se montrer franchement amical, il se dégela suffisamment pour ne pas me tenir rigueur de ce que je ne sois plus un suspect viable.

— Vous le connaissiez ?

— Il avait l'intention d'écrire un livre sur moi.

— Et ça vous plaisait, ce projet ?

— Pas trop. J'avais essayé de l'en dissuader.

— Je peux vous demander comment ?

S'il avait été équipé d'antennes, elles se seraient mises à vibrer. Je n'avais peut-être pas liquidé Wallace moi-même, mais j'avais pu engager quelqu'un pour le faire à ma place.

— En refusant de coopérer. En veillant aussi à ce qu'aucun de mes proches ne coopère non plus.

— Apparemment, il n'a pas saisi le message.

Santos but une gorgée de son café, sembla agréablement surpris par son goût.

— Il est bon, dit-il à Jimmy.

— Blue Montain, commenta Jimmy. Rien que le meilleur.

— Vous étiez au 9e, dans le temps, vous m'avez dit ?

— Exact.

Santos ramena son attention sur moi.

— Votre père travaillait aussi au 9e, non ?

J'admirais presque sa capacité à passer aussi rapidement la vitesse supérieure. Quelqu'un avait dû lui communiquer l'essentiel de mon dossier au téléphone pendant qu'il roulait vers Bensonhurst.

— Exact, là encore.

— Vous étiez en train de parler du bon vieux temps ?

— Écoutez, inspecteur, je voulais que Wallace cesse de fourrer son nez dans ma vie, mais je ne souhaitais pas sa mort. Et si j'avais voulu le faire assassiner, je n'aurais pas choisi la pièce dans laquelle ma femme et ma fille sont mortes, et je me serais arrangé pour être loin au moment du meurtre.

— Sûrement, convint Santos. Je sais qui vous êtes. Quoi qu'on puisse raconter sur vous, vous n'êtes pas idiot.

— Ça fait toujours plaisir à entendre.

— Oui, hein ? J'ai parlé à plusieurs personnes avant de venir ici. D'après elles, c'est pas votre style.

— C'est quoi, mon style ?

— Elles m'ont dit que je n'ai pas besoin de le savoir, mais que ce n'est pas ce qu'on a fait à Wallace.

J'attendis la suite.

— On l'a torturé au couteau. Pas très raffiné mais efficace. À mon avis, on cherchait à le faire parler. Une fois qu'il a dit ce qu'il savait, on lui a tranché la gorge.

— Personne n'a entendu quoi que ce soit ?

— Non.

— Comment on l'a découvert ?

— Un flic en patrouille a remarqué que la grille de la maison était ouverte. Il a fait le tour, il a vu de la lumière dans la cuisine. Une petite lampe électrique, probablement celle de Wallace, on vérifiera les empreintes.

— Et après ?

— Vous avez un moment ?

— Maintenant ?

— Non, plus tard dans la semaine, on s'fera un resto, répliqua-t-il, excédé.

— J'ai fini ici, dis-je.

C'était faux, bien sûr. Si je n'en avais pas été empêché, je serais resté chez Jimmy dans l'espoir de lui arracher les derniers détails de l'histoire après avoir intégré ce qu'il m'avait déjà révélé. Je lui aurais peut-être tout fait répéter depuis le début pour être sûr qu'il n'avait rien omis, mais Jimmy était fatigué. Il avait passé la soirée à confesser non seulement ses péchés mais aussi ceux des autres. Il avait besoin de dormir.

Je savais ce que Santos allait me demander, je savais que je devrais répondre oui, si douloureux que ce soit pour moi.

— Je voudrais que vous jetiez un coup d'œil là-bas, dit-il. On a emporté le corps, mais il y a quelque chose que je veux vous montrer.

— Quoi ?

— Juste un coup d'œil, d'accord ?

J'acceptai. J'annonçai à Jimmy que je repasserais probablement pour lui parler dans les prochains jours et il répondit qu'il serait là. Je ne le remerciai pas, il m'avait caché trop de choses pendant trop longtemps. Quand je quittai la maison avec Santos, Jimmy resta sur la véranda afin de nous regarder partir. Il leva une main pour me dire au revoir, je ne répondis pas.

Je n'étais pas retourné à Hobart Street depuis des années, depuis le jour où j'avais sorti de la maison le reste des affaires de ma femme et de ma fille, faisant le tri entre celles que je garderais et celles que je jetterais. Je crois que c'est l'une des tâches les plus dures que j'aie jamais accomplies, ce service des morts. Chaque fois que j'écartais un objet – une robe, un chapeau, une poupée, un jouet –, j'avais l'impression de trahir leur mémoire. J'aurais dû tout garder, car c'étaient des objets qu'elles avaient touchés et tenus, et il restait quelque chose d'elles dans ces objets familiers que leur mort avait rendus étranges. Cela m'avait pris trois jours. Encore maintenant, je me souviens d'être resté longtemps assis au bord de notre lit avec dans la main la brosse de Susan, caressant les cheveux emmêlés dans ses soies. Devais-je la jeter aussi ou la conserver, avec le tube de rouge qui avait pris la forme de ses lèvres, le blush qui gardait l'empreinte de son doigt, le verre à vin portant des traces de sa main et de sa bouche ? Que fallait-il conserver, que fallait-il oublier ? Finalement, j'avais gardé trop de choses. Ou pas assez. Trop pour vraiment tourner la page, et pas assez pour me perdre totalement dans leur souvenir.

— Ça va ? me demanda Santos quand nous arrivâmes à la grille.

— Non.

Je voyais des caméras de télévision, des flashs qui m'éblouissaient et laissaient des taches rouges dans mes yeux. Je voyais des voitures-radio, des hommes en uniforme. J'étais ramené en arrière, le genou écorché, le pantalon déchiré, la tête entre les mains et l'image des mortes figée sur ma rétine.

— Vous voulez que je vous laisse une minute ?

— Non.

D'autres flashs, plus proches. J'entendis qu'on m'appelait, je ne répondis pas.

— Non, répétai-je avant de suivre Santos jusqu'à l'arrière de la maison.

Ce fut le sang qui m'arrêta. Le sang sur le sol, le sang sur les murs. Je n'arrivais pas à entrer dans la cuisine. Je la regardais de l'extérieur, l'estomac retourné, le visage couvert de sueur. Je m'appuyai à l'encadrement de la porte, fermai les yeux et attendis que la nausée passe.

— Vous l'avez vu ? me demanda Santos.

— Oui.

Le sang de Wallace avait servi pour tracer un dessin. On avait déjà emporté le corps et marqué la position dans laquelle on l'avait découvert. Le symbole se trouvait juste au-dessus de l'endroit où avait été la tête de Wallace. À côté, le contenu d'un classeur en plastique était éparpillé sur le sol. En voyant les photos, je sus pourquoi Wallace était venu : il avait voulu revivre les meurtres et leur découverte.

— Vous savez ce que ce truc signifie ? demanda Santos.

— Je ne l'avais jamais vu avant.

— Moi non plus, mais je suppose que c'est une façon pour le meurtrier de signer son œuvre. On a inspecté le reste de la maison, il n'y a rien. Apparemment, tout s'est passé dans la cuisine.

Je me tournai pour le regarder. Il était jeune, il ne saisissait sans doute pas l'effet que ses mots avaient sur moi. Pourtant, je ne pouvais pas lui pardonner son manque de finesse.

— Terminé, on s'en va, dis-je.

Je m'éloignai de lui et tombai sur une nouvelle avalanche de flashs et de questions vociférées. Je m'immobilisai en me rendant compte que je n'avais aucun moyen de quitter les lieux : j'étais venu avec Santos, je n'avais pas de voiture. J'aperçus alors sous un arbre une silhouette familière, un homme grand et corpulent aux cheveux gris coupés en brosse. Dans ma confusion, je mis un moment à le reconnaître.

Tyrrell.

Tyrrell, un type qui, même après que j'eus quitté la police, m'avait clairement fait comprendre que ma place était derrière les barreaux. Il se dirigeait vers moi à grandes enjambées. Lorsque Wallace avait laissé entendre que certaines personnes étaient prêtes à lui parler, j'avais tout de suite compris que Tyrrell en faisait partie. Plusieurs journalistes le virent approcher et l'un d'eux, un nommé McGarry, qui suivait la brigade criminelle depuis si longtemps qu'il faisait presque partie des meubles, l'appela par son nom. À la façon dont Tyrrell marchait, il était clair qu'il y aurait une confrontation devant les caméras et les micros. C'était sûrement ce qu'il cherchait.

— Espèce d'ordure ! cria-t-il. Tout ça, c'est de ta faute !

Un projecteur le prit dans son faisceau. Il avait bu, mais il n'était pas soûl. Je me préparais à lui faire face quand une main me saisit le bras.

— Viens, dit la voix de Jimmy Gallagher.

Quoique épuisé, il m'avait suivi et je lui en fus reconnaissant. Le visage de Tyrrell prit une expression frustrée quand il vit sa proie et son moment de gloire lui échapper, puis les reporters les plus vifs se tournèrent vers lui pour lui demander un commentaire et il commença à déverser sa bile.

Santos regarda Parker partir et écouta Tyrrell parler aux journalistes. Il ne savait pas pourquoi l'ancien capitaine rendait l'ancien flic responsable de ce qui s'était passé, mais il savait maintenant que les deux hommes avaient un compte à régler. Il interrogerait Tyrrell plus tard. En se retournant, Santos vit un homme vêtu d'un costume sombre bien coupé passer sous le ruban de police jaune et suivre du regard les feux arrière de la voiture de Gallagher. Santos s'approcha de lui en lui enjoignant :

— Retournez de l'autre côté, monsieur.

L'homme ouvrit le portefeuille qu'il tenait à la main pour montrer un insigne à son nom de la police de l'État du Maine, sans toutefois prendre la peine de regarder Santos.

Irrité, Santos grommela :

— Je peux faire quelque chose pour vous, inspecteur… Hansen ?

Ce fut seulement quand la voiture tourna dans Marine Avenue et disparut que Hansen se tourna vers

Santos. Ses yeux, comme ses cheveux et son costume, étaient très sombres.

— Je ne crois pas, répondit-il avant de s'éloigner.

Cette nuit-là, je dormis dans le lit aux draps propres d'une chambre sans autre mobilier et je vis dans mes rêves une forme noire penchée au-dessus de Mickey Wallace, tailladant et murmurant dans la maison de Hobart Street. Derrière, comme dans un second film projeté sur un premier, chacun représentant le même décor sous un angle de vue semblable mais à des périodes différentes, un autre homme s'inclinait vers ma femme et lui parlait à l'oreille en taillant dans sa chair tandis que, par terre, le corps de mon enfant mort attendait d'être violenté à son tour. Puis ils disparurent et il ne resta que Wallace dans l'obscurité, le sang coulant à gros bouillons de sa blessure à la gorge, le corps tremblant. Il mourait, seul et effrayé, dans un lieu étrange…

Une femme apparut dans l'encadrement de la porte de la cuisine. Elle portait une robe d'été et, à côté d'elle, une petite fille agrippait de sa main droite le mince tissu du vêtement. Elles avancèrent jusqu'à l'endroit où gisait Wallace, la femme s'agenouilla près de lui et lui caressa le visage ; l'enfant lui prit la main et, ensemble, elles le calmèrent jusqu'à ce qu'il ferme les yeux et quitte ce monde à jamais.

26

Le corps de la fille avait été enveloppé dans une toile en plastique puis lesté avec une pierre et jeté dans un étang. On l'avait découvert quand une vache avait glissé dans l'eau et qu'une de ses pattes s'était prise dans la corde retenant le plastique. Lorsque l'animal, une Hereford qui valait pas mal d'argent, fut sorti de l'eau, le corps suivit.

Presque aussitôt après sa découverte, les habitants de la petite ville de Goose Creek, dans le sud de l'Idaho, surent de qui il s'agissait. Elle s'appelait Melody McReady, elle avait disparu deux ans plus tôt. La police avait interrogé son petit ami, Wade Pearce, et bien qu'elle l'eût ensuite éliminé de la liste des suspects, il s'était suicidé un mois plus tard, du moins d'après la version officielle de l'affaire. Il s'était tiré une balle dans la tête alors qu'il ne possédait apparemment pas d'arme à feu. Mais, dirent les gens, on ne peut jamais savoir à quoi peut vous pousser le chagrin… ou le sentiment de culpabilité, car certains estimaient qu'en dépit de tout ce que les flics prétendaient Wade Pearce était responsable de ce qui était arrivé à Melody McReady, même si ces soupçons tenaient davantage à une antipathie quasi générale pour la famille Pearce qu'à l'existence de véritables preuves. Ceux qui croyaient Wade innocent n'avaient pas non plus été désolés quand il s'était tué, parce que c'était un sale con et une brute, comme tous les hommes de sa famille. Melody McReady s'était retrouvée avec lui uniquement parce que sa propre famille était aussi pourrie que la sienne. Tout le monde savait que cette histoire finirait dans les larmes. On ne s'attendait cependant pas pour autant à du sang, et encore moins à un corps tiré d'une eau stagnante au cul d'une vache.

La police procéda à des analyses d'ADN des restes pour confirmer l'identité de la jeune femme et déceler d'éventuelles traces laissées par celui qui l'avait assassinée et balancée dans l'étang du vieux Sidey, même si les enquêteurs doutaient de retrouver quoi que ce soit d'utile. Il s'était écoulé trop de temps et, comme le plastique n'enveloppait pas hermétiquement le corps, les poissons et les éléments ne l'avaient pas épargné.

À leur grand étonnement, ils avaient relevé une empreinte utilisable sur la toile. Ils l'avaient envoyée à l'AFIS, le service d'identification d'empreintes du FBI, puis s'étaient préparés à une longue attente. L'AFIS était submergé de demandes adressées par les divers services de police et il fallait des semaines, voire des mois, selon l'urgence de l'affaire, pour obtenir des résultats. En l'occurrence, l'AFIS avait donné une réponse moins de quinze jours plus tard, mais elle était négative. En même temps que l'empreinte, la police avait envoyé la photo d'une marque gravée sur un rocher, près de l'étang, photo qui avait finalement abouti à l'Unité Cinq de la division Sécurité nationale (DSN), branche du FBI chargée de collecter des informations et de mener des opérations de contre-espionnage liées à la sécurité du pays et au terrorisme international.

L'Unité Cinq se réduisait à un terminal informatique sécurisé au bureau de New York de Federal Plaza. Les appellations DSN et Unité Cinq n'étaient que deux pavillons de complaisance approuvés par le service juridique du FBI afin de lui assurer une coopération prompte et inconditionnelle des diverses polices locales. L'Unité Cinq chapeautait toutes les enquêtes liées, fût-ce de loin, aux investigations sur les crimes du tueur connu sous le nom du Voyageur, individu responsable de la mort d'un bon nombre d'hommes et de femmes à la fin des années 1990, notamment Susan et Jennifer Parker, femme et fille de Charlie Parker. Au fil des années, l'Unité Cinq avait également reçu des informations sur la mort d'un nommé Peter Ackerman à New York dans les années 1960, sur celle d'une femme non identifiée, tuée par balles quelques mois plus tard à Gerritsen Beach, et sur les meurtres de Pearl River impliquant William Parker, informations rassemblées par l'adjoint du directeur du bureau de New York en poste à l'époque et transmises ensuite à ses successeurs. En outre, les fichiers de l'Unité Cinq rassemblaient tous les éléments connus des affaires auxquelles Charlie Parker avait été mêlé depuis qu'il était devenu détective privé.

D'autres services, en particulier le NYPD, étaient au courant de l'existence de l'Unité Cinq, mais en définitive deux personnes seulement avaient totalement accès à ses fichiers : le directeur du bureau de New York, Edgar Ross, et son adjoint, Brad. Ce fut ce dernier qui, vingt minutes après la demande initiale, frappa à la porte de son patron avec quatre feuilles de papier dans la main.

— Vous n'allez pas aimer ça, l'avertit-il.

Ross leva les yeux tandis que Brad refermait la porte derrière lui.

— Je n'aime jamais ce que vous m'annoncez. Vous ne m'apportez jamais de bonnes nouvelles. Vous ne m'apportez jamais de bon café non plus. Qu'est-ce que vous avez, cette fois ?

Brad semblait hésiter à tendre à son chef les feuilles de papier, tel un gosse craignant de remettre à son professeur un devoir bâclé.

— Une empreinte digitale soumise à l'AFIS, relevée sur un corps dans l'Idaho. Une fille du coin, Melody McReady. Disparue il y a deux ans. Retrouvée dans un étang, entourée de plastique. L'empreinte se trouvait sur le plastique.

— On a une identification ?

— Non, mais il y avait aussi une photo. Qui m'a rappelé quelque chose.

— Quoi ?

Brad paraissait mal à l'aise. En dépit du fait qu'il travaillait depuis près de cinq ans déjà avec Ross, tout ce qui concernait l'Unité Cinq le mettait mal à l'aise. Il avait étudié plusieurs des autres affaires qui avaient automatiquement retenu l'attention de l'Unité, et toutes, sans exception, lui avaient fait froid dans le dos. De même, toutes, sans exception, semblaient impliquer de près ou de loin le nommé Charlie Parker.

— L'empreinte n'a rien donné, mais le symbole avait été retrouvé précédemment sur deux autres corps. Premièrement, celui d'une femme inconnue repêchée dans la Shell Bank Creek à Brooklyn il y a plus de quarante ans, après avoir été abattue par un flic. On ne l'a jamais identifiée. Deuxièmement, celui d'une adolescente tuée dans une voiture à Pearl River il y a vingt-six ans. Elle s'appelait Missy Gaines, c'était une jeune fugueuse originaire de Jersey.

Ross ferma les yeux, attendant que Brad poursuive.

— Gaines a été descendue par le père de Charlie Parker. L'inconnue par le coéquipier de ce père, seize ans plus tôt.

Brad se décida enfin à tendre ses feuilles. Ross examina le symbole reproduit sur la première et retrouvé près du cadavre de McReady, le compara au symbole des meurtres antérieurs.

— Bon Dieu, gémit-il.

Brad s'empourpra, même s'il ne se sentait aucunement responsable de ce qui allait suivre.

— C'est pas fini, prévint-il. Regardez cette feuille. Celui-là, il était gravé dans l'écorce d'un arbre près du cadavre d'un jeune nommé Bobby Faraday.

Cette fois, Ross jura avec plus de vigueur.

— Quant à celui-ci, poursuivit Brad en lui tendant une nouvelle feuille, il était taillé dans l'encadrement de la porte de derrière des Faraday. On a présumé qu'ils s'étaient suicidés, mais le chef de la police locale, un nommé Dashut, avait des doutes. Il a mis cinq jours pour le trouver.

— Et on le reçoit seulement maintenant ?

— La police de l'État n'a jamais transmis. Ils sont jaloux de leurs prérogatives, dans ce coin. Finalement, fatigué de voir que l'enquête n'avançait pas, Dashut est passé par-dessus leurs têtes.

— Obtenez-moi toutes les infos que vous pourrez sur la fille McReady et sur les Faraday.

— C'est en route, répondit Brad. On devrait les recevoir dans moins d'une heure.

— Alors, allez les attendre.

Brad obtempéra.

Ross posa les feuilles près d'une série de photos qui se trouvaient sur son bureau depuis le début de la matinée. Elles avaient été prises la veille sur la scène de crime de Hobart Street et représentaient le symbole tracé sur le mur de la cuisine avec le sang de Wallace.

Ross avait été informé du meurtre moins d'une heure après la découverte du corps et avait demandé que toutes les photos d'indices, tous les documents relatifs à l'affaire lui soient transmis pour le lendemain neuf heures. Dès qu'il avait vu le symbole, il avait commencé à brouiller la piste. Un coup de téléphone au 1 Police Plaza, et le symbole fut effacé du mur de la cuisine. Toutes les personnes présentes sur les lieux furent contactées et prévenues que ce symbole constituait un élément crucial de l'affaire, que toute mention de son existence en dehors de l'équipe restreinte des enquêteurs ferait l'objet de sanctions et, ultérieurement, d'un renvoi sans appel. On mit en place des verrous supplémentaires sur tous les dossiers de police concernant les meurtres de Pearl River, la fille abattue à Gerritsen Beach et la mort accidentelle de Peter Ackerman. Ces verrous interdiraient l'accès à ces documents à toute personne n'ayant pas l'autorisation expresse de Ross et des directeurs adjoints des divisions Opérations et Renseignements du NYPD, même si tous les dossiers pertinents avaient été soigneusement « stérilisés » après les événements de Pearl River afin que tout recoupement ultérieur soit immédiatement communiqué au directeur et, après sa création, à l'Unité Cinq.

Ainsi, toute enquête liée à ces affaires serait immédiatement bloquée.

Ross savait que le meurtre d'un journaliste, même d'un ancien journaliste, attirerait les médias comme des mouches, et les circonstances de la mort de Wallace, assassiné dans une maison qui avait été dix ans plus tôt le théâtre d'un fait divers sanglant très médiatisé, retiendraient encore plus l'attention. Il convenait de maintenir un couvercle sur l'enquête mais sans l'enterrer totalement, pour que les reporters les plus astucieux ne soupçonnent rien. Il fut donc décidé, en concertation avec le 1 Police Plaza, de présenter un « visage sympathique » aux médias, avec une série de briefings officieux contrôlés avec soin qui fourniraient suffisamment d'informations pour tenir les journalistes à distance sans véritablement divulguer quoi que ce soit qui pût nuire à la conduite de l'enquête.

Ross suivit de l'index le pourtour du symbole dessiné sur le mur de la cuisine de Hobart Street, tira des dossiers posés devant lui quatre autres photos. Bientôt, son bureau fut recouvert des variations d'une même image : symbole imprimé au fer rouge dans la chair, symbole gravé dans le bois, symbole gravé dans la pierre.

Ross tourna son fauteuil vers la fenêtre et contempla la ville, composa le numéro d'une ligne sécurisée. Une femme répondit.

— Passez-moi le rabbin, s'il vous plaît.

Quelques secondes plus tard, Epstein était en ligne.

— C'est Ross.

— Je m'attendais à votre appel.

— Vous êtes au courant, alors ?

— J'ai été prévenu hier soir par un coup de téléphone.

— Vous savez où se trouve Parker ?

— M. Gallagher lui a offert l'hospitalité pour la nuit.

— C'est de notoriété publique ?

— Non, les médias l'ignorent. M. Gallagher a été assez prévoyant pour dévisser ses plaques d'immatriculation au cas où il serait contraint de mener une opération de sauvetage.

Ross fut soulagé. Il savait que, faute de piste new-yorkaise, des journalistes avaient déjà essayé de retrouver Parker en surveillant le bar du Maine où il travaillait. Un coup de fil au bureau de Portland pour demander qu'un agent passe devant la maison de Parker avait révélé que deux voitures et une camionnette de la télévision étaient garées en face, et le patron du Great Lost Bear avait déclaré à ce même agent qu'il avait été forcé de mettre sur sa porte une pancarte « Interdit aux journalistes ». Pour s'assurer que sa requête soit exaucée, il avait embauché deux colosses qui, en tee-shirts « Pas de journalistes ! » hâtivement floqués, faisaient office de videurs. Selon l'agent, ces hommes s'apprêtaient à se mettre au travail quand il s'était rendu au bar. Ils étaient sans conteste, déclara-t-il, les individus les plus larges de poitrine qu'il ait vus de sa vie.

— Et maintenant ? demanda Ross.

— Parker a quitté la maison de Gallagher ce matin, répondit Epstein. Je ne sais pas du tout où il est.

— Vous avez parlé à Gallagher ?

— Il dit ne pas savoir où Parker s'est rendu, mais il a confirmé que Parker connaît maintenant toute l'histoire.

— Il va donc chercher à vous voir.

— J'y suis prêt.

— Je vous envoie quelques documents que vous trouverez peut-être intéressants.

— Quel genre de documents ?

— Vous vous rappelez le symbole retrouvé sur les mortes de la Shell Bank Creek et de Pearl River ? J'en ai trois autres versions devant moi, l'une remontant à deux ans, les autres à cette année. Dans chaque cas, il y a apparemment eu meurtre.

— Elle laisse des signes, des repères pour l'Autre.

— Et son homologue a fait la même chose en écrivant son nom en lettres de sang dans l'ancienne maison de Parker.

— Tenez-moi au courant, je vous prie.

— Entendu.

Ils se saluèrent et raccrochèrent. Ross rappela Brad, lui demanda de mettre le portable de Parker sur écoute et de faire protéger le rabbin Epstein par deux hommes.

— Je veux savoir où est Parker avant la fin de la journée.

— Vous souhaitez qu'on vous l'amène ici ?

— Non, répondit Ross. Veillez seulement à ce qu'il ne lui arrive rien.

— C'est un peu tard, vous ne croyez pas ? fit observer le jeune adjoint.

— Foutez-moi le camp, maugréa son patron.

Tout en songeant : La vérité sort de la bouche des enfants.

27

Je téléphonai à Epstein d'une cabine de la Deuxième Avenue située en face d'un restaurant indien proposant un buffet à volonté dont apparemment personne ne voulait. Dans une tentative pour relancer les affaires, un type au visage triste vêtu d'une chemise en synthétique de couleur vive s'était posté devant la porte afin de distribuer des prospectus dont personne ne voulait non plus. Il pleuvait et la pub pendait mollement au bout de ses doigts.

— J'attendais votre appel, dit Epstein.

— Depuis longtemps, si j'ai bien compris.

— Je suppose que vous voulez me rencontrer.

— Vous supposez juste.

— Venez à l'endroit habituel. Plutôt dans la soirée. Disons vingt et une heures. Je suis impatient de vous revoir.

Il raccrocha.

Je m'étais installé dans un appartement au coin de la 20e Rue et de la Deuxième Avenue, au-dessus d'une échoppe de serrurier. Il se composait de deux pièces de bonnes dimensions, d'une cuisine séparée qui n'avait jamais été utilisée, et d'une salle de bains juste assez large pour permettre une rotation complète du corps, à condition de garder les bras le long des flancs. Il y avait un lit, un canapé, deux fauteuils, un téléviseur équipé d'un lecteur de DVD mais pas du câble. Pas de téléphone non plus, ce qui expliquait pourquoi j'avais appelé Epstein d'une cabine. Et en restant en ligne le minimum de temps pour arranger notre rencontre. J'avais déjà pris la précaution de retirer la batterie de mon portable et d'acheter dans un drugstore de quoi le remplacer temporairement.

Après avoir choisi quelques viennoiseries dans la boulangerie voisine, je retournai à l'appartement. Le propriétaire, assis sur une chaise à droite de la fenêtre de la salle de séjour, nettoyait un SIG. Ce n'est pas une activité à laquelle les propriétaires se livrent d'ordinaire chez leurs locataires, à moins que le propriétaire en question ne se trouve être Louis.

— Alors ? s'enquit-il.

— Je le vois ce soir.

— Tu veux de la compagnie ?

— Une deuxième ombre ne serait pas de trop.

— C'est pas une remarque raciste, ça ?

— J'en sais rien. Plutôt de la poésie, je dirais.

— Je t'ai apporté un flingue.

Il plongea la main dans un sac en cuir, en tira un petit pistolet qu'il lança sur le canapé.

— Kimber Ultra Dix II, annonça-t-il. Dix balles dans le chargeur. La partie arrière de la crosse est tranchante, méfie-toi.

Je saisis l'arme, la lui rendis.

— Tu plaisantes ?

— Non. Je veux récupérer ma licence. Si je me fais prendre avec ça sur moi sans permis de port d'armes, c'est foutu. Ils m'écorcheront vif avant de me balancer dans la mer.

Angel sortit de la cuisine, une cafetière à la main.

— Tu crois que le meurtrier de Wallace l'a torturé juste pour connaître ses goûts musicaux ? Il l'a tellement charcuté que Wallace lui a forcément dit tout ce qu'il voulait savoir sur toi.

— On n'en est pas sûrs, objectai-je.

— Ouais, comme on n'est pas sûrs de l'évolution des espèces, ou du changement climatique, ou de la loi de la gravité. Wallace s'est fait buter dans ton ancienne maison, pendant que tu enquêtais sur lui, et quelqu'un a signé le boulot avec son sang. Dans pas longtemps, ce quelqu'un essaiera de te faire ce qu'il a fait à Wallace.

— C'est pour ça que Louis me collera au train ce soir.

— Ouais, confirma celui-ci. Parce que si je me fais choper avec un SIG, c'est pas grave. Un Noir s'en tire toujours, dans les histoires de possession de flingue.

— Il paraît, dit Angel. Tant que ça reste en famille : un frère qui bute un autre frère.

Il prit le sac de viennoiseries, l'ouvrit et le vida sur la petite table basse rayée. Puis il me servit une tasse de café et s'assit à côté de Louis tandis que je commençais à leur exposer tout ce que j'avais appris de Jimmy Gallagher.

Le centre Orensanz n'avait pas changé depuis la dernière fois que je m'y étais rendu, quelques années plus tôt. Il dominait encore sa partie de Norfolk Street, entre East Houston et Stanton, synagogue néogothique dessinée par Alexander Saeltzer au XIXe siècle pour les immigrés juifs allemands, en s'inspirant de la grande cathédrale de Cologne et des principes du romantisme allemand. On la connaissait alors sous le nom d'Anshe Chesed, « Peuple de la gentillesse », avant sa fusion avec le temple Emmanuel coïncidant avec la migration des Juifs allemands de la Kleine Deutschland de Lower Manhattan vers l'Upper East Side. Leur place fut prise par des Juifs d'Europe de l'Est et du Sud, et le quartier devint un labyrinthe où s'entassèrent ceux qui luttaient encore pour s'adapter à ce nouveau monde, sur le plan social et linguistique. Anshei Chesed devint Anshei Slonim, du nom d'une ville de Pologne, le resta jusqu'aux années 1970, lorsque le bâtiment commença à se délabrer, et fut sauvé par le sculpteur Angel Orensanz, qui le transforma en centre culturel et éducatif.

J'ignorais quels rapports le rabbin Epstein entretenait avec le centre Orensanz. Quelle que fût la position qu'il y occupait, elle était officieuse et cependant éminente. J'avais vu certains des secrets que l'édifice recelait sous ses salles magnifiques et dont Epstein était le gardien.

En entrant, je ne découvris qu'un vieil homme balayant le sol. Il s'y trouvait déjà à ma dernière visite, se livrant à la même activité. Je me dis qu'il devait être toujours là à nettoyer, astiquer, surveiller. Il me regarda, m'adressa un signe de tête.

— Le rabbin n'est pas là, dit-il, comprenant d'instinct que ma présence ne pouvait avoir d'autre raison.

— Je lui ai téléphoné. Il viendra.

— Le rabbin n'est pas là, répéta-t-il en haussant les épaules.

Ne voyant pas l'intérêt de poursuivre la discussion, je m'assis. Le vieil homme soupira, se remit à balayer.

Une demi-heure s'écoula, puis une heure. Toujours pas d'Epstein. Lorsque je me levai enfin pour partir, le vieux était assis près de la porte, son balai entre les genoux, telle une bannière fermement tenue par un serviteur croulant sous les ans et oublié.

— Je vous avais prévenu, me dit-il.

— Ouais, c'est vrai.

— Vous devriez mieux écouter.

— On me répète souvent ça.

Il secoua la tête d'un air affligé.

— Le rabbin, il ne vient plus tellement ici.

— Pourquoi ?

— Il est tombé en disgrâce, je crois. Ou alors, c'est devenu trop dangereux pour lui, pour nous tous. Dommage. Le rabbin est un homme bien, un sage, mais certains prétendent que ce qu'il fait ne convient pas à cette… cette Bet Shalom.

Devant mon expression intriguée, il traduisit :

— Maison de paix. Pas Sheol. Pas ici.

— Sheol ?

— Non. Plus ici.

Et il tapa du pied d'un air entendu pour indiquer les lieux secrets souterrains. La dernière fois que j'étais venu, Epstein m'avait montré une cellule ménagée au sous-sol du bâtiment. Il y avait enfermé une créature qui se donnait le nom de Kittim, un démon qui voulait être un homme, ou un homme qui se prenait pour un démon. Si le vieux disait vrai, Kittim avait quitté cet endroit, banni avec Epstein, son ravisseur.

— Merci, dis-je.

— *Bevakashah*, répondit-il. *Betakh ba-Adonai va'asei-tov.*

Je le laissai pour retrouver le soleil froid du printemps. J'étais venu pour rien, semblait-il. Epstein ne se sentait plus chez lui au centre Orensanz, ou le centre n'était plus disposé à accepter sa présence. Je regardai autour de moi, espérant à demi qu'il m'attendait à proximité, mais je ne vis pas trace de lui. Il était arrivé quelque chose : il ne viendrait pas. Je tentai de repérer Louis, mais je ne vis pas trace de lui non plus. Je savais cependant qu'il n'était pas loin. Je descendis les marches et pris la direction de Stanton. Au bout d'une minute, je sentis que quelqu'un me suivait. Regardant à gauche, je découvris un jeune Juif portant une kippa et un ample blouson de cuir. Il gardait une main enfoncée dans sa poche droite et je crus déceler le guidon d'un petit pistolet dépassant par un trou. Derrière moi, un autre jeune m'avait emboîté le pas. Ils avaient tous deux l'air costauds et rapides.

— Vous avez mis le temps, se plaignit celui de gauche avec une pointe d'accent. Qui vous aurait cru si patient ?

— Je me suis entraîné à le devenir, répondis-je.

— C'était nécessaire, paraît-il.

— Je n'y suis pas encore tout à fait parvenu, alors vous pourriez peut-être me dire où on va.

— Nous avons pensé que vous aimeriez manger quelque chose.

Il me fit tourner dans Stanton. Entre un *deli* qui n'avait rien vendu de frais depuis l'été précédent, à en juger par le nombre d'insectes morts éparpillés entre les bouteilles et les bocaux en vitrine, et un tailleur qui semblait considérer la soie et le coton comme des modes passagères qui finiraient par s'incliner devant les fibres artificielles, se trouvait un petit *diner* kasher. À l'intérieur, une faible lumière éclairait quatre tables au bois sombre marqué par des années de tasses de café brûlant et de cigarettes allumées. Contre la vitre, une pancarte annonçait en hébreu et en anglais que c'était fermé.

Une seule table était occupée. Epstein était assis face à la porte, le dos au mur, vêtu d'un costume noir, d'une chemise blanche et d'une cravate noire. Derrière lui, un manteau sombre pendait à une patère, surmonté d'un chapeau noir à bord étroit ; on aurait dit que leur propriétaire venait de se volatiliser, ne laissant que ses vêtements comme preuve de son existence antérieure.

L'un des jeunes gens prit une chaise et la porta dehors, s'assit le dos à la vitre. Son compagnon, celui qui m'avait parlé dans la rue, s'assit lui aussi mais à l'intérieur, de l'autre côté de la porte. Il ne se retourna pas pour nous regarder.

Il y avait une femme derrière le comptoir. Elle avait probablement une quarantaine d'années, mais là, dans la pénombre du petit *diner*, on lui en aurait donné dix de moins. Elle avait des cheveux très bruns dans lesquels, en passant devant elle, je ne décelai aucune trace de gris. Elle était belle et il émanait d'elle une légère odeur de cannelle et de clou de girofle. Elle me salua de la tête, sans sourire.

Je m'assis en face d'Epstein mais me tournai pour avoir moi aussi un mur derrière le dos et surveiller la porte.

— Vous auriez pu me dire que vous étiez devenu persona non grata au centre Orensanz, lui reprochai-je.

— J'aurais pu, mais ça n'aurait pas été vrai. La décision a été prise d'un commun accord. Trop de gens franchissent les portes du centre. Ce n'était ni juste ni sage de leur faire courir des risques. Je suis désolé de vous avoir fait attendre, mais il y avait une raison : nous inspections les rues avoisinantes.

— Et vous avez trouvé quelque chose ?

Les yeux du rabbin pétillèrent.

— Non, mais si nous nous étions aventurés plus loin dans l'obscurité, quelqu'un nous aurait trouvés. Je vous soupçonne de ne pas être venu seul. Je me trompe ?

— Louis est dans le coin.

— L'énigmatique Louis. C'est bien d'avoir de tels amis, et mal d'avoir besoin d'eux.

La femme apporta des plats sur notre table : du baba ghanoush avec de petits morceaux de pain pita, des burekas et un poulet au vinaigre, aux olives et à l'ail, avec de la semoule en accompagnement. Epstein m'invita d'un geste à manger, mais je déclinai.

— Quoi ? dit-il.

— Au sujet du centre Orensanz. Je ne crois pas trop que vous soyez restés en bons termes, finalement.

— Vraiment ?

— Vous n'avez pas de fidèles. Vous n'enseignez pas. Vous vous baladez partout avec au moins un flingueur. Aujourd'hui, vous en avez deux. Et je me rappelle vous avoir entendu vous exclamer « Doux Jésus » il y a quelques années pendant une de nos conversations. Tout cela ne me paraît pas très orthodoxe. Je ne peux pas m'empêcher de penser que vous faites peut-être l'objet d'une légère désapprobation.

— Orthodoxe ? dit-il en riant. Je suis un juif fort peu orthodoxe, mais un juif quand même. Vous êtes catholique, monsieur Parker…

— Un mauvais catholique, corrigeai-je.

— Je ne suis pas à même d'en juger. Je sais cependant qu'il y a des degrés dans le catholicisme et je crains qu'il n'y en ait bien plus dans le judaïsme. Le mien est plus nébuleux que la plupart des autres et je me demande parfois si je ne suis pas resté trop longtemps séparé de mon peuple. Je me surprends à utiliser des termes qui n'ont rien à faire dans ma bouche, à commettre des lapsus embarrassants, voire pire, ou à nourrir des doutes qui n'ont pour moi rien de nourrissant. On peut donc peut-être avancer que j'ai quitté l'Orensanz avant qu'on me demande de le faire. Cela vous convient mieux ?

Il désigna de nouveau les plats.

— Mangez, maintenant. C'est délicieux et notre hôtesse s'offensera si vous ne goûtez pas ce qu'elle a préparé.

Je n'avais pas demandé à rencontrer Epstein pour me livrer à des jeux sémantiques ni pour goûter à la cuisine locale, mais il avait l'art de manipuler les conversations à son gré et je m'étais placé en position d'infériorité dès que je m'étais mis en mouvement pour le rencontrer. Je n'avais pas eu le choix. Je n'imaginais pas Epstein ou ses gorilles acceptant un autre arrangement.

Je mangeai donc. Je m'informai poliment de sa santé et de sa famille ; il fit de même pour Sam et Rachel, mais ne m'interrogea pas sur nos rapports conjugaux. Je le soupçonnais de savoir parfaitement que Rachel et moi ne vivions plus ensemble. Je pensais même qu'il y avait peu d'aspects de ma vie qu'il ignorait et qu'il en avait toujours été ainsi, dès le jour où mon père l'avait contacté au sujet de la marque sur le bras de Peter Ackerman.

Quand nous eûmes terminé, la femme nous servit des baklavas et me proposa un café, que j'acceptai. Comme j'y ajoutais un peu de lait qu'elle avait apporté dans un récipient scellé, Epstein soupira.

— Quel luxe ! Pouvoir savourer un café au lait tout de suite après le repas…

— Vous pardonnerez mon ignorance.

— C'est une des lois de la kashrout, expliqua-t-il. Interdiction d'ingérer un produit laitier moins de six heures après avoir mangé de la viande. L'Exode : « Tu ne feras pas cuire un chevreau dans le lait de sa mère. » Vous voyez : je suis plus orthodoxe que vous ne croyez.

La femme se tenait à proximité, prête à répondre à nos souhaits. Je la remerciai pour sa gentillesse et pour le repas. Malgré moi, j'avais mangé plus que je n'en avais l'intention. Cette fois elle sourit, mais elle demeura silencieuse. Epstein lui adressa un geste de la main gauche et elle se retira.

— Elle est sourde et muette, dit-il une fois qu'elle eut le dos tourné. Elle lit sur les lèvres, mais elle ne lira pas sur les nôtres.

Je jetai un coup d'œil à la femme qui, la tête baissée, feuilletait à présent un journal.

Maintenant que le moment de la confrontation était venu, je sentais une partie de ma colère contre Epstein se dissiper. Il avait caché de nombreuses choses pendant de nombreuses années, comme Jimmy Gallagher, mais il avait eu de bonnes raisons de le faire.

— Je sais que vous avez posé des questions, déclara-t-il. Et je sais que vous avez obtenu des réponses.

— Vous auriez dû tout me dire à notre première rencontre, répliquai-je du ton d'un adolescent agressif.

— Pourquoi ? Parce que vous pensez maintenant que vous aviez le droit de savoir ?

— J'avais un père et deux mères. Ils sont tous morts pour moi.

— C'est précisément pour cette raison que je ne pouvais rien vous révéler, argua le rabbin. Qu'auriez-vous fait ? Lorsque nous nous sommes rencontrés, vous étiez encore un homme furieux et violent. Submergé de chagrin, résolu à se venger. On ne pouvait pas vous faire confiance. D'aucuns ajouteraient qu'on ne peut toujours pas. Et rappelez-vous, monsieur Parker : je venais de perdre mon fils. C'était lui que j'avais en tête, pas vous. Vous n'avez pas le monopole de la souffrance et du chagrin.

« Vous avez raison, cependant. J'aurais dû vous parler avant aujourd'hui, mais peut-être avez-vous choisi le moment qui vous semblait opportun. C'est vous qui avez décidé quand commencer à poser les questions qui vous ont conduit ici. La plupart ont reçu une réponse et je ferai de mon mieux pour répondre à celles qui restent.

Je ne savais pas par où commencer.

— Que savez-vous de Caroline Carr ?

— Presque rien. Elle venait de ce qui est maintenant une banlieue de Hartford, dans le Connecticut. Son père est mort quand elle avait six ans et sa mère quand elle en avait dix-neuf. Pas d'autres parents encore en vie. Si on l'avait élevée pour qu'elle reste anonyme, on n'aurait pas pu faire mieux.

— Mais elle n'était pas anonyme. Quelqu'un la cherchait.

— Il semblerait. Sa mère est morte dans un incendie, peut-être volontaire.

— Peut-être ?

— Un mégot mal éteint au fond d'une poubelle, des papiers dessus, une cuisinière à gaz dont on avait mal fermé le robinet. C'était peut-être un accident, sauf que ni Caroline ni sa mère ne fumaient.

— Un visiteur ?

— Il n'y eut pas de visiteurs ce soir-là, selon Caroline. Sa mère recevait parfois des messieurs, mais le soir où elle est morte, seules Caroline et elle étaient dans la maison. La mère buvait. Elle cuvait sur le canapé quand le feu a éclaté et elle était probablement déjà morte quand les flammes l'ont atteinte. Caroline réussit à sortir par une fenêtre du haut. Quand je la rencontrai, elle me dit qu'elle avait vu deux personnes regarder la maison brûler : un homme et une femme qui se tenaient par la main, à la lisière du bois. À ce moment-là, quelqu'un avait donné l'alarme, des voisins se précipitèrent pour la sauver, les camions de pompiers étaient en route. Elle s'inquiétait pour sa mère, mais le rez-de-chaussée était déjà totalement enveloppé par les flammes. Lorsque Caroline repensa à l'homme et à la femme, ils avaient disparu.

« Elle les soupçonnait d'avoir mis le feu, mais quand elle signala leur présence aux policiers, ils estimèrent qu'il n'y avait aucun rapport avec l'incendie ou que c'était un effet de l'imagination d'une jeune femme accablée de chagrin. Pourtant Caroline revit le couple peu après l'enterrement de sa mère et fut convaincue qu'ils avaient l'intention de lui faire subir le même sort. Peut-être même qu'elle était en fait leur cible depuis le début.

— Qu'est-ce qui lui faisait penser ça ?

— La façon dont ils la regardaient, dont elle se *sentait* regardée. Appelez ça l'instinct de survie. Quoi qu'il en soit, elle quitta la ville après les funérailles de sa mère, déterminée à chercher du travail à Boston. Là, quelqu'un tenta de la pousser sous une rame de métro. Elle sentit une main contre son dos et vacilla au bord du quai avant qu'une jeune femme la tire en arrière. Lorsque Caroline regarda autour elle, elle vit un couple qui se hâtait vers la sortie. La femme se retourna pour la regarder et, selon Caroline, c'était l'inconnue de Hartford. Elle les vit une troisième fois à la gare du Sud, quand elle montait dans un train pour New York. Ils l'observèrent du quai mais ne la suivirent pas.

— Qui étaient-ils ?

— Nous ne le savions pas alors et nous ne le savons toujours pas avec certitude aujourd'hui. Oh, nous avons le nom de l'homme qui est mort sous les roues d'un camion, ainsi que ceux des deux adolescents que votre père a tués à Pearl River, mais ces noms se sont finalement révélés inutiles. Connaître leurs identités n'explique absolument pas pourquoi ils traquaient Caroline Carr, ou vous-même.

— Mon père pensait que Missy Gaines et la femme qui a assassiné ma mère étaient une seule et même personne. Par extension, il devait croire la même chose de Peter Ackerman et du jeune garçon mort avec Missy Gaines. Comment serait-ce possible ?

— Nous avons été témoins de choses étranges dans les années qui ont suivi notre première rencontre, répondit Epstein. Qui sait ce que nous devons croire et ce que nous devons rejeter ? Considérons toutefois l'explication la plus logique, ou la plus plausible : pendant une période de plus de quarante ans, quelqu'un a envoyé à plusieurs reprises deux tueurs, un homme et une femme, s'en prendre à vous ou à vos proches, notamment à votre mère biologique. Lorsqu'un couple mourait, un autre le remplaçait. Ces assassins portaient une marque sur le bras, une pour l'homme, une autre pour la femme, à cet endroit.

Il indiqua un point à mi-chemin entre le poignet et le coude.

— Nous n'arrivons pas à trouver la raison pour laquelle une succession de couples a commis ces actes. Les enquêtes sur Missy Gaines, Joseph Dryden et Peter Ackerman ont révélé qu'ils avaient mené auparavant des vies tout à fait normales. Ackerman était un bon père de famille, Missy Gaines une adolescente modèle, Dryden un casse-cou, mais pas pire que d'autres. Et puis soudain leur conduite changea. Ils se détachèrent de leurs parents et de leurs amis. Ils se lièrent avec une personne du sexe opposé qu'ils ne connaissaient pas avant et se mirent en chasse, apparemment d'abord pour Caroline Carr puis, dans le cas de Gaines et de Dryden, pour vous. C'est la seule explication logique : des couples différents ayant pour seul point commun leur détermination à vous nuire, à vous ou à vos proches, soit de leur propre volonté soit mus par celle d'un autre.

— Mais vous ne croyez pas à cette explication... logique.

— Non.

Epstein tendit le bras derrière lui et tira d'une poche de son manteau une photocopie qu'il déplia sur la table. C'était un article scientifique illustré par la photo d'un insecte en vol : une guêpe.

— Que savez-vous des guêpes, monsieur Parker ?

— Elles piquent.

— Exact. Certaines, le principal groupe d'*Hymenoptera*, sont également parasitoïdes. Elles prennent pour cibles des insectes hôtes – chenilles, araignées – en pondant des œufs qui attaquent l'hôte de l'extérieur, ou en injectant ces œufs *dans* le corps de l'hôte. Finalement, les larves apparaissent et dévorent l'hôte. Ce comportement est relativement commun dans la nature, et pas seulement chez les guêpes. L'ichneumon, par exemple, parasite des araignées et des pucerons. En même temps que ses œufs, il injecte une toxine qui paralyse l'hôte. Les larves mangent ensuite le corps de l'hôte de l'intérieur, en commençant par les parties les moins nécessaires à la survie, comme la graisse et les entrailles, de manière à maintenir l'hôte en vie le plus longtemps possible avant de passer aux organes essentiels. Il ne reste finalement qu'une coquille vide. Ce comportement indiquerait une compréhension instinctive du fait qu'un hôte vivant vaut mieux qu'un hôte mort, mais il est par ailleurs assez primitif, quoique indéniablement cruel.

Le rabbin se pencha en avant, tapota la photo de la guêpe.

— On trouve au Costa Rica une variété d'araignée, *Plesiometa argyra*, qui est également utilisée par une guêpe mais de manière intéressante. La guêpe la paralyse temporairement pour déposer ses œufs au bout de l'abdomen de l'araignée. Puis elle s'en va et l'araignée retrouve sa mobilité. Elle se comporte comme elle l'a toujours fait, tisse des toiles, attrape des insectes, tandis que les larves accrochées à son ventre se nourrissent de ses liquides vitaux en perçant de petits trous dans son corps. Cela se poursuit pendant deux semaines environ, puis il se produit quelque chose d'étrange : l'araignée change de comportement. Les larves, au moyen de sécrétions chimiques, contraignent l'araignée à modifier la construction de sa toile. Au lieu d'une toile ronde, elle tisse une sorte de support plus petit, plus résistant. Les larves tuent ensuite leur hôte et fabriquent un cocon sur la nouvelle toile, à l'abri du vent, de la pluie, des fourmis prédatrices, et débute alors le stade suivant de leur développement.

Epstein s'étira légèrement et poursuivit :

— Si nous substituons des esprits errants aux guêpes et des êtres humains aux araignées, nous pouvons peut-être commencer à comprendre pourquoi des hommes et des femmes apparemment ordinaires ont soudain changé et sont lentement morts de l'intérieur, alors que leur aspect extérieur demeurait le même. Une théorie intéressante, vous ne trouvez pas ?

— Suffisamment intéressante pour qu'un homme se fasse chasser du centre culturel local.

— Ou interner, s'il était assez bête pour l'exprimer à voix haute. Mais ce n'est pas la première fois que vous entendez parler de telles choses : des esprits passant de corps en corps, des gens qui semblent vivre au-delà du temps normalement accordé, qui pourrissent lentement sans jamais mourir. Je me trompe ?

Je pensai à Kittim, enfermé dans sa cellule, retiré en lui-même comme un animal en hibernation tandis que son corps se flétrissait ; à une créature du nom de Brightwell aperçue sur un tableau vieux de plusieurs siècles, sur une photo de la Seconde Guerre mondiale et enfin de nos jours, alors qu'il cherchait un être semblable à lui, humain de forme mais pas de nature. Oui, je savais de quoi Epstein parlait.

— La différence entre une araignée et un homme, c'est le niveau de conscience, continua le rabbin. Puisque nous devons supposer que l'araignée n'a pas conscience de son identité d'araignée, elle ne comprend pas ce qui lui arrive quand son comportement se modifie et qu'elle commence à mourir. Mais un être humain aurait, lui, conscience des changements de sa physiologie ou, plus exactement, de sa psychologie, de sa conduite. Ce serait troublant, pour le moins. L'hôte consulterait peut-être même un médecin, un psychiatre. On procéderait à des analyses, on s'efforcerait de découvrir la source du déséquilibre…

— Mais nous ne parlons pas de mouches parasites ni de guêpes.

— Non, nous parlons de quelque chose qui ne peut être vu et qui dévore l'hôte aussi sûrement que les larves de guêpe dévorent l'araignée, sauf que dans ce cas c'est l'identité dont le parasite s'emparerait, le *moi*.

Et quelque chose en nous prendrait lentement conscience de l'*autre*, de cette chose nous prenant pour proie, et nous lutterions contre l'obscurité quand elle commencerait à nous envelopper.

Je réfléchis.

— Tout à l'heure, vous avez dit qu'ils avaient *apparemment* pris pour cible ma mère biologique. Pourquoi avez-vous utilisé ce terme ?

— Si Caroline Carr était leur cible à l'origine, pourquoi seraient-ils revenus seize ans plus tard à Pearl River ? Parce que, semble-t-il, ils ne voulaient pas tuer Caroline Carr mais l'enfant qu'elle portait.

— Là encore, pourquoi ?

— Je ne sais pas. Sauf que vous êtes une menace pour eux et que vous l'avez toujours été. Ils ne connaissent peut-être même pas la nature de la menace que vous représentez, mais ils la sentent, ils y réagissent et leur objectif est de l'éliminer. C'est vous qu'ils voulaient tuer, monsieur Parker, et ils ont probablement cru qu'ils avaient réussi, un moment du moins, jusqu'à ce qu'ils découvrent qu'ils s'étaient trompés, qu'on vous avait caché. Alors, ils ont été contraints de revenir corriger leur erreur.

— Et ils ont échoué une seconde fois.

— Et ils ont échoué, répéta Epstein. Mais, au cours des années qui ont suivi, vous avez attiré l'attention sur vous. Vous avez rencontré des hommes et des femmes qui partageaient quelque chose de leur nature, sinon de leur objectif, et il se peut que l'être ou la chose qui a envoyé ces créatures vous ait alors remarqué. Il n'est pas difficile de tirer la conclusion qui s'impose, à savoir…

— Qu'ils reviendront, achevai-je.

— Pas qu'ils reviendront. Ils *sont* revenus.

De dessous l'article décrivant la guêpe et son comportement, il tira une photo. Elle montrait la cuisine de Hobart Street et le symbole dessiné sur son mur avec du sang.

— C'est aussi la marque retrouvée sur le corps de Peter Ackerman, et sur le jeune Dryden, tué par votre père à Pearl River…

Il produisit d'autres photos.

— Voici la marque que portaient les corps de Missy Gaines et de la meurtrière de votre mère biologique. On l'a retrouvée depuis sur trois autres lieux de crime, l'un ancien, les deux autres récents.

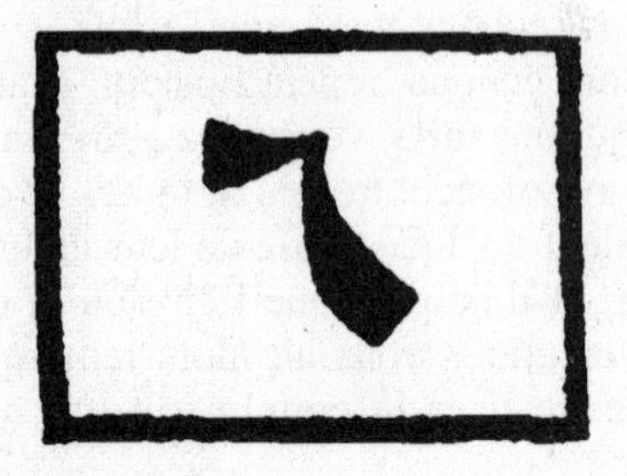

— Très récents ?

— Quelques semaines.

— Mais sans rapport avec moi ?

— Semblerait-il.

— À quoi ça rime, tout ça ?

— Ils laissent des signes. L'un pour l'autre et peut-être, dans le cas de Hobart Street, pour vous.

Il eut un sourire empreint de pitié avant d'ajouter :

— Quelque chose est revenu. Et veut que vous le sachiez.

V

Car les morts se déplacent vite.

Bram STOKER (1847-1912),
Dracula (d'après *Lenore*, de Bürger)

28

Les ivrognes étaient de retour. Il y avait eu un match de hockey ce soir-là et le bar attirait les fans parce que l'un des propriétaires, Ken Harbaruk, avait brièvement joué avec les Maple Leafs et les Bruins avant qu'un accident de moto mette fin à sa carrière. Il aimait dire que c'était la meilleure chose qui lui soit arrivée, étant donné les circonstances. Il était bon mais pas assez ; il savait qu'au final il se serait retrouvé dans les ligues mineures, jouant pour pas grand-chose et essayant de lever des femmes facilement impressionnables dans des bars ressemblant beaucoup à celui qu'il possédait maintenant. Au lieu de quoi, il avait touché des indemnités importantes pour ses blessures et les avait investies dans la moitié d'un bar destiné à lui garantir le genre de retraite confortable dont il aurait été privé s'il avait continué à jouer. De plus, s'il l'avait voulu, il aurait encore pu emballer des femmes facilement impressionnables – du moins s'en persuadait-il –, mais, le plus souvent, il songeait à son appartement tranquille et à son lit douillet tandis que les longues soirées dans le bar tiraient à leur fin. Il avait une liaison agréable et peu exigeante avec une avocate de cinquante et un ans bien conservée. Chacun avait son appartement et ils passaient alternativement les nuits du week-end chez l'un puis chez l'autre, même s'il lui arrivait parfois de souhaiter une relation un peu plus structurée. Il aurait aimé qu'elle vienne vivre avec lui, mais il savait que ce n'était pas ce qu'elle voulait. Elle appréciait son indépendance. D'abord, il avait cru qu'elle le tenait à distance afin de vérifier si son attachement pour elle était sérieux. Maintenant, après trois ans de cet arrangement, il se rendait compte qu'elle le tenait à distance parce que c'était exactement ce qu'elle voulait, et s'il désirait plus, il faudrait qu'il cherche ailleurs. Il se disait qu'il était trop vieux pour chercher ailleurs et qu'il devait s'estimer heureux de ce qu'il avait. Finalement, il avait plutôt de la chance et il était plutôt heureux.

Pourtant, des soirs comme celui-là, quand les Bruins jouaient et que le bar était plein d'hommes et de femmes trop jeunes pour se souvenir de lui, ou assez âgés pour se rappeler qu'il avait eu une carrière médiocre, Harbaruk était harcelé par un sentiment de regret devant le chemin que son existence avait pris, sentiment qu'il cachait en se montrant encore plus braillard et enthousiaste que d'habitude.

« Mais c'est la vie », avait-il déclaré à Emily Kindler après un entretien d'embauche pour le poste de serveuse.

À vrai dire, elle n'avait quasiment pas prononcé un mot. Elle n'avait eu qu'à écouter et à hocher de temps en temps la tête pendant qu'il lui racontait l'histoire de sa vie, à prendre une expression compatissante, intéressée, scandalisée ou contente selon les exigences du scénario. Elle pensait connaître ce genre de type : sincère, plus malin qu'il n'y paraissait, mais sans illusions sur son intelligence ; le genre de gars que l'idée de la draguer faisait fantasmer, mais qui ne passerait jamais à l'acte et se sentirait même coupable d'y avoir songé. Il lui avait parlé de son avocate, avait mentionné un bref mariage qui n'avait pas marché. S'il était lui-même surpris des confidences qu'il lui faisait, elle ne l'était pas. Elle avait découvert que les hommes aimaient se confier à elle. Ils lui dévoilaient leur moi profond, elle ne savait pas pourquoi.

« Jamais su parler aux femmes, avait conclu Harbaruk. On ne dirait pas, maintenant, mais c'est vrai. »

Il trouvait cette fille originale. Quelques kilos de plus ne lui auraient pas fait de mal et elle avait des bras si maigres qu'il aurait pu lui entourer le biceps d'une seule main, mais elle était incontestablement jolie et ce qu'il avait d'abord pris pour de la fragilité – au point qu'il avait presque écarté toute possibilité de l'engager lorsqu'il l'avait vue pour la première fois – s'était révélé être plus complexe et difficile à cerner. Il y avait de la force en elle. Peut-être pas une force physique – même s'il commençait à penser qu'elle n'était pas aussi faible qu'elle le paraissait, parce que s'il y avait une chose que Ken Harbaruk avait toujours su faire, c'était estimer la force d'un adversaire –, plutôt une inflexibilité intérieure. Harbaruk avait senti que cette fille avait connu des moments durs et qu'ils ne l'avaient pas brisée.

« À moi, vous avez su me parler », avait-elle fait valoir.

En souriant. Elle le voulait, ce boulot.

Harbaruk avait secoué la tête, conscient qu'elle le manipulait, mais il avait quand même senti une chaleur lui monter aux joues.

« C'est gentil de dire ça. Dommage que tout dans la vie ne se règle pas par un entretien en buvant un soda… »

Il s'était levé en tendant la main, elle l'avait prise.

« Vous avez l'air d'une brave fille, avait-il ajouté. Allez voir Shelley, elle s'occupe du bar. Elle vous donnera vos heures de service et on verra comment vous vous débrouillez. »

Elle l'avait remercié et c'était ainsi qu'elle était devenue serveuse au Sports Bar and Restaurant de Ken Harbaruk, siège local de la Ligue nationale de hockey, comme une pancarte accrochée dehors au-dessus de la porte l'annonçait en lettres noires sur fond blanc. À côté, un hockeyeur de néon frappait un palet et levait les bras en signe de triomphe. Il portait un maillot rouge et blanc, clin d'œil aux origines polonaises de Ken. On lui demandait toujours s'il était parent avec Nick Harbaruk, dont la carrière avait duré dix-sept ans, de 1961 à 1977, et comprenait notamment quatre saisons avec les Pittsburgh Penguins dans les années 1970. Il ne l'était pas, mais la question ne le dérangeait pas. Il était fier de ses compatriotes polonais qui s'étaient succédé sur la glace : Nick, Pete Stemkowski, John Miszuk, Eddie Leier parmi les anciens ; Czerkawski, Oliwa et Sidorkiewicz parmi les nouveaux venus. Leurs photos décoraient un mur sous un des téléviseurs, élément d'un petit sanctuaire dédié à la Pologne.

Ce sanctuaire se trouvait derrière la fille qui débarrassait les verres et prenait les dernières commandes. La soirée avait été longue, elle n'avait pas volé les quelques malheureux dollars de pourboire qu'elle s'était faits. Son chemisier sentait la bière et la friture, la plante de ses pieds lui brûlait. Elle n'avait qu'une envie : en finir, rentrer chez elle et dormir. Demain, elle avait une journée libre, la première depuis son arrivée, pendant laquelle elle ne travaillerait pas dans la salle ou au bar, ou les deux. Elle avait l'intention de faire la grasse matinée puis de s'occuper de son linge sale. Chad, le jeune gars qui lui tournait autour, lui avait proposé de sortir avec lui et elle avait accepté avec hésitation une séance de ciné, même si elle avait encore la tête pleine de souvenirs de Bobby Faraday et de ce qui lui était arrivé. Elle se sentait seule, cependant, et voir un film lui ferait peut-être du bien.

Ken avait changé de chaîne pour remplacer les commentaires d'après match par le dernier bulletin d'informations, de façon à inciter les clients à partir plus vite. La fille appréciait que la vie de son patron ne se réduisît pas au sport. Il lisait un peu, il se tenait au courant de ce qui se passait dans le monde. Il avait des opinions en matière de politique, d'histoire, d'art. Selon Shelley, il en avait même trop et cherchait trop à les faire partager aux autres. Shelley avait plus de cinquante ans, elle était mariée à un aimable plouc convaincu que le soleil se levait quand elle s'éveillait et que la nuit tombait uniquement parce que sa douce avait décidé d'aller se pieuter. Déjà assis au bar, le plouc buvait lentement une bière light en attendant de ramener Shelley à la maison. Elle travaillait dur et n'aimait pas voir une de ses « filles » bosser moins qu'elle. Elle assurait trois soirs par semaine derrière le comptoir, prêtait parfois renfort à Ken quand il y avait match. Jusque-là, la fille avait travaillé cinq fois avec Shelley et avait apprécié le calme relatif du sixième jour, quand Ken avait pris le relais et que tout s'était passé de manière plus détendue mais peut-être aussi moins efficace.

Il ne restait que deux clients dans son secteur, tellement imbibés que si la fermeture n'avait pas été proche elle aurait été obligée de refuser de les servir quand même. Elle se rendait compte qu'ils passeraient bientôt de mélancoliques à hargneux et elle serait soulagée quand ils partiraient. Au moment où elle débarrassait les verres et les cartons d'ailes de poulet vides de la table voisine de la leur, elle sentit qu'on lui tapotait le dos.

— Hé, bredouilla l'un des types. Hé, chérie, remets-nous ça.

Elle ne répondit pas. Elle n'aimait pas qu'on la touche, encore moins de cette façon.

L'autre client gloussa et fredonna les paroles d'une chanson de Britney Spears.

Nouveau tapotement dans le dos, plus insistant cette fois.

— On ferme, déclara-t-elle.

— Ah, sûrement pas, répliqua le type, qui regarda ostensiblement sa montre. Il reste cinq minutes, t'as le temps de nous apporter deux bières.

— Désolée, les gars, je ne peux plus vous servir.

Au-dessus de leurs têtes, le bulletin d'informations était passé à un autre sujet. Elle leva les yeux vers l'écran, vit des flashs, des voitures de police, des photos en surimpression : un homme, une femme et une enfant. Elle se demanda ce qui leur était arrivé et si ça s'était passé dans le coin, puis remarqua les lettres NYPD sur le flanc d'une des voitures. En tout cas, il ne leur était arrivé rien de bon si on montrait leurs photos. Apparemment, la femme et la petite fille avaient disparu ou étaient mortes, l'homme aussi peut-être.

— Comment ça, tu peux plus nous servir ?

C'était le plus petit et le plus agressif des deux soiffards. Son tee-shirt des Patriots était maculé de ketchup et de jus de poulet, ses yeux étaient vitreux derrière ses lunettes bon marché. Il devait avoir trente-quatre, trente-cinq ans, et ne portait pas d'alliance. Une odeur aigre montait de lui. Emily avait d'abord cru que c'était parce qu'il ne se lavait pas, mais elle soupçonnait maintenant que c'était une substance qu'il sécrétait et qui contaminait sa sueur.

— Allez, Ronnie, on y va, intervint son copain, plus grand, plus gros et aussi beaucoup plus soûl que son copain. Faut qu'j'aille pisser, d'toute façon…

Il se leva et passa près d'elle, en titubant et en marmonnant des excuses. Il portait un tee-shirt noir avec une flèche blanche dirigée vers son bas-ventre.

L'image sur l'écran changea de nouveau. Elle leva les yeux. Un autre homme, différent du premier, était pris dans la lumière des projecteurs et paraissait perdu, comme s'il était sorti de chez lui pour trouver un peu de calme, pas ce chaos.

Attends, pensa-t-elle. Attends. Je te connais. Je te *connais*. Un vieux souvenir, qu'elle n'arrivait pas à situer. Elle sentit quelque chose remuer en elle, elle entendit un bourdonnement dans sa tête. Elle la secoua pour le faire cesser, mais il devint plus fort. Sa bouche s'emplit de salive, une douleur crût entre ses yeux, comme si on lui plantait une épingle dans le crâne à travers l'arête du nez. Elle avait des démangeaisons au bout des doigts.

— Regarde-moi quand je te parle ! aboya Ronnie.

Elle l'ignora. Elle était bombardée de flashs, de scènes de vieux films projetées dans sa tête et dont elle était chaque fois la vedette.

Tuer Melody McReady dans un étang de l'Idaho, lui tenir la tête sous l'eau pendant qu'elle arquait le dos et que les dernières bulles d'air crevaient à la surface…

Dire à Wade Pearce de fermer les yeux et d'ouvrir la bouche, lui promettre une surprise agréable, puis glisser le canon de l'arme entre ses dents et presser la détente, parce qu'elle s'était trompée sur son compte. Elle avait cru que c'était peut-être lui – qui ça, lui ? –, mais non, et il s'était mis à poser des questions sur Melody, sa copine, elle avait deviné ses soupçons...

Bobby Faraday, agenouillé devant elle dans la poussière, pleurant, l'implorant de lui revenir tandis qu'elle passait derrière son dos, détachait la corde de son sac de selle et la glissait autour de son cou. Bobby ne voulait pas la laisser tranquille, il n'arrêtait pas de parler. Il était faible. Il avait déjà essayé de l'embrasser, de la prendre dans ses bras, mais son contact la dégoûtait, maintenant, parce qu'elle savait qu'il n'était pas celui qu'elle attendait. Elle avait dû cesser de lui parler, de s'efforcer de répondre à ses désirs. La corde se tendait et Bobby – Bobby, si costaud et si svelte – se débattait, mais elle était forte, plus forte que quiconque ne pouvait l'imaginer.

Une main sur une cuisinière, un léger sifflement quand le gaz commence à s'échapper, comme il s'était échappé des années plus tôt dans la maison d'une nommée Jackie Carr ; la fille attendant que les Faraday meurent, une fenêtre ouverte juste assez pour qu'elle puisse inspirer l'air de la nuit. Puis le bruit dans la chambre, un corps tombant par terre : Kathy Faraday, presque asphyxiée, tentant de ramper jusqu'à la cuisine pour arrêter le gaz, son mari déjà mort à côté d'elle. La fille, une main couvrant son nez et sa bouche, avait été forcée de s'asseoir sur le dos de Kathy jusqu'à ce qu'elle meure...

Laisser des signes : graver un nom – son nom, son vrai nom – dans des endroits où d'autres le trouve-

raient peut-être. Non, pas d'« autres » : l'Autre, celui qu'elle aimait et qui l'aimait en retour.

Et mourir : mourir tandis que les balles s'enfonçaient en elle et qu'elle basculait dans l'eau froide ; mourir tandis que l'Autre se vidait de son sang sur elle, qu'elle vacillait sur le siège de la voiture et que sa tête venait se poser sur le giron de l'Autre. Mourir, encore et encore, et toujours revenir...

Une main lui saisit le bras.

— Espèce de garce, je te dis de nous...

Mais Emily n'écoutait pas. Ces souvenirs n'étaient pas les siens. Ils appartenaient à une autre, qui n'était pas elle mais était en elle, et elle comprit enfin que la menace qu'elle fuyait depuis si longtemps, l'ombre qui hantait sa vie, n'était pas une force extérieure. Elle était en elle depuis le début et attendait le moment d'émerger.

Emily porta les mains à sa tête, pressa les poings contre les côtés de son crâne. Elle ferma les yeux et serra les dents en luttant contre les nuages qui s'amoncelaient, tenta vainement de se sauver, de s'accrocher à son identité, mais c'était trop tard. La transformation s'opérait. Elle n'était plus la fille qu'elle avait cru être autrefois et qu'elle cesserait bientôt d'être à jamais. Elle eut la vision d'une jeune femme en train de se noyer, exactement comme Melody McReady, luttant contre l'oubli qui l'envahissait. Elle était à la fois cette femme et celle qui la maintenait sous l'eau. La fille mourante parvint à briser une dernière fois la surface, elle regarda au-dessus d'elle et dans ses yeux se refléta un être à la fois vieux et terrible, une créature noire, dépourvue de sexe, avec des ailes sombres qui se déployaient dans son dos et empêchaient toute lumière de passer, un être si hideux qu'il en était presque beau, ou si beau qu'il n'avait pas de place dans ce monde.

La chose.

Emily mourut de sa main à cet instant, noyée dans l'eau noire, perdue à jamais. Perdue, elle l'était depuis l'instant de sa naissance, quand cet étrange esprit errant avait élu son corps pour demeure et, tapi dans les ombres de sa conscience, avait attendu que la vérité de son être se révèle.

La chose qu'Emily était devenue baissa les yeux vers le petit homme qui lui agrippait le bras. Elle ne comprenait plus ce qu'il disait, ses mots n'étaient qu'un bourdonnement sans importance. Rien de ce qu'il disait n'avait d'importance. Elle renifla et sentit en lui l'ignominie qui dégageait par ses pores une telle puanteur. C'était un violeur de femmes. Un homme habité de haines et d'étranges appétits.

Elle ne le jugeait cependant pas davantage qu'elle aurait jugé une araignée dévorant une mouche ou un chien rongeant son os. C'était dans sa nature et l'ancienne Emily en trouvait un écho dans la sienne.

L'homme resserra sa prise. Il postillonnait, mais elle ne l'entendait toujours pas et ne voyait que les mouvements de ses lèvres. Il se dressa à demi… et se figea, comme s'il se rendait compte que quelque chose avait changé, que ce qu'il avait cru familier était soudain devenu désespérément étranger. Elle libéra son bras et se rapprocha de lui, plaça les paumes de ses mains sur son visage, se pencha pour l'embrasser, posa sa bouche ouverte sur la sienne, ignorant son goût aigre, la pestilence de son haleine, ses dents cariées et ses gencives jaunâtres. Il se débattit un moment, mais elle était trop forte pour lui. Elle souffla en lui, ses yeux rivés aux siens, et lui montra ce qu'il adviendrait de lui lorsqu'il mourrait.

Shelley ne la vit pas partir, ni Harbaruk, ni aucun de ceux qui avaient travaillé avec elle. Si l'on avait pu projeter sur un écran leurs souvenirs de cette soirée afin qu'ils revoient ce qui s'était déroulé sous leurs yeux, au moment du départ de la fille on n'aurait distingué qu'une masse grisâtre traversant le bar, une forme ressemblant vaguement à un être humain.

Quand le gros type au tee-shirt à la flèche revint des toilettes, son copain était assis là où il l'avait laissé et fixait le fond de la salle d'un regard vide, le dos au comptoir.

— C'est l'heure de rentrer, Ronnie.

Il lui tapota le dos, mais le petit homme ne bougea pas.

— Hé, Ronnie…

Il se planta devant lui et se rendit compte malgré son ivresse qu'il était en présence d'un homme brisé.

Ronnie pleurait des larmes de sang. Tous les vaisseaux capillaires de ses yeux avaient éclaté et les blancs étaient devenus rouges, soleils couchants jumeaux dans leur ciel. Ses lèvres remuaient, répétant sans cesse le même mot dans un murmure :

— Pardon. Pardon, pardon, pardon…

29

Sur un signe d'Epstein, la femme nous avait apporté deux autres cafés, l'un noir pour lui, l'autre avec un peu de lait pour moi. Entre nous se trouvaient les deux symboles.

— Que signifient-ils ? demandai-je.

— Ce sont des lettres de l'alphabet énochien, ou adamique, prétendument révélé au magicien anglais John Dee et à ses assistants sur une période de plusieurs dizaines d'années au XVIe siècle.

— Révélé ?

— Par des pratiques occultes, quoiqu'il s'agisse peut-être d'une langue fabriquée. Quelles que soient ses origines, le premier symbole est la lettre énochienne *und*, l'équivalent de notre *a*. En l'occurrence, elle désigne un nom : Anmael.

Jimmy Gallagher fouillant sa mémoire : « Animal. Non, c'est pas ça… »

— C'est qui, Anmael ?

— Anmael est un démon, un des Grigori ou « Fils de Dieu », répondit Epstein. On les appelle aussi les « Veilleurs », « ceux qui ne dorment jamais ». Selon des passages des apocryphes, en particulier du Livre d'Enoch, ce sont des êtres gigantesques qui, dans l'une des versions, provoquèrent la chute des anges par le péché de luxure.

Il tint ses deux mains devant lui, les doigts écartés à l'exception du pouce gauche, ramené contre sa paume.

— Neuf ordres d'anges, dit-il. Tous dépourvus de sexe et au-dessus de tout reproche.

Il ajouta le pouce aux autres doigts.

— Le dixième, ce sont les Grigori, d'une nature différente des autres par leur forme et leurs appétits sexuels, semblables à ceux de l'homme. La Genèse raconte que les Grigori convoitèrent la chair féminine et « prirent femmes » parmi les filles des hommes. Ces théories ont toujours fait l'objet de controverses. Le grand rabbin Siméon ben Jochai, béni soit son nom, interdit à ses disciples d'aborder de tels sujets, mais je n'ai pas, comme vous pouvez le voir, de tels scrupules.

« Anmael était donc l'un des Grigori. Il était par ailleurs lié à Semjaza, l'un des chefs de l'ordre. Certains affirment que l'ange Semjaza se repentit de ses actes, mais cela participe surtout, je le soupçonne, d'un désir de l'Église des premiers temps pour une figure de repentance.

« Nous avons donc des anges jumeaux, Anmael et Semjaza, mais ici, les vues chrétiennes et juives divergent. Pour l'orthodoxie chrétienne, tirée en partie de sources juives, les anges sont traditionnellement asexués ou, dans le cas des ordres supérieurs, exclusivement masculins. Le bibliographe Hayyim Azulal écrit, en 1792, dans son *Milbar Kedemot* : "Les anges sont appelés femmes, comme il est écrit dans Zacharie, v, 9 : Je levai les yeux et regardai, et deux femmes s'avancèrent." Le *Yalkut Hadash* dit : "Des anges, nous pouvons parler à la fois au masculin et au féminin : les anges d'un rang supérieur sont appelés hommes et les anges d'un rang inférieur sont appelés femmes." À tout le moins, donc, le judaïsme a une conception plus souple de la sexualité de ces êtres.

« Ackerman et l'adolescent tué par votre père à Pearl River portaient tous deux la lettre énochienne *und*, ou *a*, imprimée au fer rouge dans leur chair. Les femmes, en revanche, étaient toutes marquées de la lettre *uam*, ou *s*, pour Semjaza…

Epstein s'interrompit et parut réfléchir. Puis :

— J'ai souvent pensé que les enfants des hommes doivent avoir profondément déçu ces êtres. C'était notre chair et nos corps qu'ils désiraient, mais nos esprits et la durée de nos vies ont dû leur faire penser à des insectes, par comparaison. Supposons maintenant que deux anges, l'un masculin, l'autre féminin, aient pu habiter les corps d'un homme et d'une femme et jouir de leur union en égaux. Supposons que, ces corps vieillissant, ils les quittent pour en habiter d'autres et recommencent à se chercher. Parfois, leur quête dure des années. Il peut même arriver qu'ils ne parviennent pas à se retrouver et que la quête se poursuive dans un autre corps, mais ils ne cessent jamais de chercher, car ils ne peuvent être satisfaits l'un sans l'autre. Anmael et Semjaza : des âmes sœurs, si l'on peut appeler ainsi des êtres sans âme, ou des amants, si l'on peut appeler ainsi des êtres incapables d'aimer… Je crois que le prix à payer pour leur union est d'obéir aux ordres d'un autre, en l'occurrence l'ordre de mettre un terme à votre existence.

— Un autre ? Quel autre ?

— Une conscience dirigeante. Il se peut que plusieurs de ceux que vous avez rencontrés par le passé – Pudd, Brightwell, notre ami Kittim, peut-être même le Voyageur, parmi ceux dont la nature humaine n'est pas contestable, et le Voyageur ne se référait-il pas au Livre d'Enoch ? – exécutent aussi ses volontés mais à leur insu. Songez au corps humain : certaines de ses fonctions sont involontaires. Le cœur bat, le foie purifie, les reins éliminent. Le cerveau n'a pas besoin de leur ordonner ces tâches qui servent à maintenir le corps en vie. Mais soulever un livre, conduire une voiture, tirer un coup de feu pour sauver une vie, ce ne sont pas des actes involontaires. Alors, certains rendent peut-être des services à un autre sans en avoir conscience, simplement parce que leurs actes maléfiques remplissent un objectif plus large. Il en est d'autres cependant qui sont spécifiquement chargés de certaines missions et dont le degré de conscience sera donc plus élevé.

— Et quelle est cette conscience dirigeante ?

— Ça, nous ne le savons pas encore.

— « Nous » ? Vous ne voulez pas dire vous et moi, je présume.

— Pas tout à fait.

— Le Collectionneur parlait de mes « amis secrets ». Vous en faites partie ?

— J'en serais honoré.

— Il y en a d'autres ?

— Oui, quoique quelques-uns ne soient peut-être pas très désireux de porter le manteau de l'amitié au sens que l'on donne généralement à ce terme, répondit Epstein, choisissant ses mots avec une diplomatie consommée.

— Pas de carte à Noël.

— Pas de carte, quel que soit le moment de l'année.

— Et vous ne me direz pas qui ils sont ?

— Il est préférable que vous l'ignoriez, pour le moment.

— Vous craignez que je ne rende des visites indésirables ?

— Non, mais si vous ne connaissez pas leurs noms, vous ne révélerez pas leurs identités à d'autres.

— Comme Anmael, s'il choisit d'abattre son glaive sur moi.

— Vous n'êtes pas seul dans cette histoire, monsieur Parker. Certes, vous êtes quelqu'un d'exceptionnel et je n'ai pas encore compris pourquoi vous avez toujours été un objet de haine et, si j'ose m'exprimer ainsi, d'attraction pour ces êtres infâmes, mais je dois aussi penser à d'autres.

— C'est ça, l'Unité Cinq ? Un code pour ce que vous appelez mes amis secrets ?

Epstein parut un moment pris au dépourvu puis se ressaisit.

— L'Unité Cinq n'est qu'un nom.

— Un nom pour quoi ?

— À l'origine, pour l'enquête sur le Voyageur. Depuis, ses attributions se sont quelque peu élargies et vous en faites partie.

La pluie se mit à tomber. Par-dessus mon épaule, je la vis noircir le trottoir et goutter de l'auvent rouge sombre abritant l'entrée.

— Alors, qu'est-ce que je fais ?

— À quel sujet ?

— Au sujet d'Anmael, ou de celui qui se prend pour lui.

— Il attend.

— Quoi ?

— Que son autre moitié le rejoigne. Il doit croire qu'elle est tout près, sinon il n'aurait pas ainsi révélé sa présence. Elle, de son côté, laisse des indices pour lui, peut-être sans s'en rendre compte. Quand elle sera là, ils passeront à l'acte. Ce ne devrait plus être long, si l'on considère qu'Anmael n'a pas hésité à tuer Wallace et à écrire son nom sur le mur. Il sent que l'autre approche et qu'ils seront bientôt réunis. Nous pourrions vous cacher quelque part, je suppose, mais cela ne ferait que retarder l'inévitable. Pour s'amuser, et pour vous faire sortir de votre cachette, ils s'en prendraient à vos proches.

— Qu'est-ce que vous feriez, à ma place ?

— Je choisirais le terrain où livrer bataille. Vous avez vos alliés : Angel et celui qui est probablement encore tapi dehors. Je peux vous affecter deux jeunes gens qui sauront rester discrètement à distance tout en ne vous quittant pas des yeux. Attachez-vous à un piquet – pas très solidement – sur le lieu de votre choix et nous les prendrons au piège quand ils attaqueront.

Epstein se leva, l'entretien était terminé.

— J'ai encore une question, dis-je.

Ce qui était peut-être de l'irritation passa brièvement sur son visage, mais il reprit aussitôt son expression habituelle d'amusement bienveillant.

— Je vous écoute.

— L'enfant d'Elaine Parker, celui qui est mort : était-ce un garçon ou une fille ?

— C'était une fille. Je crois qu'elle l'a appelée Sarah. On la lui a prise pour l'enterrer en secret, je ne sais pas où. Il valait mieux que personne ne le sache.

Sarah, ma demi-sœur, ensevelie dans une tombe anonyme d'un cimetière de nouveau-nés afin de me protéger.

— J'ai moi aussi un problème à vous soumettre, poursuivit-il. Comment ont-ils retrouvé Caroline Carr ? Deux fois, votre père et Jimmy Gallagher l'ont soigneusement cachée : d'abord dans le nord de la ville, avant qu'Ackerman meure écrasé, puis pendant sa grossesse. Pourtant, l'homme et la femme ont réussi à la dénicher. Ensuite, quelqu'un a découvert que Will Parker avait menti sur les circonstances de la naissance de son fils et ils sont revenus.

— La fuite provenait peut-être d'un des vôtres, avançai-je. Jimmy m'a parlé de la réunion à la clinique. L'une des personnes présentes aura lâché l'information, volontairement ou par inadvertance…

— Non, impossible, déclara Epstein avec une telle conviction que je ne le contredis pas. Et même si je doutais d'eux – ce qui n'est pas le cas – aucun ne connaissait avant la mort de Caroline Carr la nature de la menace pesant sur elle. Ils savaient seulement qu'une jeune femme avait des ennuis et qu'il fallait la protéger. Il est possible que le secret de vos origines ait été divulgué. Nous avons fait disparaître du dossier médical d'Elaine Parker les détails sur son enfant mort et elle a rompu tout contact avec l'hôpital et l'obstétricien qui s'était occupé des premiers stades de sa grossesse. Les fichiers ont été expurgés ultérieurement. Votre groupe sanguin posait problème, mais cela devait rester une question confidentielle entre vos parents et leur médecin. Apparemment, il a été irréprochable à tous égards. En outre, nous avons recommandé à votre père d'être toujours vigilant et il a rarement manqué de l'être.

— Jusqu'au soir où il s'est servi de son arme à Pearl River.

— Oui, jusqu'à ce soir-là.

— Vous n'auriez pas dû le laisser retourner seul là-bas.

— Je ne savais pas ce qu'il ferait, se défendit Epstein. Je les voulais vivants. Nous aurions pu les enfermer et mettre ainsi un terme à cette histoire.

Il décrocha son manteau et son chapeau.

— Je crois que quelqu'un qui connaissait votre père l'a trahi, dit-il avant de me quitter. Il se peut que vous risquiez vous aussi d'être trahi. Bon, je vous confie aux soins de votre ami.

Il partit avec ses gardes du corps, me laissant avec la sourde-muette, qui eut un sourire triste avant d'éteindre les lumières.

Une sonnette se fit entendre quelque part au fond du *diner* ; au même instant, une ampoule rouge s'alluma au-dessus du comptoir pour prévenir la femme. Elle porta un doigt à ses lèvres pour me demander de garder le silence, disparut derrière un rideau. Quelques secondes plus tard, elle m'invita d'un geste à la rejoindre.

Un petit écran vidéo montrait une silhouette se tenant dans un renfoncement, derrière la réserve. C'était Louis. J'indiquai à la brune que je le connaissais, qu'on pouvait le laisser entrer. Elle ouvrit la porte.

— Il y a une voiture devant, dit Louis. Elle a dû suivre Epstein jusqu'ici. Dedans, y a deux types en costard. Plutôt des feds que des flics.

— Ils auraient pu m'embarquer pendant que je parlais à Epstein.

— Ils veulent peut-être pas t'embarquer. Ils veulent peut-être seulement savoir où tu crèches.

— Mon propriétaire n'aimerait pas ça.

— C'est pour ça qu'il est ici à se cailler les miches.

Je remerciai la femme et elle ferma la porte derrière nous.

— Elle est pas très causante, fit-il observer.

— Elle est sourde et muette.

— Ça doit être pour ça. Plutôt belle femme, quand même, si on aime le genre silencieux.

— Tu as déjà pensé à t'inscrire à un stage pour développer ta sensibilité ?

— Tu crois que ça changerait quelque chose ?

— Probablement pas.

— Alors…

Au bout de la rue, Louis s'arrêta et regarda en direction du carrefour suivant. Un taxi apparut. Il le héla et nous partîmes sans être apparemment suivis. Le chauffeur s'intéressait plus à sa conversation par radio qu'à nous, mais pour plus de sûreté nous changeâmes de taxi avant de retourner tranquillement à l'appartement.

30

Jimmy Gallagher pensait à tort qu'il ne savait pas garder un secret. Ce n'était pas dans son caractère, il était bavard. Il aimait boire, raconter des histoires. Quand il buvait, sa langue se laissait emporter et les filtres de Jimmy se désintégraient. Il disait des choses puis se demandait d'où elles venaient, comme si, extérieur à lui-même, il regardait un inconnu parler. Mais il savait qu'il fallait garder le silence sur les origines du fils de Will Parker et, même avec un coup dans le nez, il avait maintenu cachées certaines parties de sa vie. Il avait soigneusement évité le garçon et sa mère après le suicide de Will. Il valait mieux rester loin d'eux que risquer de lâcher devant le garçon un mot qui éveillerait ses soupçons, ou offenser la mère en parlant de choses qui devaient demeurer enfouies dans des cœurs accablés de soucis. Malgré ses nombreux défauts, pas une fois, pendant toutes les années écoulées depuis le départ d'Elaine Parker pour le Maine avec son fils, il n'avait évoqué ce qu'il savait.

Il s'était cependant toujours douté que Charlie Parker viendrait le trouver un jour. C'était dans sa nature de poser des questions, de chercher des vérités. Charlie était un chasseur et il y avait en lui une ténacité qui finirait par lui coûter la vie, Jimmy en était convaincu. Un jour, il passerait les bornes et fouinerait dans des histoires qu'il valait mieux laisser dans l'ombre, et quelque chose le détruirait. C'étaient peut-être la nature même de son identité et le secret de ses origines qui le conduiraient à commettre ce faux pas.

Il but le reste de son vin et joua avec le verre, faisant trembler sur les murs des formes projetées par la lumière des bougies. La bouteille posée près de l'évier était encore à moitié pleine. Une semaine plus tôt, il l'aurait terminée et en aurait peut-être même débouché une autre pour faire bonne mesure, mais plus maintenant. Il devinait que c'était en rapport avec la libération de sa conscience. Il avait dit à Charlie Parker tout ce qu'il savait, il était absous.

En même temps, il avait l'impression que ces aveux avaient rompu une relation entre eux. Pas exactement un lien de confiance, car Charlie et lui n'avaient jamais été proches et ne le seraient jamais. Il avait senti que, dès son plus jeune âge, le garçon était mal à l'aise en sa présence. Mais Jimmy n'avait jamais vraiment su comment établir le contact avec les enfants. Sa sœur avait quinze ans de plus que lui et il s'était senti fils unique en grandissant. En outre, ses parents étaient vieux à sa naissance. Vieux, pensa-t-il en riant. Quel âge avaient-ils ? Trente-huit, trente-neuf ans ? Néanmoins, il y avait toujours eu un manque de compréhension entre eux et lui, même s'il les aimait tous deux tendrement, et le fossé n'avait fait que s'élargir quand Jimmy avait pris de l'âge. Ils n'avaient jamais abordé le sujet de sa sexualité, même s'il avait toujours su que sa mère, et peut-être aussi son père, avait compris qu'il n'épouserait jamais une des filles qu'il emmenait parfois danser ou voir un film.

Quoique lui-même conscient de ses pulsions, il n'y avait jamais cédé. En partie par peur, pensait-il. Il ne voulait pas que ses collègues sachent qu'il était gay. Ils étaient sa famille, sa vraie famille. Il ne voulait pas faire quoi que ce soit qui pût lui aliéner leur estime. Même maintenant, alors qu'il avait pris sa retraite, il demeurait vierge. Ce mot qui convenait mieux à des jeunes gens à la veille d'expériences nouvelles, il avait du mal à se l'appliquer, lui qui avait plus de soixante-cinq ans. Oh, il avait encore de la vigueur et il imaginait parfois comment ce serait – agréable ? intéressant ? – d'entamer une relation, mais le problème, c'était qu'il ne savait pas par où commencer. Il n'était pas une jeune mariée rougissante attendant d'être déflorée. Il était un homme ayant une certaine connaissance de la vie, du bon comme du mauvais. Il était trop tard, estimait-il, pour se livrer à quelqu'un nanti d'une plus grande expérience en matière de sexe et d'amour.

Après avoir soigneusement rebouché la bouteille, il la mit dans le réfrigérateur. C'était un truc qu'il tenait du marchand de vin du quartier et qui se révélait efficace s'il n'oubliait pas de laisser le vin revenir à la vie avant de le boire, le lendemain. Il éteignit les lumières, ferma les portes de devant et de derrière à double tour et alla se coucher.

Il parvint d'abord à incorporer le bruit dans son rêve, comme il le faisait quelquefois lorsque son réveil se déclenchait sans pour autant interrompre son sommeil. Dans son rêve, un verre à vin tombait de la table et se brisait sur le sol. Ce n'était pas son verre, cependant, et pas tout à fait sa cuisine, même si cela y ressemblait. Elle était plus vaste, ses coins sombres s'étendaient vers l'infini. Le carrelage était celui de la maison où il avait grandi et sa mère se trouvait à proximité. Il l'entendait chanter, bien qu'il ne pût pas la voir.

Il se réveilla. D'abord le silence, pendant un moment, puis un léger bruit : un éclat de verre pris sous une semelle grinçant contre un carreau. Jimmy se leva silencieusement, ouvrit la porte de sa table de nuit. Le 38 reposait sur l'étagère, nettoyé, huilé et chargé. Il traversa la chambre en sous-vêtements sans faire craquer le parquet. Il connaissait parfaitement cette pièce, ses fissures et ses joints. Même si la maison était vieille, il savait s'y déplacer sans faire de bruit.

Jimmy s'arrêta en haut de l'escalier et attendit. Tout était de nouveau silencieux, mais il sentait une présence. L'obscurité devint oppressante et soudain il eut peur. Il songea à crier une mise en garde pour faire déguerpir la personne qui était en bas, mais il savait que sa voix chevrotante trahirait sa frayeur. Il valait mieux continuer à avancer. Il avait une arme, il avait été flic. S'il était forcé de tirer, ses collègues arrangeraient les choses. Tant pis pour l'autre gars.

Il descendit l'escalier. La porte de la cuisine était ouverte ; un éclat de verre brillait au clair de lune. Le canon de son arme tremblait et il s'efforça d'affermir sa prise en tenant la crosse de son arme à deux mains. Il n'y avait que deux pièces au rez-de-chaussée : la salle de séjour et la cuisine, reliées par des doubles portes dont il constata qu'elles étaient toujours fermées. Il avala sa salive, crut sentir dans sa bouche un reste du vin de la soirée devenu aigre.

Jimmy perçut de l'air froid sur ses pieds nus et se rendit compte que la porte du sous-sol était ouverte. C'était par là que l'intrus était entré, c'était peut-être aussi par là qu'il était ressorti après avoir cassé le verre. Jimmy eut une grimace sceptique : il savait qu'il se racontait des histoires. Il y avait quelqu'un, il le sentait. La salle de séjour était la pièce la plus proche, c'était par là qu'il devait commencer sa fouille pour ne pas se faire prendre par-derrière quand il passerait à la cuisine.

Il regarda par l'entrebâillement de la porte. Les doubles-rideaux n'étaient pas fermés, mais le réverbère d'en face n'éclairait plus et seule la lumière de la lune passait à travers les rideaux, si bien qu'on ne distinguait pas grand-chose. Il entra d'un pas vif et sut immédiatement qu'il avait commis une erreur. L'obscurité bougea, la porte le frappa violemment, le déséquilibrant. Alors qu'il tentait de rectifier la position de son arme et de faire feu, il sentit une brûlure aux poignets. La chair était ouverte, les tendons sectionnés. Le pistolet tomba par terre, le sang de ses blessures l'aspergea. Quelque chose s'abattit sur le dessus de son crâne, une fois, deux fois, et avant de perdre conscience il crut apercevoir une longue lame plate.

Quand il reprit connaissance, il était allongé sur le ventre dans la cuisine, les mains liées derrière le dos, les pieds entravés et relevés vers les cuisses, rattachés à la corde entourant ses poignets. Il perçut de nouveau le froid sur sa peau nue, mais moins qu'avant. La porte du sous-sol était à présent fermée et seul un léger courant d'air passait par la fente séparant du sol la porte de la cuisine. Le carrelage était glacé, cependant. Jimmy se sentait faible. Il avait les mains et le visage luisants de sang, sa tête lui faisait mal. Il ouvrait la bouche pour appeler à l'aide quand une sorte de long couteau lui toucha la joue. La forme qui se tenait près de lui était restée si parfaitement immobile et silencieuse qu'il n'avait pas même senti sa présence avant qu'elle bouge.

— Non, dit une voix qu'il ne reconnut pas.

— Qu'est-ce que vous voulez ?

— Parler.

— Parler de quoi ?

— De Charlie Parker. De son père. De sa mère.

Le sang s'était remis à couler de sa blessure à la tête et lui piquait les yeux.

— Parlez-lui vous-même, si vous voulez savoir quelque chose. J'ai pas vu Charlie Parker depuis des années…

Son agresseur lui fourra une pomme dans la bouche et l'enfonça pour qu'il ne puisse ni la rejeter ni la trancher avec les dents. Jimmy regarda le visage penché vers lui : jamais il n'avait vu des yeux aussi sombres et implacables. Une main approcha un morceau du verre à vin brisé de ses yeux. Le regard de Jimmy passa au symbole marqué au fer rouge sur la peau de l'avant-bras, revint au morceau de verre. Il avait déjà vu cette marque, il savait maintenant ce qu'il affrontait.

Animal. Amale.

Anmael.

— Tu mens. Je vais te montrer ce qui arrive aux flics pédés qui racontent des mensonges.

D'une main, Anmael saisit la nuque de Jimmy et lui maintint la tête baissée tandis que de l'autre il enfonçait le pied cassé du verre à vin dans la peau, entre les omoplates.

Derrière la pomme, Jimmy se mit à hurler.

31

Jimmy Gallagher fut découvert par Esmeralda, la Salvadorienne qui venait faire le ménage deux fois par semaine. Lorsque la police arriva, elle la trouva en larmes mais calme. Elle avait déjà vu quantité de morts dans son pays, sa capacité à en être bouleversée était émoussée. Elle pleurait cependant pour Jimmy, qui avait toujours été gentil, aimable et drôle avec elle, qui la payait bien et lui donnait une prime à Noël.

Ce fut Louis qui me mit au courant. Il vint à l'appartement peu après neuf heures. La radio et la télévision avaient déjà parlé de l'affaire, sans révéler toutefois l'identité de la victime, mais il n'avait pas fallu longtemps à Louis pour découvrir que c'était Jimmy Gallagher. Je restai un moment silencieux, incapable de parler. Jimmy avait gardé ses secrets par amour pour mes parents et, je crois, par sollicitude envers moi. De tous les amis de mon père, c'était celui qui s'était montré le plus loyal.

J'appelai Santos, l'inspecteur qui m'avait amené à Hobart Street le soir du meurtre de Mickey Wallace.

— Ce n'est pas beau à voir, déclara-t-il. On a pris son temps pour le tuer. J'ai essayé de vous joindre, mais votre téléphone ne marchait pas.

Il ajouta qu'ils avaient porté le corps de Jimmy au service du médecin légiste du Kings County Hospital de Clarkson Avenue, à Brooklyn, et je proposai de le rejoindre là-bas.

Santos fumait une cigarette dehors quand le taxi s'arrêta devant la morgue.

— Vous êtes dur à trouver, fit-il observer. Vous avez perdu votre portable ?

— Quelque chose comme ça.

— Il faudra qu'on se parle quand on aura fini ici.

Il jeta son mégot et je le suivis à l'intérieur. Santos et un autre inspecteur du nom de Travis se tinrent de part et d'autre du cadavre tandis que l'assistant du légiste relevait le drap qui le recouvrait. J'étais à côté de Santos ; il observait l'assistant, Travis m'observait.

On avait nettoyé le corps, qui présentait de multiples entailles au visage et à la poitrine. Une des blessures à la joue gauche était si profonde qu'on pouvait voir les dents à travers.

— Retournez-le, demanda Travis à l'assistant.

— Vous me donnez un coup de main ? Il est lourd.

Travis portait des gants de plastique bleu, Santos aussi. J'avais les mains nues. Je les regardai soulever tous les trois le corps de Jimmy, le mettre d'abord sur le côté puis sur la poitrine.

On lui avait gravé le mot « PÉDÉ » dans le dos. Certaines des plaies étaient plus dentelées que les autres, mais toutes étaient profondes. Il avait dû beaucoup saigner, beaucoup souffrir.

— On s'est servi de quoi ?

Ce fut Santos qui répondit :

— Le pied d'un verre cassé pour les lettres, un couteau pour le reste. Nous n'avons pas retrouvé l'arme, mais on a relevé des blessures inhabituelles sur le crâne.

Doucement, il fit pivoter la tête de Jimmy, écarta les cheveux du sommet du crâne pour révéler deux contusions de forme carrée qui se chevauchaient. Puis il serra le poing droit et fit mine de l'abattre deux fois.

— Un long couteau, je dirais, peut-être une machette ou quelque chose de ce genre. Le tueur a dû frapper deux fois avec le manche pour assommer Gallagher, il l'a ensuite ligoté et s'est mis au travail avec la lame. On a retrouvé des pommes près de la tête, avec des marques de dents. C'est pour ça que personne ne l'a entendu crier.

Santos ne parlait ni avec détachement ni avec dureté. Il semblait plutôt fatigué et triste. C'était un ancien collègue qui était mort, un flic dont beaucoup se souvenaient avec affection. Les détails du meurtre, en particulier le mot tailladé dans son dos, devaient déjà circuler dans le service et la colère provoquée par sa mort était sans doute légèrement tempérée par les circonstances : un pédé refroidi, disaient probablement certains. Qui savait que Jimmy Gallagher était homo ? se demanderaient-ils. Ils s'étaient soûlés avec lui, ils avaient fait ensemble des remarques sur les femmes passant dans la rue. Il était même sorti avec des filles. Pendant toutes ces années, il avait caché la vérité. Quelques-uns prétendraient avoir eu des soupçons depuis toujours et s'interrogeraient sur ce qu'il avait bien pu faire pour finir comme ça. Des rumeurs circuleraient : il avait fait des avances à la mauvaise personne ; il avait touché à un gosse…

Ah, un gosse.

— Vous voyez ça comme un crime d'homophobe ? demandai-je.

Travis haussa les épaules et ouvrit la bouche pour la première fois.

— C'est peut-être seulement ça. De toute façon, on devra poser des questions que Jimmy n'aurait pas appréciées. Est-ce qu'il avait des amants, des aventures sans lendemain, est-ce qu'il avait des pratiques SM…

— Vous ne trouverez pas d'amants, déclarai-je.

— Vous avez l'air drôlement sûr de vous.

— Je le suis. Jimmy avait toujours eu honte et toujours eu peur.

— De quoi ?

— Que quelqu'un découvre la vérité. Que ses copains l'apprennent. C'étaient tous des flics, et de la vieille école. Je ne crois pas qu'il comptait sur eux pour le soutenir. Il pensait plutôt qu'ils en riraient ou qu'ils lui tourneraient le dos. Il ne voulait pas devenir un objet de plaisanterie, il préférait se condamner à la solitude.

— Si ce n'est pas à cause de ses penchants sexuels, c'est pour quoi, alors ?

Je réfléchis.

— Les pommes, lâchai-je.

— Quoi ? fit Travis.

— Vous dites qu'on a trouvé des pommes à côté de lui ?

— Oui, quatre. Le meurtrier pensait peut-être que Jimmy réussirait finalement à mordre dedans au bout d'un moment.

— Ou alors il s'est arrêté après chaque lettre.

— Pour quoi faire ?

— Poser des questions.

— Sur quoi ?

— Sur lui, répondit Santos en me désignant. Il pense que c'est lié à l'affaire Wallace.

— Pas vous ?

— Wallace ne s'est pas fait taillader « Pédé » dans le dos, intervint Santos.

Je sentis qu'il se faisait l'avocat du diable.

— On les a tous les deux torturés pour les faire parler, arguai-je.

— Et vous les connaissiez tous les deux, enchaîna Santos. Rappelez-nous donc ce que vous êtes venu faire ici…

— Je m'efforce de découvrir pourquoi mon père a abattu deux adolescents dans une voiture en 1982.

— Jimmy Gallagher le savait ?

Je ne répondis pas, je me contentai de secouer la tête.

— Qu'est-ce qu'il a dit au meurtrier, d'après vous ? demanda Travis.

Je considérai les blessures qu'on avait infligées à Jimmy. Moi, j'aurais parlé. C'est une absurdité de croire que des hommes seraient capables de résister à la torture. Finalement, tout le monde craque.

— Tout ce qu'il pouvait pour que ça cesse, déclarai-je. Comment est-il mort ?

— Étouffé. On lui a enfoncé une bouteille dans la gorge par le goulot. Un geste, comment, déjà ? phallique, ou du moins c'est l'impression que ça donnera.

Une punition humiliante, surtout. Le tueur avait laissé un homme honorable, nu et ligoté, avec dans le dos une marque qui le stigmatiserait aux yeux de ses anciens collègues, qui jetterait une ombre sur la mémoire de l'homme qu'ils avaient connu. Je compris alors qu'il ne s'agissait pas seulement de ce que Jimmy Gallagher avait su ou non. Il avait été châtié pour avoir gardé le silence et rien de ce qu'il aurait pu dire ne lui aurait épargné ce qu'il avait subi.

Santos adressa un signe de tête à l'assistant. Ensemble, ils remirent Jimmy sur le dos, lui couvrirent de nouveau le visage et le rangèrent à sa place parmi les cadavres numérotés. La porte se referma sur lui et nous partîmes.

Dehors, Santos alluma une autre cigarette, en offrit une à Travis, qui l'accepta.

— Vous savez, dit-il, si vous avez raison, si ce n'est pas un crime homophobe, il est mort à cause de vous. Qu'est-ce que vous nous cachez ?

Quelle importance, maintenant ? pensai-je. Tout serait bientôt fini.

— Retournez voir les rapports sur les meurtres de Pearl River, lui conseillai-je. Le garçon avait à l'avant-bras une marque qui semblait imprimée au fer rouge sur la peau. On a retrouvé la même marque dessinée avec le sang de Wallace sur le mur de la cuisine de Hobart Street. Je pense que vous en découvrirez une troisième identique chez Jimmy.

Travis et Santos échangèrent un regard.

— D'accord. Elle était où ? demandai-je.

— Sur sa poitrine, répondit Santos. Tracée avec du sang. On nous a recommandé de taire ce détail. Si je vous en parle, c'est parce que…

Il réfléchit et reprit :

— Je ne sais pas pourquoi je vous en parle.

— Pourquoi tout ce cinéma, alors ? répliquai-je. Vous ne croyez pas à un crime homophobe, vous savez que c'est lié à la mort de Wallace…

— On voulait d'abord entendre votre version, répondit Travis. Ça s'appelle « enquêter ». On vous pose des questions, vous ne répondez pas, ça nous frustre. Je crois savoir que c'est une habitude, chez vous.

— Nous savons ce que ce symbole signifie, reprit Santos comme si Travis n'avait rien dit. Un type de l'Institut supérieur de théologie nous l'a expliqué.

— C'est le *a* énochien, dis-je.

— Vous le savez depuis quand ?

— Pas longtemps.

— Qu'est-ce qu'on cherche au juste ? demanda Travis, calmé maintenant qu'il avait compris que ni Santos ni moi ne tomberions dans ses provocations. Une secte ? Des meurtres rituels ?

— Et quel rapport avec vous, à part que vous connaissiez les deux victimes ? ajouta Santos.

— Je ne sais pas. C'est ce que j'essaie de découvrir, répondis-je.

— Pourquoi il ne vous torture pas, vous, tout simplement ? suggéra Travis. Je comprendrais qu'il en ait envie.

Je ne relevai pas.

— Il y a un nommé Asa Durand, qui habite à Pearl River, enchaînai-je.

Je leur donnai l'adresse et poursuivis :

— D'après lui, un type surveillait sa maison il y a quelque temps et posait des questions sur ce qui s'y était passé. Asa Durand habite là où je vivais avant que mon père se donne la mort. Ça vaudrait peut-être le coup d'envoyer un dessinateur de la police tester sa mémoire.

Santos tira une longue bouffée de sa cigarette et rejeta la fumée dans ma direction.

— Ces trucs vous tueront, prédis-je.

— À votre place, je me soucierais plutôt de ma propre mort, rétorqua-t-il. Je sais que vous cherchez à ne pas vous faire repérer, mais rallumez votre portable, bon Dieu. Ne nous forcez pas à vous boucler pour vous protéger.

— On le laisse partir ? s'étonna Travis, incrédule.

— Je crois qu'il a lâché tout ce qu'il avait l'intention de nous dire pour le moment. N'est-ce pas, monsieur Parker ? Et c'est plus que ce qu'on a pu obtenir de notre propre camp.

— L'Unité Cinq, précisai-je.

Santos parut surpris.

— Vous savez ce que c'est ?

— Et vous ?

— Un accès à l'info qui n'est pas à la portée d'un simple salarié comme moi, je pense.

— C'est à peu près ça. Je n'en sais pas beaucoup plus que vous là-dessus.

— Curieusement, je ne vous crois pas, mais tout ce qu'on a à faire pour l'instant, c'est attendre, parce que je pense que votre nom figure sur la même liste que ceux de Jimmy Gallagher et Mickey Wallace. Quand celui qui les a tués vous retrouvera, l'assistant du légiste attachera une étiquette à votre gros orteil ou au sien. Venez, je vous conduis au métro. Plus tôt vous serez hors de Brooklyn, plus tôt je serai tranquille.

Ils me déposèrent à la station de métro.

— On vous reverra, dit Santos.

— Mort ou vif, ajouta Travis.

Je regardai leur voiture s'éloigner. Ils ne m'avaient pas adressé la parole pendant le trajet et ça ne m'avait pas gêné. J'étais trop occupé à penser au mot gravé dans le dos de Jimmy Gallagher. Comment son assassin en était-il venu à la conclusion que Jimmy était gay ? Il avait gardé ses secrets toute sa vie, les siens et ceux des autres. Je n'avais appris ses goûts sexuels que par des choses que ma mère m'avait dites après la mort de mon père, quand j'étais un peu plus âgé, un peu plus mûr, et elle m'avait assuré que peu de collègues de Jimmy étaient au courant. En fait, deux personnes seulement savaient qu'il était homo.

L'une était mon père.

L'autre était Eddie Grace.

32

Amanda Grace vint m'ouvrir. Elle avait les cheveux retenus de manière lâche par un élastique rouge et son visage était vierge de tout maquillage. Elle portait un pantalon de survêtement, un vieux tee-shirt, et elle était couverte de sueur. Dans sa main droite, elle tenait une ventouse.

— Super, grommela-t-elle en me voyant. Super.

— Je présume que le moment est mal choisi…

— Tu aurais pu téléphoner pour prévenir. J'aurais peut-être eu le temps de ranger le déboucheur.

— Je voudrais parler de nouveau à ton père.

Elle s'écarta pour me laisser entrer.

— Il était mal, après ta dernière visite. C'est vraiment important ?

— Je crois.

— C'est au sujet de Jimmy Gallagher, non ?

— D'une certaine façon.

Je la suivis dans la cuisine. Une odeur âcre montait de l'évier, à moitié rempli d'eau sale.

— Il y a quelque chose qui bouche le tuyau, m'expliqua Amanda en me tendant la ventouse.

J'ôtai ma veste et me mis au travail pendant qu'elle m'observait, une hanche appuyée contre un élément.

— Que se passe-t-il, Charlie ?

— À vue de nez, je dirais que c'est bouché par un mélange de…

— Charlie… J'ai regardé les informations, j'ai vu ce qui est arrivé dans ton ancienne maison et chez Jimmy. C'est lié, hein ?

L'eau commença à s'écouler. Je reculai d'un pas et la regardai disparaître par la bonde.

— Ton père a dit quelque chose ?

— Il était triste pour Jimmy. Ils étaient amis.

— Tu sais pourquoi ils se sont brouillés ?

Elle détourna les yeux.

— Je crois que mon père n'appréciait pas la façon dont Jimmy menait sa vie.

— C'est ce qu'il t'a dit ?

— Non, c'est ce que j'ai conclu par moi-même. Tu n'as toujours pas répondu à ma question. Qu'est-ce qui se passe ?

Je la fixai jusqu'à ce qu'elle détourne de nouveau les yeux.

— Ah, tu m'énerves, murmura-t-elle.

— Comme je te l'ai dit, j'aimerais parler à Eddie quelques minutes.

Visiblement agacée, elle se passa une main sur le front.

— Il est éveillé mais encore au lit. Il lui faudra un moment pour s'habiller.

— Pas la peine. Je peux lui parler dans sa chambre. Ce ne sera pas long.

Amanda parut se demander s'il était sage de me laisser voir son père. Je la sentais mal à l'aise.

— Tu es différent, aujourd'hui.

— Par rapport à quand ?

— La dernière fois que tu es venu. Ça ne me plaît pas.

— Écoute, il faut que je lui parle. Ensuite, je m'en irai et ce qui te plaît ou non n'aura plus d'importance.

Elle hocha la tête.

— En haut. Deuxième porte à droite. Frappe avant d'entrer.

Aux coups à la porte de la chambre d'Eddie répondit un croassement éraillé. Les doubles-rideaux étaient fermés, la pièce sentait la maladie et la décomposition. Deux gros oreillers blancs soutenaient la tête d'Eddie Grace. Il était vêtu d'un pyjama à rayures bleues et la faible lumière accentuait la pâleur de sa peau au point qu'il semblait presque rayonner. Je refermai la porte derrière moi et le regardai.

— Tu es revenu.

Il y avait sur son visage l'ombre de ce qui était peut-être un sourire, mais totalement dépourvu de joie. C'était plutôt une expression malveillante.

— Je savais que tu reviendrais.

— Pourquoi ?

Il n'essaya même pas de mentir.

— Parce qu'ils sont là et que tu as peur.

— Vous savez ce qu'on a fait à Jimmy ?

— Je m'en doute.

— On l'a torturé avant de le tuer. Tout ça parce qu'il avait su se taire, parce qu'il était l'ami de mon père et le mien.

— Il aurait dû mieux choisir ses amis.

— Ça, sûrement. Vous en faisiez partie.

Eddie rit doucement, mais l'air qui s'échappait de sa gorge empestait autant que s'il était sorti d'un cadavre. Cela se termina en quinte de toux et il me montra de la main le gobelet à couvercle perforé posé sur la table de chevet, le genre de gobelet avec lequel les enfants apprennent à boire. Je le tins devant sa bouche tandis qu'il aspirait. Une de ses mains toucha la mienne et je fus surpris de la sentir glacée.

— Oui, j'étais son ami. Mais il a fallu qu'il nous parle de lui, à ton père et à moi. Après ça, j'ai plus voulu le fréquenter. C'était une tante, même pas un homme. Il me dégoûtait.

— Vous avez coupé toute relation avec lui ?

— Je lui aurais coupé les couilles, surtout, si j'avais pu. J'aurais dit à tout le monde ce qu'il était. On n'aurait jamais dû le laisser porter notre uniforme.

— Pourquoi vous ne l'avez pas fait ?

— Parce qu'ils n'ont pas voulu.

— Qui ça, « ils » ?

— Anmael et Semjaza. Enfin, ils s'appelaient pas comme ça, la première fois qu'ils sont venus me trouver. Le nom de la femme, je l'ai jamais su. Elle ne parlait pas beaucoup. L'homme, il disait qu'il s'appelait Peter, mais j'ai appris plus tard son vrai nom. C'est lui qui parlait, surtout.

— Comment ils vous ont trouvé ?

— J'avais mes faiblesses. Mais pas comme Jimmy. Des faiblesses d'homme. Je les aimais jeunes.

Il sourit. Il avait les lèvres fendillées et les dents qui lui restaient pourrissaient dans leurs gencives.

— Des filles, pas des garçons, poursuivit-il. Jamais de garçons. Ils l'ont découvert. C'est comme ça qu'ils font : ils trouvent vos faiblesses et les utilisent contre vous. La carotte et le bâton : ils ont menacé de me dénoncer et promis que si je les aidais ils m'aideraient aussi. Ils sont venus me voir après que ton père a commencé à coucher avec Caroline Carr. Je savais pas qui ils étaient, à l'époque, je l'ai appris plus tard.

Il battit des paupières et parut un moment effrayé.

— Oh oui, je l'ai appris. Je leur ai parlé de la fille Carr. J'étais au courant, pour elle. Un jour que j'avais fait équipe avec ton père, je les avais vus ensemble. Anmael voulait savoir où elle était. J'ai pas demandé pourquoi. Je me suis débrouillé pour trouver où Will l'avait planquée, dans l'Upper East Side. Et puis Anmael est mort, la femme a disparu. Après ça, Jimmy et ton père ont fait plusieurs fois déménager Caroline Carr, discrètement. J'ai dit à Semjaza de suivre Jimmy, parce que ton père lui faisait plus confiance qu'à n'importe qui d'autre. Je pensais qu'elle voulait juste prendre le bébé. J'ai été aussi étonné que tout le monde quand elle l'a tuée.

Curieusement, je le croyais. Il n'avait aucune raison de mentir, plus maintenant, et il ne cherchait pas l'absolution. Il en parlait comme si c'était un événement dont il avait été témoin mais auquel il n'avait pris aucune part.

— Quand Will est revenu du Maine avec un bébé, j'ai eu des soupçons. Je savais tout des antécédents médicaux de sa femme, des problèmes qu'elle avait eus pour tomber enceinte et porter un enfant. Ça paraissait trop bien ficelé, mais à ce moment-là je m'étais brouillé avec Jimmy. J'étais encore en bons termes avec ton père, ou je le croyais, mais quelque chose avait changé entre nous. Jimmy avait dû lui parler et Will avait pris son parti, pas le mien. Ça m'était égal. Je me suis dit : Qu'il aille se faire mettre. Qu'ils aillent se faire mettre, tous les deux. Pendant une quinzaine d'années, j'ai plus entendu parler de rien. Je ne m'attendais pas à ce qu'il y ait autre chose. Ils étaient morts, Anmael et la femme. J'avais trouvé des moyens de prendre mon plaisir sans eux.

« Et puis, un jour, deux jeunes se sont pointés chez moi. Ils sont restés dans leur voiture à regarder la maison. Je faisais un bowling, ma femme m'a appelé, elle était inquiète. Je suis rentré et j'ai su que c'étaient eux. Je l'ai su avant même qu'ils me montrent les marques sur leurs bras, avant qu'ils parlent de choses arrivées avant leur naissance, de conversations que j'avais eues avec Anmael et la femme avant qu'ils meurent. Je veux dire que c'étaient eux sous une autre forme. Je le voyais dans leurs yeux. Je leur ai fait part de mes soupçons sur le garçon que Will et sa femme avaient élevé, mais ils avaient déjà les leurs. C'était pour ça qu'ils étaient revenus. Ils savaient que le garçon était toujours en vie, que *tu* étais toujours en vie… Alors, je les ai aidés encore une fois, mais tu voulais pas mourir.

Ses yeux se fermèrent. Je crus qu'il avait glissé dans le sommeil, mais il reprit, les paupières closes :

— J'ai pleuré quand ton vieux s'est suicidé. Je l'aimais bien, même s'il avait coupé les ponts avec moi. Pourquoi t'es pas mort dans cette clinique ? Tout se serait arrêté à ce moment-là. Non, tu ne voulais pas mourir.

Il rouvrit les yeux.

— Cette fois, c'est pas pareil. C'est plus des ados qui te cherchent, ils ont tiré la leçon de leurs erreurs. Parce que, même en changeant de corps, *ils se souviennent*. Chaque fois, ils ont été un peu plus près de réussir, et maintenant c'est urgent. Ils veulent ta mort.

— Pourquoi ?

Il me fixa, les sourcils haussés, l'air amusé.

— Je crois pas qu'ils le sachent. Autant demander pourquoi les globules blancs s'attaquent à une infection. Ils sont programmés pour ça : affronter une menace, la neutraliser. Pas les miens, remarque. Les miens, ils sont nases.

— Où est le couple ?

— Je n'ai vu que l'homme. L'autre, la femme, n'était pas là. Il l'attendait, il espérait de toutes ses forces qu'elle le rejoindrait. Ils sont comme ça. Ils vivent l'un pour l'autre.

— Quel nom il se donne ?

— Il ne l'a pas dit.

— Il est venu ici ?

— Non, il m'a rendu visite à l'hôpital, y a pas très longtemps. Il m'a apporté des bonbons. Comme un vieil ami.

— Vous l'avez renseigné sur Jimmy ?

— Pas la peine. Ils savaient déjà tout sur lui.

— À cause de vous.

— Qu'est-ce que ça peut faire, maintenant ?

— Pour Jimmy, c'était important. Vous savez ce qu'il a subi avant de mourir ?

Eddie eut un geste de la main pour écarter la question, mais il détourna les yeux.

— Décrivez-le-moi, ce type.

Il me fit de nouveau comprendre qu'il voulait boire et je lui tendis le gobelet. Sa voix était devenue plus rauque tandis qu'il parlait et elle se réduisait maintenant à un murmure.

— Non, pas question. De toute façon, tu crois vraiment que ça t'aidera, tout ça ? Je t'aurais rien dit si j'avais pensé que ça pouvait t'aider. Je me fiche de toi et de ce qui est arrivé à Jimmy. Ma vie est presque finie. J'attends la récompense qu'on m'a promise pour ce que j'ai fait.

Il souleva sa tête de l'oreiller, comme pour me confier un grand secret.

— Leur maître est bon et bienveillant, chuchota-t-il presque pour lui-même.

Il se laissa retomber sur le lit, épuisé. Sa respiration se fit plus courte et il s'endormit.

Amanda m'attendait en bas de l'escalier, les lèvres si fermement pincées qu'elle avait des plis aux coins de la bouche.

— Tu as obtenu de lui ce que tu voulais ?

— Oui. Une confirmation.

— Il est vieux, maintenant. Quoi qu'il ait pu faire autrefois, il l'a plus que payé par ses souffrances.

— Tu sais, Amanda, je ne crois pas que ce soit vrai.

Son visage devint écarlate.

— Sors d'ici. La meilleure chose que tu aies jamais faite, c'est quitter cette ville.

Ça au moins c'était vrai.

33

La femme qui désormais n'était plus Emily Kindler que de nom arriva à la gare routière de Port Authority deux jours après le meurtre de Jimmy Gallagher. Après avoir quitté le bar où elle travaillait, elle avait passé toute une journée seule dans son petit appartement, ignorant la sonnerie du téléphone. Oublié à présent le rendez-vous avec Chad, Chad lui-même étant réduit au souvenir fugace d'une autre vie. Une fois, on avait sonné en bas, mais elle n'avait pas répondu. Elle reconstruisait des vies passées et pensait à l'homme qu'elle avait vu sur le téléviseur du bar. Elle savait qu'en le trouvant elle trouverait aussi son bien-aimé.

À l'aide d'un tisonnier, elle avait soigneusement brûlé sa chair. Elle connaissait l'endroit exact où elle devait l'appliquer, car elle pouvait presque distinguer le dessin caché sous la peau.

Le moment venu, elle était partie pour New York.

À la gare routière, elle passa près d'une heure à déambuler, l'air perdue, avant de se faire aborder. La troisième fois qu'elle feignait de faire une toilette sommaire dans les toilettes, une jeune femme à peine plus âgée qu'elle s'approcha et lui demanda si ça allait. Son nom était Carole Coemer, mais tout le monde l'appelait

Cassie. Elle était blonde, jolie, propre, et paraissait avoir moins de vingt ans alors qu'elle en avait en fait vingt-sept. Son travail consistait à repérer dans la gare les jeunes fraîchement débarquées, en particulier celles qui semblaient seules ou perdues, et à gagner leur confiance. Elle leur racontait qu'elle était elle-même nouvelle en ville, leur offrait un café ou quelque chose à manger. Cassie portait toujours un sac à dos, mais il ne contenait que des journaux dissimulés sous un jean et quelques tee-shirts, au cas où elle aurait eu à l'ouvrir pour convaincre les plus sceptiques des égarées ou des fugueuses.

Si elles ne savaient pas où aller ou si personne ne les attendait vraiment à New York, elle leur proposait de passer la nuit chez un ami en attendant de trouver une solution durable le lendemain. L'ami s'appelait Earle Yiu et il disposait de plusieurs appartements bon marché d'un bout à l'autre de la ville, mais le principal se trouvait dans le quartier de la 38e Rue et de la Neuvième Avenue, au-dessus d'un bar crasseux appelé le Yellow Pearl, qui lui appartenait aussi. Ce nom était une petite plaisanterie du dénommé Earle, car « Yellow Pearl », la perle jaune, n'était pas très éloigné de « Yellow Peril », le péril jaune. Earle était doué pour évaluer la vulnérabilité des jeunes femmes, peut-être pas cependant autant que Cassie, qui, il devait l'admettre, était une prédatrice hors pair.

Cassie emmenait donc la fille – ou les filles, si la journée avait été particulièrement fructueuse – chez Earle et il leur souhaitait la bienvenue, il faisait livrer quelque chose à manger ou, s'il était d'humeur à ça, il préparait lui-même le repas des filles. Le plus souvent quelque chose de simple et de savoureux, du *teriyaki* au riz par exemple. Il leur offrait aussi de la bière, un peu d'herbe, ou quelque chose de plus fort. Puis, s'il trouvait la nouvelle recrue potable et suffisamment vulnérable, il proposait de la laisser occuper l'appartement avec Cassie deux ou trois jours, il lui disait de ne pas s'en faire, qu'il connaissait quelqu'un qui cherchait des serveuses. Le lendemain, Cassie quittait l'appartement pour isoler la nouvelle.

Au bout de deux ou trois jours, l'ambiance changeait. Earle venait à l'appartement tôt le matin ou tard dans la soirée et réveillait la fille. Il exigeait de l'argent contre son hospitalité et quand elle répondait qu'elle n'avait pas de quoi payer – elles n'avaient jamais assez pour le satisfaire – il lui expliquait le topo. La plupart finissaient par faire des passes après qu'Earle et ses copains les avaient matées, si c'était nécessaire, généralement dans l'un des autres appartements d'Earle. Les candidates prometteuses étaient vendues à d'autres ou emmenées dans des villes où le sang neuf était rare. Les plus malchanceuses disparaissaient simplement de la surface de la terre, car Earle connaissait aussi des hommes (et quelques femmes) aux besoins très particuliers.

Earle utilisait Cassie avec prudence. Il ne voulait pas qu'elle attire l'attention, que son visage devienne trop familier aux flics de la gare routière de Port Authority ou des stations de l'Amtrak. Souvent il laissait s'écouler plusieurs mois avant de la remettre sur le terrain et se contentait de l'abondante réserve de Chinoises ou de Coréennes, où il lui était facile de puiser. La police avait plus de mal à les retrouver une fois qu'elles faisaient partie de son réseau, mais il y avait toujours de la demande pour des Blanches et des Noires et Earle aimait offrir un peu de variété à ses meilleurs clients.

Cassie aborda donc Emily, lui demanda si ça allait et ajouta :

— T'es nouvelle en ville ?

Emily la regarda fixement et, un instant, Cassie crut qu'elle avait commis une erreur. La fille était plus âgée qu'elle ne le paraissait à première vue. Cassie eut soudain l'impression que cette fille était très vieille. C'était là, dans ses yeux terriblement sombres, dans l'odeur de moisi qui flottait autour d'elle. Cassie était prête à faire machine arrière quand l'attitude de la fille changea subtilement. Elle sourit et Cassie fut captivée. Elle plongea le regard dans les yeux d'Emily et se dit qu'elle n'avait jamais rien vu d'aussi beau. Earle serait content de celle-là, et la rétribution de Cassie serait proportionnellement plus élevée.

— Oui, répondit Emily. Je viens d'arriver. Je cherche un endroit où dormir. Tu pourrais m'aider ?

— Bien sûr, répondit Cassie en pensant qu'elle ferait n'importe quoi pour elle, n'importe quoi. Comment tu t'appelles ?

La fille hésita et finit par répondre :

— Emily.

Cassie sut qu'elle mentait, mais elle s'en moquait. De toute façon, Earle lui donnerait un autre nom s'il la prenait.

— Moi, c'est Cassie.

— Bon, ben, je te suis.

Les deux filles se rendirent à pied à l'appartement de Yiu. Il n'était pas là, ce qui étonna Cassie, mais elle avait une clé et une histoire toute prête : elle était passée plus tôt dans la journée, Earle lui avait confié une clé et lui avait dit de revenir plus tard parce qu'on nettoyait l'appartement. Emily sourit et tout s'éclaira dans le monde de Cassie.

Cassie proposa à Emily de lui faire visiter les lieux. Il n'y avait pas grand-chose à visiter, puisque l'appartement, tout petit, se composait uniquement d'une pièce de dimensions modestes faisant office de séjour et de cuisine, et de deux chambres juste assez grandes pour accueillir un matelas d'une personne.

— Là, c'est la salle de bains, dit Cassie.

Elle ouvrit la porte d'une pièce si exiguë que le lavabo chevauchait presque la cuvette des toilettes et que la cabine de douche n'était guère plus large qu'un cercueil debout.

Emily saisit Cassie par les cheveux et lui cogna violemment le visage contre le bord du lavabo. Elle recommença jusqu'à ce qu'elle soit morte, puis la laissa adossée au mur avant de refermer soigneusement la porte de la salle de bains derrière elle. Elle alla s'asseoir sur le vieux canapé malodorant de la partie séjour, alluma le téléviseur et passa d'une chaîne à l'autre avant de trouver les informations locales. Elle augmenta le volume du son quand le présentateur revint sur le meurtre de Jimmy Gallagher. Malgré les efforts de la police et du FBI, il y avait eu des fuites. Un journaliste apparut sur l'écran et parla d'un rapport possible entre la mort de Gallagher et l'assassinat d'un certain Mickey Wallace à Hobart Street. Emily s'agenouilla, toucha l'écran du bout des doigts. Elle était encore dans cette position quand Earle Yiu entra. Agé d'une quarantaine d'années, il avait quelques kilos en trop qu'il dissimulait sous des costumes bien taillés.

— Tu es qui, toi ? demanda-t-il.

Elle lui sourit.

— Je suis une amie de Cassie.

Il lui rendit son sourire.

— Les amies de Cassie sont mes amies. Elle est où ?

— Dans la salle de bains.

Instinctivement, Earle regarda en direction de la salle de bains, qui se trouvait à sa gauche. Il fronça les sourcils : une tache sombre partant de la fente sous la porte s'élargissait sur la moquette.

— Cassie ?

Il frappa à la porte.

— Cassie, t'es là ?

Earle abaissa la poignée et la porte s'ouvrit. Il était en train de découvrir le visage fracassé de Cassie Coemer lorsqu'un couteau de cuisine s'enfonça dans son dos et lui perça le cœur.

Après s'être assurée que Yiu était mort, Emily le fouilla, trouva sur lui un calibre 22 à la crosse entourée de ruban adhésif et près de sept cents dollars en liquide. Ainsi qu'un téléphone portable, qu'elle utilisa aussitôt. Quand elle eut terminé, elle savait où et quand Jimmy Gallagher serait enterré.

La porte d'entrée avait des verrous solides, autant pour empêcher les filles de partir que pour empêcher un intrus d'entrer. Emily les ferma tous, puis éteignit le poste de télévision et demeura assise sur le canapé, immobile et silencieuse, tandis que le jour devenait nuit et que la nuit cédait enfin la place au matin.

34

« Choisir le terrain » : c'était ce qu'Epstein m'avait recommandé. « Choisir le terrain où livrer bataille. » J'aurais pu fuir. J'aurais pu me cacher en espérant qu'ils ne me retrouvent pas, mais ils m'avaient toujours retrouvé, auparavant. J'aurais pu décider de retourner dans le Maine et de leur faire face là-bas, mais comment aurais-je pu dormir en redoutant à chaque instant qu'ils ne me tombent dessus ? Comment aurais-je pu travailler au Bear en sachant que ma présence mettrait peut-être les autres en danger ?

J'en parlai à Epstein, j'en discutai avec Angel et Louis, puis je choisis le terrain sur lequel je me battrais.

Je les attirerais à moi et nous en finirions enfin.

On fit à Jimmy des funérailles de commissaire : le grand jeu du NYPD, encore mieux que pour mon père. Six policiers en gants blancs portèrent sur leurs épaules le cercueil recouvert du drapeau jusqu'à l'église catholique romaine de Saint Dominic, les insignes masqués par des rubans noirs. Sur son passage, des flics jeunes et vieux, certains en uniforme de patrouille, d'autres en tenue de cérémonie, d'autres encore en pardessus et chapeau de retraité, saluèrent comme un seul homme. Personne ne souriait, personne ne parlait. Tous étaient silencieux. Deux ans plus tôt, alors qu'on sortait d'une église du Bronx le cercueil d'un flic assassiné, une procureur de Westchester avait été surprise en train de rire et de bavarder avec un sénateur de l'État et il avait fallu qu'un policier lui dise de se taire. Elle avait obtempéré dans la seconde, mais l'incident n'avait pas été oublié. Il y avait un rituel à respecter et on ne l'enfreignait qu'à ses risques et périls.

Jimmy fut enterré au Holy Cross Cemetery de Tilden, dans la concession familiale, à côté de son père et de sa mère. Sa sœur aînée, qui vivait maintenant dans le Colorado, était le dernier parent proche. Divorcée, elle se tenait devant la tombe avec ses trois enfants – dont Francis, le neveu de Jimmy venu chez nous le soir des meurtres de Pearl River – et pleurait un frère qu'elle n'avait pas vu depuis cinq ans. Les Fifres et Tambours de l'Emerald Society jouèrent « Steal Away » et personne ne dit du mal de Jimmy, même si la rumeur courait sur le mot gravé dans sa chair. Certains murmureraient peut-être plus tard des ragots (ces hommes ne valaient pas grand-chose, de toute façon, et tout ce qu'ils étaient capables de faire était de murmurer), mais pas à cet instant, pas ce jour-là. Ce jour-là, on se souvenait de lui comme d'un flic, un flic estimé.

J'étais là moi aussi, bien visible parce que je savais qu'ils assisteraient à l'enterrement dans l'espoir que j'y viendrais. Je passais d'un groupe à l'autre, parlant à ceux que je reconnaissais. Après la cérémonie, j'allai au Donaghy's avec des flics qui avaient connu Jimmy et mon père, et nous échangeâmes des histoires sur l'un et l'autre ; ils me dirent sur Will Parker des choses qui me firent l'aimer encore plus, parce qu'ils l'avaient aimé eux aussi en leur temps. À aucun moment je ne m'éloignai des divers groupes. Je n'allai même pas seul aux toilettes et je surveillai ce que je buvais tout en faisant mine de suivre les autres, bière pour bière, whisky pour whisky. L'un d'eux, un ancien sergent nommé Griesdorf, m'interrogea cependant sur le bruit qui courait d'un lien entre la mort de Mickey Wallace et ce qui était arrivé à Jimmy. Il y eut un silence gêné, jusqu'à ce qu'un flic rougeaud aux cheveux teints en brun s'exclame :

— Putain, Stevie, c'est ni l'endroit ni le moment ! On boit pour se souvenir et puis on boit pour oublier.

Le moment d'embarras passa.

Je repérai la fille peu après dix-sept heures. Elle était mince et jolie, avec de longs cheveux noirs. Dans la faible lumière du Donaghy's, elle paraissait plus jeune qu'elle ne l'était sans doute, et le barman aurait peut-être été contraint de demander à voir sa carte d'identité si elle avait commandé une bière. Au cimetière, je l'avais vue déposer des fleurs sur une tombe pas très éloignée de l'endroit où on enterrait Jimmy. Je l'avais vue de nouveau après la cérémonie, descendant Tilden, mais il y avait beaucoup d'autres personnes et je l'avais remarquée plus à cause de son physique que pour des soupçons qu'elle aurait fait naître en moi. Elle grignotait maintenant une salade au Donaghy's, un livre ouvert sur le comptoir à côté d'elle, face au miroir pour surveiller ce qui se passait derrière elle. Une ou deux fois, je crus la voir me jeter un coup d'œil. Cela n'aurait rien voulu dire en soi, mais elle me sourit quand je surpris son regard. C'était une invite, ou cela y ressemblait fort. Elle avait des yeux très sombres.

Griesdorf l'avait repérée, lui aussi.

— T'as un ticket, Charlie, me dit-il. Vas-y. Nous, on est vieux, on vit par procuration à travers les jeunes. On te gardera ton manteau. Hé, tu dois crever de chaud, là-dessous. Enlève-le, fils.

Je me levai, titubai.

— Non, je suis cuit, prétendis-je. Je serais bon à rien, de toute façon.

Je leur serrai la main à tous et laissai cinquante dollars sur la table.

— Une tournée du meilleur. Pour mon vieux et pour Jimmy.

Je fis un pas chancelant, Griesdorf me prit par le bras pour me soutenir.

— Ça va aller ?

— Je n'ai pas mangé grand-chose, ce midi. C'était idiot de ma part. Tu crois que le barman pourrait m'appeler un taxi ?

— Pas de problème. Où tu veux aller ?

— À Bay Ridge. Hobart Street.

Il me regarda d'un drôle d'air.

— T'es sûr ?

— Ouais, je suis sûr.

Je lui montrai les cinquante dollars et dis :

— Commande les whiskys, tant que tu y es.

— Je t'en prends un pour la route ?

— Non. Si je bois encore un verre, la route, je vais me retrouver allongé dessus.

Il récupéra l'argent et, adossé à un pilier, je le regardai s'éloigner. Il appela le barman et j'entendis leur conversation. Il n'y avait pas de musique au Donaghy's et le coup de feu de la sortie des bureaux n'avait pas encore commencé. Si je pouvais entendre ce qu'on disait dans le bar, n'importe qui d'autre le pouvait aussi.

Lorsque le taxi arriva, dix minutes plus tard, la fille était déjà partie.

Le chauffeur me déposa devant mon ancienne maison. Il regarda le ruban jaune délimitant le lieu de crime et me demanda si je souhaitais qu'il attende. Il parut soulagé quand je répondis non.

Il n'y avait pas de flics pour surveiller la maison. En temps ordinaire, il y aurait eu au moins un agent de faction, mais les circonstances n'étaient pas ordinaires.

Je fis le tour de la maison. La grille du jardin de derrière était maintenue par du ruban jaune et une chaîne, mais celle-ci n'avait pas de cadenas : de la frime, rien de plus. La porte de la cuisine, en revanche, avait une nouvelle serrure. Il ne me fallut cependant que quelques instants pour l'ouvrir avec le petit crochet électrique qu'Angel m'avait donné. Son bourdonnement parut assourdissant dans le silence de la nuit et, au moment où je pénétrai dans la maison, je vis une lumière s'allumer quelque part à proximité. Je refermai la porte, attendis que la lumière s'éteigne et que l'obscurité revienne.

Je pressai le bouton de ma torche électrique, dont le faisceau, réduit par du ruban-cache, n'attirerait pas l'attention s'il se trouvait quelqu'un pour observer l'arrière de la maison. La marque d'Anmael avait été effacée du mur, probablement au cas où des reporters ou d'incurables curieux se risqueraient à prendre subrepticement des photos de la cuisine. La position du corps de Mickey Wallace était encore marquée à la craie et le linoléum bas de gamme demeurait maculé de sang séché. Ma torche éclaira des éléments de cuisine plus modernes – plus fragiles et plus toc aussi – que ceux qui équipaient la pièce du temps où j'y vivais. Il n'y avait pas d'autres meubles, excepté une simple chaise en bois, peinte en un vert écœurant, contre le mur du fond. Trois personnes étaient mortes dans cette pièce ; personne n'y vivrait plus. Le mieux, pour tout le monde, aurait été d'abattre la maison et de reconstruire, mais après ce qui venait de se produire, il y avait peu de chances pour qu'on prenne cette décision. Elle continuerait donc à se délabrer et les enfants du quartier se défieraient de pénétrer dans le jardin et de provoquer ses fantômes le jour de Halloween.

Quelquefois, cependant, ce ne sont pas les lieux qui sont hantés mais les gens. Je sus alors pourquoi ils étaient revenus, les vestiges de ma femme et de ma fille. Je crois que je l'avais compris dès l'instant où on avait découvert le corps de Wallace dans la maison, et je me dis qu'il n'avait peut-être pas été seul et sans réconfort dans ses derniers instants, que ce qu'il avait vu, ou cru voir, alors qu'il rôdait autour de la maison de Scarborough, lui était apparu à Hobart Street sous une forme différente. Je sentis une sorte d'attente diffuse dans la maison quand je traversai la cuisine, un picotement dans mes doigts lorsque je touchai la poignée de la porte, comme si une faible décharge électrique les avait parcourus.

La porte d'entrée était barrée d'un ruban jaune à l'extérieur, mais seuls la serrure et le verrou la maintenaient fermée de l'intérieur. Je les ouvris tous deux et laissai la porte entrouverte. Comme il n'y avait pas de vent, elle resta dans cette position. Je montai l'escalier et déambulai dans les pièces vides, spectre parmi les spectres. Chaque fois que je m'arrêtais, je recréais notre ancien foyer dans ma tête, installant des lits et des armoires, des miroirs, des tableaux, transformant ce qu'il était devenu en ce qu'il avait été.

Dans la chambre que Susan et moi avions partagée, je fis resurgir la coiffeuse, la couvris de flacons et de pots de maquillage, d'une brosse retenant encore des cheveux blonds dans ses soies. Notre lit revint, avec deux oreillers fermes contre le mur, gardant en creux l'empreinte d'un dos de femme, comme si Susan venait juste de se lever. Un livre posé sur le lit montrait sa couverture : des conférences du poète E. E. Cummings. C'était ce qu'elle lisait pour se remonter le moral, la description que Cummings faisait de sa vie et de son œuvre, entrecoupée d'un choix de poèmes dont quelques-uns seulement étaient de lui. Je pouvais presque sentir le parfum de Susan dans l'air.

De l'autre côté du couloir, il y avait une autre chambre, plus petite, et sous mes yeux elle recouvra l'éclat de ses couleurs ; les murs ternes et balafrés devinrent un paysage plein de fraîcheur en vert et crème, comme une prairie d'été festonnée de fleurs blanches. Les murs étaient surtout décorés de dessins, mais un grand tableau représentant un cirque était accroché au-dessus du petit lit et un autre tableau, de moindre dimension, montrait une fillette et un chien plus gros qu'elle. L'enfant le tenait par le cou et enfouissait son visage dans sa fourrure, tandis que l'animal, du haut de la toile, semblait défier quiconque de s'en prendre à celle qu'il protégeait. Le drap bleu vif du lit était rabattu et je pus voir le contour d'un petit corps sur le matelas, le creux de l'oreiller où l'instant d'avant, semblait-il, reposait une tête d'enfant. La moquette sous mes pieds était d'un bleu profond.

Mon foyer m'était rendu tel qu'il était la nuit où Susan et Jennifer étaient mortes et je les sentais revenir alors que tous approchaient, les morts et les vivants.

J'entendis un bruit en bas, ressortis dans le couloir. La lumière de notre chambre clignota et s'éteignit. Quelque chose bougea dans la pièce. Je ne m'arrêtai pas pour regarder ce que c'était, mais je crus voir une forme remuer dans l'obscurité et je sentis une trace de parfum. Je m'immobilisai en haut de l'escalier et il y eut comme un bruit de pas légers derrière moi, des petits pieds nus courant sur la moquette, une enfant quittant sa chambre pour rejoindre sa mère, mais c'était peut-être simplement le plancher qui jouait sous mes pieds, ou un rat dérangé dans son nid sous le sol.

Je descendis.

En bas de l'escalier, un poinsettia était posé sur un guéridon d'acajou, protégé des courants d'air par le portemanteau. C'était la seule plante d'intérieur que Susan avait réussi à garder en vie et elle en était immensément fière, l'examinant chaque jour et l'arrosant juste ce qu'il fallait pour ne pas le noyer. La nuit où elles étaient mortes, il était tombé de son support et la première chose que j'avais vue en pénétrant dans la maison, c'étaient ses racines gisant sur la terre éparpillée. Il était maintenant comme autrefois, dorloté et aimé. Quand je tendis le bras pour le toucher, mes doigts passèrent à travers ses feuilles.

Un homme se tenait dans la cuisine, près de la porte de derrière. Lorsqu'il fit un pas en avant, le clair de lune entrant par la fenêtre éclaira son visage.

Hansen. Je ne pouvais voir ses mains, enfoncées dans les poches de son pardessus.

— Vous êtes loin de chez vous, inspecteur, fis-je remarquer.

— Et vous, vous n'avez pas pu vous empêcher d'y revenir. Ça a sûrement beaucoup changé.

— Non. Ça n'a pas changé du tout.

Il sembla étonné.

— Vous êtes un homme étrange. Je ne vous ai jamais compris.

— Je sais maintenant pourquoi vous ne m'avez jamais apprécié, plaisantai-je.

Au moment même où je prononçais ces mots, je sentis que quelque chose n'allait pas. Hansen n'avait rien à faire ici.

Son visage prit une expression intriguée, comme s'il venait de se faire la même réflexion. Son corps s'étira, comme sous l'effet d'une légère douleur dans le dos. Il ouvrit la bouche et un filet de sang coula d'un coin de ses lèvres. Il toussa, projetant sur le mur un nuage rouge et, poussé en avant, tomba à genoux. Il tenta de sortir de sa poche droite la main qui tenait son arme, mais les forces lui manquèrent et il s'effondra sur le ventre, les yeux mi-clos, la respiration courte.

L'homme qui l'avait attaqué enjamba son corps. Il avait entre vingt et trente ans, vingt-six pour être précis. Je le savais parce que je l'avais embauché. Je travaillais avec lui au Great Lost Bear, j'avais remarqué son amabilité avec les clients, ses rapports décontractés avec les cuisiniers et les serveurs.

Pendant tout ce temps, au bar, il avait caché sa véritable nature.

— Salut, Gary, dis-je. Ou tu préfères que je t'appelle par ton autre nom ?

Gary Maser tenait dans une main la machette aiguisée, dans l'autre un pistolet.

— Peu importe, répondit-il. Ce ne sont que des noms. J'en ai plus que tu ne saurais l'imaginer.

— Tu te fais des illusions. Quelqu'un t'aura murmuré des mensonges à l'oreille. Tu as torturé Jimmy, tu as tué Mickey Wallace dans cette cuisine, mais ça ne fait pas de toi quelqu'un d'exceptionnel. Tu es à peine humain, mais ça ne fait pas de toi un ange.

— Crois ce que tu veux, ça n'a aucune importance.

J'avais choisi cet endroit pour affronter ceux qui me pourchassaient, je l'avais transformé dans mon esprit en ce qu'il était autrefois, et quelque chose en Gary Maser parut le sentir et y répondre. Un instant, je vis ce que mon père avait vu le soir où il avait appuyé sur la détente de son arme, à Pearl River. Je vis ce qui s'était caché en Maser, ce qui l'avait dévoré de l'intérieur jusqu'à ce qu'il ne reste de lui qu'une carapace creuse. Son visage devint un masque, transparent et temporaire. Derrière remuait une masse sombre, vieille et flétrie, débordante de rage. Des ombres s'enroulaient autour comme une fumée noire, polluant la pièce, salissant le clair de lune. Je sus au fond de moi que ce n'était pas seulement ma vie qui était en danger et je pensai : Quels que soient les tourments que Maser espère m'infliger dans cette maison, ils ne sont rien comparés à ce qui m'attend quand ma vie aura pris fin.

Il fit un autre pas vers moi. Même dans le clair de lune, ses yeux étaient plus sombres que dans mon souvenir, pupille et iris formant une unique tache noire.

— Pourquoi moi ? demandai-je. Qu'est-ce que j'ai fait ?

— Ce n'est pas seulement ce que tu as fait, mais aussi ce que tu pourrais faire.

— C'est-à-dire ? Comment peux-tu savoir ce qui n'est pas encore arrivé ?

— Nous avons senti la menace que tu représentes. *Il* l'a sentie.

— Qui ça ? Qui t'a envoyé ?

Maser secoua la tête.

— Assez, dit-il.

Et, presque tendrement :

— Il est temps de cesser de fuir. Ferme les yeux et je mettrai un terme à tes souffrances.

Je me forçai à rire.

— Ta sollicitude me touche.

J'avais besoin de temps.

— Tu as été très patient, repris-je. Combien de mois tu as travaillé au Bear ? Cinq ?

— J'attendais.

— Quoi ?

Il sourit et son visage se métamorphosa, prit un éclat qu'il n'avait pas avant.

— Elle.

Sentant de l'air sur mon dos, je pivotai lentement. Dans l'encadrement de la porte à présent grande ouverte se tenait la brune du bar. Ses yeux semblaient maintenant totalement noirs, comme ceux de Gary. Elle aussi braquait un pistolet sur moi, un calibre 22. Les ombres qui se formaient autour d'elle ressemblaient à des ailes sombres se détachant sur le noir de la nuit.

— Si longtemps, murmura-t-elle, les yeux fixés non sur moi mais sur l'homme qui se trouvait en face d'elle. Si longtemps…

Je compris alors qu'ils étaient venus séparément, attirés par moi et la promesse de se revoir, que c'était la première fois qu'ils se rencontraient, la première fois, s'il fallait en croire Epstein, depuis que mon père les avait abattus dans un terrain vague de Pearl River.

Tout à coup, elle sortit de sa rêverie et se tourna. Le pistolet aboya quand elle fit feu dans l'obscurité.

Maser, surpris, sembla ne pas savoir comment réagir et je sus qu'il voulait me faire mourir lentement. Il aurait préféré se servir de sa machette sur moi, mais quand je m'élançai, il tira. Je sentis l'impact violent de la balle sur ma poitrine. En me jetant en arrière, je poussai la porte dans ma chute et elle heurta la femme dans le dos sans se refermer. Une deuxième balle me toucha, me causant cette fois une douleur cuisante au cou. Je plaquai ma main gauche sur la blessure, le sang gicla entre mes doigts.

Je montai l'escalier en titubant, m'attendant à de nouveaux coups de feu, mais Maser ne concentrait plus son attention sur moi. Lui aussi avait entendu des voix à l'arrière de la maison et s'était retourné pour affronter la menace. La porte d'entrée se ferma en claquant, la femme cria quelque chose au moment où j'atteignais le haut de l'escalier et me jetais à plat ventre sur le sol. Ma vision se troublait, et maintenant que j'étais par terre, je n'arrivais plus à me relever. Je me mis à ramper, utilisant les doigts de ma main droite comme des griffes, me poussant avec les pieds, ma main gauche s'efforçant toujours d'endiguer le flot de sang coulant de mon cou. J'oscillais entre passé et présent : tantôt je progressais dans un couloir moquetté séparant des pièces propres brillamment éclairées, tantôt il n'y avait qu'un plancher nu, de la poussière et de la pourriture.

Des pas résonnèrent dans l'escalier. J'entendis tirer en bas, dans la cuisine, mais il n'y eut pas de coups de feu en réponse. C'était comme si Maser tirait sur des ombres.

Je me glissai dans notre ancienne chambre, parvins à me mettre debout en m'appuyant au mur, traversai en chancelant le fantôme de lit et m'affalai dans un coin.

Un lit. Pas de lit.

Le bruit de l'eau gouttant d'un robinet. Pas de bruit.

La femme apparut sur le seuil, le visage clairement visible dans la lumière passant par la fenêtre, derrière moi. Elle semblait troublée.

— Qu'est-ce que tu fais ? dit-elle.

Je voulus répondre, mais j'en fus incapable.

Un lit. Pas de lit. L'eau. Les pas, mais la femme n'avait pas bougé.

Elle regarda autour d'elle et je compris qu'elle voyait la même chose que moi : des mondes sur des mondes.

— Ce n'est pas ça qui te sauvera. Rien ne peut te sauver.

En avançant vers moi, elle éjecta le chargeur vide et s'apprêta à en insérer un autre, s'immobilisa. Baissa les yeux vers sa gauche.

Un lit. Pas de lit. L'eau.

Une fillette se tenait près d'elle, puis une autre forme émergea de l'obscurité, derrière : une femme aux cheveux blonds dont le visage était visible pour la première fois depuis que je l'avais découverte dans la cuisine. Là où il n'y avait eu autrefois que sang et os, il y avait maintenant la femme que j'avais aimée, telle qu'elle était avant que la lame en ait fini avec elle.

Lumière. Pas de lumière.

Un couloir vide. Un couloir qui ne l'était plus.

— Non, murmura la brune.

Elle enfonça le chargeur et voulut tirer, mais parut lutter pour garder son arme braquée sur moi, comme si elle était gênée par des formes que je ne faisais qu'entrevoir. Une balle toucha le mur, cinquante centimètres à ma gauche. J'arrivais à peine à garder les yeux ouverts tandis que je plongeais une main dans ma poche et refermais les doigts sur l'appareil compact. Je le sortis, le dirigeai vers la femme tandis qu'elle libérait enfin son bras droit et tendait le gauche pour repousser ce qui se trouvait derrière elle.

Un lit. Pas de lit. Une femme qui tombe. Susan. Une petite fille qui tire sur la jambe de pantalon de Semjaza, qui lui griffe le ventre.

Et Semjaza telle qu'elle était vraiment, créature voûtée et ailée, au crâne rose : la hideur avec un terrible reste de beauté.

Elle regarda l'appareil, le prit pour une torche électrique.

— Tu ne peux pas me tuer avec ça, dit-elle en souriant.

— Veux. Pas. Te. Tuer, scandai-je.

Je tirai.

Le petit Taser C2 ne pouvait pas manquer sa cible à cette distance. Les électrodes barbelées s'accrochèrent à sa poitrine et Semjaza s'effondra en convulsant tandis qu'une décharge de cinquante mille volts la traversait. Le calibre 22 tomba de sa main, son corps se tordit sur le sol.

Un lit. Pas de lit.

Une femme.

Ma femme.

Ma fille.

L'obscurité.

35

Je me rappelle les voix. Je me souviens du gilet pare-balles qu'on m'ôtait, du tampon de gaze qu'on pressait contre ma blessure au cou. Je vis Semjaza se débattre contre ceux qui la maintenaient et je crus reconnaître l'un des jeunes gens qui accompagnaient Epstein lors de notre rencontre, plus tôt dans la semaine. Quelqu'un me demanda si ça allait. Je montrai le sang sur ma main sans répondre.

— La balle n'a pas touché d'artère, sinon vous seriez mort, maintenant, dit la même voix. Elle a creusé un sacré sillon, mais vous survivrez.

On me proposa une civière, je refusai. Je voulais rester debout. Si je m'allongeais, je perdrais de nouveau connaissance, j'en étais sûr. Quand on m'aida à descendre, je vis Epstein lui-même agenouillé près de Hansen, sur qui deux infirmiers s'affairaient.

Et je vis Maser, les bras derrière le dos, quatre électrodes de Taser fichées dans son corps, Angel penché au-dessus de lui et Louis à côté. Epstein se leva et se dirigea vers moi. Il me toucha le visage mais ne dit rien.

— Il faut l'emmener à l'hôpital, déclara l'un de ceux qui me soutenaient.

J'entendis des sirènes au loin.

Epstein hocha la tête, regarda par-dessus mon épaule en direction du haut de l'escalier.

— Juste une seconde, dit-il. Je veux qu'il voie ça.

Deux autres types amenèrent la femme en bas. Elle avait les mains liées derrière le dos par une bande en plastique, les chevilles entravées. Elle était si légère qu'ils l'avaient soulevée du sol, mais elle continuait à se débattre. Tout en gigotant, elle murmurait ce qui ressemblait à une incantation. Lorsqu'elle fut plus près, je distinguai les paroles :

— *Dominus meus bonus et benignus est…*

Quand ils furent en bas, un troisième homme la prit par les jambes et elle se retrouva à l'horizontale. Elle tourna la tête vers la droite et vit Maser, mais avant qu'elle puisse lui parler, Epstein s'interposa entre eux.

— Immonde, lâcha-t-il en baissant les yeux vers elle.

Elle projeta vers lui un crachat qui tacha son manteau. Il fit un pas de côté pour qu'elle puisse de nouveau voir Maser. Celui-ci voulut se lever, mais Louis s'approcha et lui posa un pied sur la gorge.

— Allez-y, regardez-vous, dit Epstein. Ce sera la dernière fois.

Semjaza comprit ce qui allait arriver et se mit à crier « Non ! Non ! » jusqu'à ce que le rabbin lui plaque un bâillon sur la bouche tandis qu'on l'attachait sur une civière. On la recouvrit d'une couverture et on la porta dans une ambulance qui démarra aussitôt, sans sirène ni feux. Je me tournai vers Maser, vis de la désolation dans ses yeux. Ses lèvres remuèrent et je l'entendis murmurer quelque chose plusieurs fois. Je ne saisissais pas les mots, mais j'étais certain que c'étaient les mêmes que son amante.

Dominus meus bonus et benignus est.

Puis l'un des hommes d'Epstein apparut et enfonça l'aiguille d'une seringue dans le cou de Maser. Quelques secondes plus tard, son menton tomba sur sa poitrine, ses yeux se fermèrent.

— C'est fini, dit Epstein.

— Fini, répétai-je.

Je les laissai enfin m'étendre sur une civière et la lumière s'estompa.

Trois jours plus tard, je retrouvai Epstein au petit *diner*. La sourde-muette nous servit le même repas et disparut dans le fond de la salle, nous laissant seuls. Nous pûmes alors parler sérieusement. Des événements survenus cette nuit-là et de tout ce qui avait précédé, y compris ma conversation avec Eddie Grace.

— Nous ne pouvons rien faire contre lui, dit le rabbin. Même si on arrivait à prouver son implication, il mourrait avant même qu'on le sorte de chez lui.

On avait concocté une histoire plausible concernant ce qui s'était passé à Hobart Street : Hansen était un héros. Alors qu'il me filait dans le cadre d'une enquête, un homme l'avait assailli avec une machette. Bien que gravement blessé, le policier avait réussi à tirer une balle sur son agresseur, toujours non identifié, qui était mort avant d'arriver à l'hôpital. La machette était celle qui avait servi à tuer Mickey Wallace et Jimmy Gallagher. Des traces de sang relevées sur le manche correspondaient à l'ADN des victimes. Pour faire avancer l'enquête, les journaux publièrent une photo de l'inconnu. Elle ne ressemblait pas à Gary Maser. Elle ne ressemblait à personne, en fait, vivant ou mort.

Epstein ne parla pas de la femme. Je ne demandai pas ce qu'ils avaient fait d'elle ni de son amant. Je ne voulais pas le savoir, mais je le devinais. On les avait enfermés dans un endroit profond et sombre où ils croupiraient, loin l'un de l'autre.

— Hansen était l'un de nous, me révéla Epstein. Il vous surveillait depuis que vous aviez quitté le Maine. Il n'aurait pas dû pénétrer dans la maison, je ne sais pas pourquoi il l'a fait. Il a peut-être vu Maser et décidé de l'intercepter avant qu'il parvienne jusqu'à vous. On le maintient dans un coma artificiel pour le moment. Il est peu probable qu'il puisse reprendre un jour ses fonctions.

— Mes amis secrets, soupirai-je, me rappelant les mots que le Collectionneur m'avait murmurés. Jamais je n'aurais imaginé que Hansen en faisait partie…

— Il a peut-être montré un zèle excessif pour vous limiter dans vos activités. La décision d'annuler votre licence ne venait pas de lui, mais il était prêt à appliquer toute mesure prise. Nous pensions que vous attiriez trop l'attention et qu'il fallait vous protéger contre vous-même.

— Son antipathie pour moi a dû faciliter les choses.

Epstein haussa les épaules.

— Il croyait en la loi. C'est pour ça que nous l'avions choisi.

— Il y en a d'autres ?

— Oui.

— Combien ?

— Pas assez.

— Et maintenant ?

— Nous attendons. Vous récupérerez votre licence et votre permis de port d'armes. À défaut de pouvoir vous protéger de vous-même, il faut bien que nous vous donnions au moins la possibilité de vous protéger tout court. Mais pas sans contrepartie.

— Il y en a toujours.

— Un service de temps à autre, rien de plus. Vous êtes bon dans ce que vous faites. Nous arrangerons les choses avec la police de l'État et les flics locaux chaque fois que votre intervention pourra être utile. Considérez-vous comme un conseiller, un consultant occasionnel sur certaines affaires.

— Qui arrangera les choses ? Vous ou un autre de mes… « amis » ?

J'entendis la porte s'ouvrir derrière moi. Ross, le directeur du bureau de New York du FBI, entra mais, au lieu d'enlever son manteau et de venir s'asseoir à notre table, il s'adossa au comptoir, les mains jointes devant lui, et me regarda comme un travailleur social contraint de s'occuper d'un récidiviste dont il commence à désespérer.

— Vous plaisantez, dis-je. Lui ?

Ross et moi avions eu des démêlés.

— Lui, confirma Epstein.

— Unité Cinq.

— Unité Cinq.

— Avec des amis comme ça…

— … on a besoin d'ennemis assortis, acheva le rabbin.

Ross intervint :

— Ça ne veut pas dire que vous pourrez vous adresser à moi chaque fois que vous perdrez vos clés. Vous devrez garder vos distances.

— Ça ne me demandera aucun effort.

Epstein leva une main apaisante.

— Messieurs, je vous en prie.

— J'ai une autre question, dis-je.

— Allez-y.

— La femme murmurait quelque chose pendant qu'on l'emmenait. Avant de tomber dans les pommes, j'ai cru entendre Maser réciter la même chose. Ça ressemblait à du latin.

— *Dominus meus bonus et benignus est.* « Mon maître est bon et bienveillant. »

— Eddie Grace a prononcé peu ou prou ces mêmes mots, mais en anglais. Qu'est-ce que c'est ? Une sorte de prière ?

— Une prière et peut-être plus, répondit Epstein. Un jeu de mots. Un nom revient sur une longue période d'années. Il apparaît dans divers documents ou enregistrements. Nous avons d'abord cru à une coïncidence, ou à un code, mais nous pensons maintenant que c'est autre chose.

— Quoi ?

— Le nom de l'Entité, de la force qui les dirige. « Mon maître est bon et bienveillant[1]. » C'est ainsi que l'appellent ceux qui le servent : « Goodkind ».

Il s'écoulerait un long moment avant que j'apprenne de quoi Epstein et Ross avaient parlé après mon départ, lorsqu'ils n'eurent plus pour compagnie que la brune silencieuse dans la faible lumière du *diner.*

— Vous êtes sûr que c'est prudent de le lâcher dans la nature ? demanda Ross tandis que le rabbin cherchait à tâtons la manche de son pardessus.

— Nous ne le lâchons pas dans la nature. Parker est une chèvre attachée à un piquet, même s'il ne s'en rend

1. *Good and Kind. (N.d.T.)*

pas compte. Nous n'avons qu'à attendre ce qui viendra s'en repaître.

— Goodkind ?

— Peut-être, finalement, s'il existe bien, répondit Epstein, trouvant enfin sa manche. Ou si notre ami vit assez longtemps pour ça…

Je quittai New York le soir même après un autre service funèbre, longtemps retardé celui-là. Sous une simple plaque d'un coin du cimetière de Bayside, je déposai des fleurs sur la tombe d'une jeune femme et d'un enfant sans nom, la dernière demeure de Caroline Carr.

Ma mère.

ÉPILOGUE

Mon cœur aspire à la paix,
Les jours passent et chaque heure emporte
Une parcelle de vie, mais toi et moi, nous deux,
Nous songeons à vivre…

Alexandre POUCHKINE (1799-1837),
Il est temps, mon amie, il est temps

Je passai le reste de la semaine seul. Je ne vis personne. Je ne parlai à personne. Je vivais avec mes pensées et, dans le silence, je tentais de me résigner à ce que j'avais appris.

Le vendredi soir, j'allai au Bear, où Dave Evans assurait le service au bar. Je l'avais déjà prévenu par téléphone que je plaquais le boulot et il l'avait plutôt bien pris. Il devait se douter que cela finirait par arriver. J'avais reçu officieusement confirmation que ma licence de privé me serait restituée dans les prochains jours, comme Epstein me l'avait promis, et que toutes les objections à mon permis de port d'armes seraient levées.

Mais ce soir-là Dave ne s'en sortait pas. Le bar était bondé, on ne pouvait même pas s'asseoir au comptoir. Je m'écartai pour laisser Sarah passer avec un plateau de demis sur une main, un second de plats sur l'autre. Elle avait l'air crevée, ce qui était inhabituel chez elle, et je remarquai ensuite que tout le personnel semblait dans le même état.

— Gary Maser m'a averti vingt-quatre heures avant qu'il nous quittait, se plaignit Dave, qui préparait un Alexander au cognac tout en gardant un œil sur trois pintes qui se remplissaient en même temps sous les pompes. Dommage, je l'aimais bien. Je pensais qu'il resterait. Tu sais ce qui lui a pris ?

— Aucune idée, prétendis-je.

— C'est toi qui l'as embauché, pourtant.

— Grossière erreur.

— Bah, c'est pas si grave. Mais toi, ça aurait pu l'être, on dirait, dit-il en montrant le pansement sur mon cou. Je ne te demande pas ce qui s'est passé.

— Tu pourrais, mais je serais obligé de te mentir.

L'une des pompes commença à crachoter et à faire des bulles.

— Bon Dieu, jura Dave.

Il me regarda et dit :

— Tu ferais une fleur à un vieil ami ?

— J'y vais.

Je passai derrière et changeai le fût. Le temps d'opérer, deux autres se retrouvèrent vides et je les remplaçai aussi. Quand je revins, Dave assurait toujours le service au bar, qui comprenait les commandes du restaurant. Il y avait au moins dix personnes qui attendaient leurs verres et un seul barman pour s'occuper d'eux.

Alors, je repris mon ancien rôle pour un soir de plus. Cela ne me dérangeait pas. Je savais que je me remettrais bientôt à ce que je faisais le mieux et je pris plaisir à travailler une dernière fois pour Dave. Rapidement, je retrouvai le rythme. Les clients arrivaient, je me souvenais de ce qu'ils buvaient même quand j'avais oublié leur nom : le type au Tanqueray, la fille au margarita, les cinq trentenaires qui venaient chaque vendredi et commandaient invariablement cinq pintes de la même bière, sans jamais essayer l'une des marques plus exotiques, si bien qu'on annonçait toujours leur arrivée comme « la Charge de la brigade des bières légères »… Les Fulci débarquèrent aussi, avec Jackie Garner en remorque, et Dave parvint à avoir l'air content de les voir. Il avait une dette envers eux parce qu'ils avaient tenu les journalistes à l'écart après le meurtre de Mickey Wallace, même s'il soupçonnait que leur présence avait aussi fait fuir quelques habitués. Ils s'assirent dans un coin et mangèrent des hamburgers en descendant de la Belfast Bay Lobster rousse à la façon de types qu'on enverrait en taule le lendemain, expérience qui ne leur était de toute façon pas étrangère.

Et la soirée passa.

Eddie Grace fut réveillé par le craquement d'une allumette dans sa chambre obscure. Les médicaments avaient en partie calmé sa douleur, mais ils avaient aussi engourdi ses sens et il lui fallut un moment pour qu'il se rende compte que c'était encore la nuit et se demande ce qui l'avait réveillé. Il pensa qu'il avait dû rêver ce bruit : personne dans la maison ne fumait.

Puis une cigarette rougeoya, une forme remua dans le fauteuil, à gauche, et il aperçut un visage. L'homme était maigre et avait un air maladif, les cheveux coiffés en arrière et plaqués sur le crâne, les ongles longs, teintés de jaune par la nicotine. Ses vêtements étaient sombres. Même de son lit malodorant, Eddie pouvait sentir l'odeur humide et froide de l'inconnu.

— Qu'est-ce que vous faites ici ? Qui êtes-vous ?

L'homme se pencha en avant. Il tenait à la main un vieux sifflet de police suspendu à une chaîne en argent. L'objet avait appartenu au père d'Eddie, qui le lui avait donné quand il avait pris sa retraite.

— Ça me plaît, ça, dit l'inconnu en faisant danser le sifflet au bout de sa chaîne. Je crois que je vais l'ajouter à ma collection.

La main droite d'Eddie chercha le bouton du système d'appel. Ça sonnerait dans la chambre de sa fille et elle ou Mike accourrait. Son doigt appuya, mais il n'entendit rien.

— J'ai pris la peine de le débrancher, dit l'homme. Vous n'en aurez plus besoin.

— Je vous ai demandé ce que vous faites ici, croassa Eddie.

Il avait peur à présent, c'était la seule réaction appropriée à la présence de cet homme. Tout en lui était anormal. Tout.

— Je suis venu vous punir de vos péchés.

— Mes péchés ?

— Vous avez trahi votre ami, vous avez mis son fils en danger. Vous avez causé la mort de Caroline Carr et abusé de petites filles. Je suis ici pour vous le faire payer. Vous avez été jugé et trouvé défaillant.

Eddie eut un rire creux.

— Je vous emmerde, rétorqua-t-il. Regardez-moi : je suis en train de mourir. La douleur ne me lâche pas. Qu'est-ce que vous pouvez me faire de plus ?

Le sifflet fut soudain remplacé par un morceau de métal acéré. L'homme se leva et se pencha vers Eddie, qui crut voir d'autres formes massées derrière l'inconnu, des hommes aux yeux creux et à la bouche sombre, qui étaient à la fois là et pas là.

— Oh, je suis sûr de trouver quelque chose, murmura le Collectionneur.

À minuit, le bar était presque vide. Le bulletin météo avait annoncé de la neige en fin de soirée et la plupart des gens avaient préféré rentrer plus tôt pour ne pas risquer d'avoir à conduire dans le blizzard. Jackie et les Fulci étaient encore à leur table, couverte de bouteilles vides, mais dans la zone restaurant les derniers clients se levaient et enfilaient leurs manteaux. Au bout du comptoir, deux hommes réglèrent leur addition, me souhaitèrent bonne nuit et partirent, ne laissant qu'une seule autre personne au bar. Au début de la soirée, cette femme avait fait partie d'un groupe de flics de Portland mais, quand ils étaient partis, elle était restée, avait tiré un livre de son sac et s'était mise à lire tranquillement. Personne ne l'avait embêtée. Elle était petite, brune et jolie, mais il émanait d'elle quelque chose qui maintenait les importuns à distance, et même les piliers de bar de classe internationale ne s'étaient pas approchés d'elle. J'avais l'impression de l'avoir déjà vue quelque part. Il me fallut un moment, mais je finis par me rappeler où. Elle leva les yeux de son livre, vit que je la regardais.

— OK, je pars, dit-elle.

— Prenez votre temps, répondis-je. Le vendredi soir, le personnel reste pour boire un verre ou manger un morceau. Vous ne gênez personne.

J'indiquai son verre de vin rouge, qui ne contenait plus qu'une dernière gorgée.

— Je vous remets ça ? Offert par la maison.

— Ce n'est pas interdit, après l'heure de la fermeture ?

— Vous allez me dresser un P-V, agent Macy ?

Son nez se plissa.

— Vous savez qui je suis ?

— J'ai lu des choses sur vous dans les journaux, et je vous ai vue dans le coin. Vous étiez sur l'affaire de Sanctuary.

— Comme vous.

— De loin seulement, dis-je en tendant la main. Mes amis m'appellent Charlie.

— Les miens m'appellent Sharon.

Après notre poignée de main, elle me demanda, en montrant mon cou :

— Vous vous êtes coupé en vous rasant ?

— Je n'ai pas la main sûre.

— C'est embêtant pour un barman.

— C'est pour ça que j'ai arrêté. Ce soir, je rends seulement service à un vieux copain.

— Qu'est-ce que vous allez faire à la place ?

— Ce que je faisais avant. On m'avait suspendu ma licence, je vais bientôt la récupérer.

— Malfaiteurs, prenez garde, dit-elle.

Elle souriait, mais son regard demeurait grave.

— Quelque chose comme ça.

Je posai devant elle un verre propre et le remplis du meilleur vin de Californie que nous avions.

— Vous me tiendrez compagnie ? s'enquit-elle.

Et quand elle les prononça, ces mots parurent promettre pour un jour prochain quelque chose de plus qu'un verre dans un bar faiblement éclairé.

— Bien sûr, répondis-je. Avec plaisir.

Remerciements

Je tiens à exprimer ma profonde reconnaissance à ceux qui ont généreusement mis leur temps et leurs connaissances à ma disposition lorsque j'effectuais mes recherches pour ce livre. Je remercie particulièrement Peter English, ancien du 9e District de New York, qui a donné vie à ses rues pour moi et sans qui ce roman serait bien moins riche. Dave Evans et tout le personnel du Great Lost Bear (www.greatlost-bear.com), le meilleur bar de Portland, dans le Maine, se sont montrés formidablement hospitaliers et prêts à donner un boulot à un privé traversant une mauvaise passe. Mille mercis également à Joe Long, Seth Kavanagh, Christina Guglielmetti, Clair Lamb (www.answer-girl.net), Mark Hall, et Jane et Shane Phalen, qui m'ont tous aidé à cacher mon ignorance à divers stades de la rédaction de ce livre. Les erreurs sont de mon fait et je m'en excuse.

De nombreux livres et articles m'ont été fort utiles, notamment : *New York : An Illustrated History*, de Ric Burns et James Sanders, en collaboration avec Lisa Ades (Alfred A. Knopf, 1999) ; *The Columbia Guide to America in the 1960s*, de David Farber et Beth Bailey (Columbia University Press, 2001) ; *The Six-*

ties : Years of Hope, Days of Rage, de Todd Gitlin (Bantam, 1993) ; *The Movement and the Sixties : Protest in America from Queensboro to Wounded Knee*, de Terry H. Anderson (Oxford University Press, 1955) ; *The Neighborhoods of Brooklyn*, sous la direction de John B. Manbeck (Yale University Press, 1998) ; et « Spider manipulation by a wasp larva » (*Nature*, n° 406, 20 juillet 2000).

Merci à Sue Fletcher, mon éditeur à Hodder & Stoughton, Londres, et à toute l'équipe de la maison ; à Emily Bestler, mon éditeur à Atria, New York, à tout le personnel d'Atria et de Simon and Schuster ; à mon agent, Darley Anderson, et à ses merveilleux collaborateurs ; à Madeira James (www.xuni.com) et Jayne Doherty, qui s'occupent de mon site sur le Web, mais dont la gentillesse et le soutien vont bien au-delà. Je serais perdu sans vous tous.

Enfin, tout mon amour à Jennie, Cameron et Alistair, qui doivent supporter tous les désagréments en coulisse.

Composé par Nord Compo
à Villeneuve-d'Ascq (Nord)

Imprimé en France par

MAURY-IMPRIMEUR
à Malesherbes (Loiret)
en mars 2011

POCKET – 12, avenue d'Italie - 75627 Paris cedex 13

N° d'impression : 163435
Dépôt légal : avril 2011
S20700/01